Rédaction :
Valérie Guidoux *(Les animaux et les hommes)*,
Chloé Moncomble *(Contes merveilleux, récits des origines,
histoires de ruses, histoires d'animaux)*,
Gérard Moncomble *(Histoires fantastiques, récits étiologiques)*.

Composition : Libris (38170 Seyssinet)
Impression : S.E.P.C. (St-Amand-Montrond)
N° d'imp. : 2258. – Dépôt légal : septembre 1994

Imprimé en France

mille ans
de contes

d'animaux

Illustrations de
Jean-Louis Henriot

MILAN

Sommaire

Avant tout

« Dis, tu me racontes une histoire ? »

Une histoire à raconter chaque soir pendant des années, cela fait beaucoup d'histoires. Une histoire gaie pour les jours de pluie, une histoire de loup pour le plaisir d'avoir peur, bien au chaud dans son lit, une histoire courte quand maman est pressée, une histoire longue parce qu'on a été très sage... cela fait beaucoup d'histoires différentes.

Pour répondre à la demande des enfants quels que soient leur âge, leur goût ou leur humeur, nous avons composé trois recueils de contes, *Mille ans de contes* tomes 1 et 2 et *Mille ans de contes – Nature,* extrêmement variés. On y trouve de grands contes classiques (*Peau d'Âne, Cendrillon, Le Petit Chaperon rouge, Le Petit Poucet*), des contes moins connus et des histoires d'auteurs contemporains.

La classification de *Mille ans de contes d'animaux* est nouvelle : il y a toujours neuf grandes parties, mais celles-ci ont changé ; ce sont des histoires d'animaux entre eux, d'animaux mêlés à des humains, d'animaux rusés ou humanisés, d'animaux fabuleux. *Mille ans de contes d'animaux* comprend aussi des comptines, des fables et des poésies. Le recueil propose des légendes (*La Tarasque au souffle de poison*), des récits mythologiques (*Rê, l'oiseau soleil ; Pégase, Le cheval aux ailes d'aigle*), des étiologies (*Pourquoi les animaux ont une queue*), des contes merveilleux (*Le Chat botté, Les Cygnes sauvages*), des textes littéraires classiques comme *L'Écureuil* de Maurice Genevoix ou quelques pages du *Livre de la jungle* de Rudyard Kipling, et des histoires écrites par quelques-uns des meilleurs auteurs de littérature pour la jeunesse contemporains.

Les textes anciens (ceux tirés de la mythologie), certains contes assez longs (*La Belle et la Bête)* ont été soigneusement adaptés pour faciliter leur lecture à haute voix.

Le texte d'origine, qui a servi de base de réécriture, a été modernisé et condensé.

D'autres contes, issus directement de la tradition orale, ont été au contraire étoffés par l'introduction de dialogues, par exemple.

Notre but est d'offrir aux jeunes auditeurs des histoires drôles ou émouvantes selon le cas, mais toujours agréables à écouter.

Pourquoi conter ?

Ce n'est pas un hasard si l'enfant est tellement avide d'histoires. Pour lui, l'heure du conte est un moment de tendresse, de plaisir et de connaissance :

il s'en passe des choses dans les contes ! Parfois, on a même l'impression qu'ils contiennent trop de violence ou d'absurdités. Mais ce n'est là qu'une opinion du XXe siècle. Depuis toujours, on a considéré au contraire que les contes étaient la base de l'éducation morale.

De nos jours, les psychologues estiment que les contes aident l'enfant à résoudre les conflits affectifs : s'il se sent mal aimé comme le poussin de *Pauvre Jaunet*, ce conte le consolera en lui montrant que, finalement, il finira par être aimé et qu'il trouvera sa place dans la société.

Il prendra confiance en lui-même en voyant que la sœur des *Cygnes sauvages* ou le bouc, malgré leur faiblesse, arrivent à vaincre la méchante marâtre ou le lion. Certains parents voudraient bannir les personnages qui, selon eux, font peur aux enfants. En fait, ces personnages sont très utiles. Ils permettent de donner un visage à l'angoisse qui étreint parfois les jeunes enfants. Comment dire la peur d'être abandonné, la peur de ne pas être aimé ? Une peur qu'on ne peut pas exprimer, c'est de l'angoisse. Les loups, dans *Tête de loup à la sauce matou*, arrivent à point pour permettre d'extérioriser cette angoisse. C'est d'eux que l'on a peur, bien sûr ! Alors on va les fuir, les battre, les punir de cent façons. Et quand on s'en est débarrassé, on a le cœur soulagé. Parce que les loups ont disparu ? Non, mais toutes ces grandes manœuvres prouvent à l'enfant que l'adulte tient à lui, qu'il le protège de tous les dangers, en un mot qu'il l'aime.

Les histoires sont aussi, pour l'enfant, un moyen d'exercer son intelligence. En les écoutant, il développe sa mémoire auditive et s'entraîne à retenir la structure d'un récit, premier pas vers la lecture intelligente, celle qui consiste à déchiffrer non seulement des signes mais surtout le sens d'un récit.

Chaque type de texte aide au développement de l'enfant :
– la comptine, la poésie et la fable (*Le Loup et la Cigogne*) initient le tout-petit au rythme et à la sonorité des mots, tout en lui offrant des images poétiques qui enrichissent son imaginaire ;
– les contes merveilleux et les légendes développent l'imagination, la créativité et la logique ;
– les histoires écrites par les auteurs contemporains, qui mêlent des thèmes éternels à des situations d'aujourd'hui, incitent le jeune lecteur (ou auditeur) à créer lui aussi des histoires où les ogres, les sorcières et les princesses vivent en pleine actualité.

Pour permettre à l'adulte de mieux connaître le conte qu'il va lire, une introduction indique l'origine de chaque texte : texte d'auteur, conte folklorique, récit de magazine... Quand il s'agit d'un conte folklorique, nous précisons sa répartition géographique et les plus anciennes attestations connues. Les contes se sont transmis oralement pendant des siècles avant d'être mis par écrit. Les premières personnes qui s'intéressèrent aux contes les utilisèrent comme matière première de leurs œuvres : les auteurs de fabliaux au Moyen Âge, Rabelais, Perrault ont directement puisé dans la tradition orale et l'ont adaptée. Les frères Jacob et Wilhelm Grimm furent les premiers à rechercher systématiquement les contes et à les publier sans adaptation littéraire (1812-1815). À leur suite, des folkloristes notèrent les contes dans tous les pays d'Europe. En France, ce fut seulement vers 1870 que commencèrent les collectes sérieuses et les publications. Aujourd'hui, un catalogue international et des catalogues nationaux régulièrement mis à jour font l'inventaire de tous les contes recueillis et les classent par thèmes. On s'aperçoit ainsi que le même conte peut être raconté dans de nombreux pays, avec des variantes.

Pour les textes les plus importants, l'introduction indique quelques-unes de ces variantes d'après le *Catalogue du conte populaire français*. Les éducateurs trouveront là des pistes pour inviter les enfants à créer leur propre version des contes, comme le font les conteurs et les écrivains. Ce patrimoine est universel. Chacun peut raconter les contes à sa guise, avec toutes les variations que lui inspire sa fantaisie, le seul critère étant la satisfaction de l'auditoire.

Quel conte choisir ?

La présentation du recueil est également conçue pour aider l'adulte dans son rôle de conteur. Les textes sont classés par thème (contes merveilleux, récits étiologiques, animaux fabuleux, animaux humanisés...). Chaque texte est précédé de renseignements pratiques symbolisés par un dessin :

 Âge minimum conseillé pour écouter cette histoire. Il n'y a pas d'âge maximum !

 Durée moyenne en lecture continue, c'est-à-dire sans s'interrompre pour donner éventuellement des explications. Libre à l'adulte de jouer avec l'histoire, de la rallonger, de la mimer, d'expliquer...

 Lieux où se déroule l'histoire.

 Personnages principaux.

Ainsi, d'un coup d'œil, l'adulte peut visualiser si ce conte est adapté à l'âge de l'enfant, et si sa durée correspond au temps dont il dispose. Il peut proposer à l'enfant : « Veux-tu une histoire qui se passe dans un château, avec une grenouille ? » ou bien « Veux-tu une histoire qui se passe dans une forêt, avec un ours et un nain ? » ou encore « Veux-tu une histoire qui se passe en Provence, avec un monstre et une jeune fille ? » En fin de livre, différents index lui faciliteront ce choix.

Les illustrations aideront l'enfant et quelquefois l'adulte à comprendre certains passages en lui montrant ce que sont une cognée ou des mandragores, ou d'autres objets étrangers à notre époque ; elles lui suggéreront certaines situations (la mule du pape que l'on descend du clocher), mais nous avons voulu qu'elles restent discrètes, pour ne pas bloquer l'imagination créatrice de l'enfant : les mots, laissés libres de parler à son cœur, lui suggéreront ses images à lui, correspondant à son humeur, à sa personnalité.

Comment conter ?

L'heure du conte, ce n'est pas seulement une histoire que l'on raconte. C'est aussi toute une ambiance que le conteur va créer autour d'une histoire en particulier. Pour aider l'adulte à raconter d'une manière vivante et expressive, nous lui proposons en marge des changements de voix, de rythme, de ton, qui animeront le récit.

Mais les enfants adorent les rituels et sont toujours ravis par un peu de mise en scène. Pourquoi s'en priver ?

Les éducateurs peuvent par exemple installer un coin spécial avec des coussins et une lumière atténuée. À la maison, aussi, pensez à l'éclairage : un feu de cheminée ou des bougies créent immédiatement une ambiance magique. Pour jouer le jeu jusqu'au bout, le conteur ou la conteuse peut porter un vêtement particulier, un accessoire (châle, chapeau) et s'installer dans un siège réservé à ce moment.

« Tric, trac, un conte dans mon sac. » Vous pouvez utiliser des formules de ce genre qui marquent l'entrée dans l'histoire. À partir de cet instant, l'auditeur et le conteur sont complices dans le monde du conte, dans une parole à la fois simple (par la structure des phrases, par le vocabulaire) et solennelle. Le ton sera différent selon qu'il s'agit d'histoires d'animaux humanisés, d'une légende mythologique, d'un conte merveilleux, mais la façon de dire est toujours importante : il faut veiller à parler lentement et clairement, en ménageant des temps de repos, de silence, qui permettent à l'enfant de « digérer » les événements qu'il vient d'apprendre. Pour l'enfant, ce ne sont pas des moments de vide mais d'activité mentale : il réfléchit à ce qu'il vient d'entendre, imagine la suite, savoure telle ou telle situation qui l'intéresse particulièrement.

Si vous souhaitez en savoir plus, la bibliographie en fin de livre vous propose un choix de titres de référence. Nous avons ajouté à ces titres une musicographie qui répertorie les contes en musique. C'est aussi une façon différente de « raconter » une histoire. Il existe d'autre part de nombreux fonds musicaux qui n'ont pas été créés pour illustrer des contes mais qui peuvent tout à fait servir de fond d'ambiance.
Toujours en fin de livre, vous trouverez enfin la liste des contes publiés dans *Mille ans de Contes* tome 1, *Mille ans de Contes* tome 2 et *Mille ans de contes – Nature*.

Le plaisir de conter nous a guidés tout au long de notre travail. Nous souhaitons qu'au fil des années, adultes et enfants ne cessent de partager ce plaisir.

au temps où les bêtes parlaient

Pourquoi les animaux ont une queue

Adapté d'un récit carélien.

Cette histoire est une étiologie. C'est un genre de récit que les folkloristes du XIX
siècle ont appelé les « Pourquoi ».

Les récits étiologiques ont en effet pour but d'expliquer, en recourant à un événement
situé dans un passé mythique, l'existence et les caractéristiques actuelles du monde
animal ou végétal : couleur, cri, mode de vie, goûts...

Le schéma de ces légendes est toujours le même : il fut un temps où l'animal n'était
pas comme aujourd'hui ; à un moment donné, il a eu un comportement qui lui a per-
mis d'acquérir une qualité que ses descendants possèdent encore.

Ces récits affirment que le monde n'a pas été créé en une seule fois, ni par un créateur
unique. Cette conception s'explique par la finalité de ces récits qui est avant tout
d'expliquer les traits distinctifs des choses et des êtres vivants. L'histoire élaborée et
transmise dans ces récits n'est pas purement descriptive. Les caractères spécifiques des
choses ont un sens et doivent être déchiffrés comme autant de signes qui manifestent
leur place et leur fonction dans un univers ordonné.

Les « Pourquoi » sont rarement classés dans les sections réservées à la littérature
orale par les folkloristes. Ils se trouvent plutôt dans les chapitres où sont regroupées
les croyances et les superstitions concernant la flore et la faune. Ils ne semblent pas
avoir fait partie du programme des veillées, où se disaient les contes merveilleux et
les légendes. Tout porte à croire que ces récits étaient racontés en plein air, à l'occa-
sion de la cueillette d'une plante, de l'observation d'un oiseau...

À partir de
3 ans

4 min

Foire

Renard
Chien
Chat
Cheval
Vache
Cochon

Aussi incroyable que cela puisse paraître, il fut un temps où les animaux n'avaient pas de queue. Vous avez bien entendu : pas de queue. Ni le renard, ni l'âne, ni le lapin, ni le chien, ni les autres. Et cela les rendait fort tristes. La vache pensait qu'une queue lui serait bien utile pour chasser les mouches, et le cheval était bien de son avis. Quant au chien, il aurait bien aimé en avoir une pour montrer sa joie.

Imaginez la surprise de tout ce petit monde lorsqu'on annonça qu'une grande foire allait avoir lieu, et qu'on allait y vendre, devinez quoi : des queues !

Tout bas

— Il faut que j'y sois le premier, pensa le renard.

Et il partit ventre à terre, courant plus vite qu'il ne l'avait jamais fait. Il arriva bon premier à la foire.

Des queues, il y en avait, oui, et de toutes sortes : des grandes, des minces, des courtes, des longues. Sans parler des queues en forme de feuille, de pompon ou de ficelle, les queues lisses comme le verre ou aussi râpeuses que le bois.

C'était merveille de voir cela, et le renard eut tout loisir de choisir la plus rousse, la plus touffue, en un mot la plus belle.

13

Sur le chemin du retour, il rencontra le chien, qui loucha sur le panache roux.

Ton admiratif

– Diable ! Voici une bien belle queue. Crois-tu qu'il en reste encore ?

Ricaner

– Si fait, compère. Mais la plus belle est accrochée derrière moi, gloussa le renard.

Le chien courut à la foire et se trouva, ma foi, une assez belle queue, pareille à un gros plumeau noir.

S'en retournant chez lui, il rencontra le chat, qui loucha sur le plumeau noir.

– Diable ! Voici une bien belle queue. Crois-tu qu'il en reste encore ?

– Si fait, compère. Mais la plus belle est accrochée derrière moi, claironna le chien.

Le chat courut à la foire et se trouva, ma foi, une assez belle queue, rayée comme le pelage du zèbre et qui ressemblait à un serpent soyeux.

Au retour, il rencontra le cheval, qui loucha sur le serpent soyeux.

Le chat se trouva une queue rayée.

– Diable ! Voici une bien belle queue. Crois-tu qu'il en reste encore ?

– Si fait, compère. Mais la plus belle est accrochée derrière moi, ricana le chat.

Le cheval courut à la foire et dut fouiller longtemps pour trouver, ma foi, une assez belle queue, toute de crins immenses, semblable à une grande barbe de maïs.

Il s'en allait chez lui quand il rencontra la vache, qui loucha sur la longue barbe de maïs.

Ton admiratif

– Diable ! Voici une bien belle queue. Crois-tu qu'il en reste encore ?

Soupirer

– Plus beaucoup, commère. Et les dernières ne sont pas bien belles, soupira le cheval.

14

La vache courut donc à la foire. C'était vrai. Les plus belles queues étaient parties ! Elle fureta, fouina, et finit tout de même par dénicher une queue, un peu ridicule, ma foi, en forme de corde effilochée. Bah ! Pour chasser les mouches, pensa-t-elle, c'était bigrement suffisant.

Tous les animaux défilèrent les uns après les autres, et le tas de queues diminua, diminua. Enfin, beaucoup plus tard, arriva le cochon, encore essoufflé de sa longue course, et bon dernier.

— Il n'y aura plus de queue, pleurnichait-il, et je serai le seul à ne pas avoir l'arrière-train garni !

Mais si ! Il en restait une. Une misérable et ridicule petite queue en tire-bouchon. Croyez-vous qu'il en eût du chagrin ? Point du tout. Il se l'attacha sur le champ et s'en retourna chez lui, fier comme un pape.

C'est ainsi que les animaux ont trouvé leur queue. C'est ainsi et pas autrement. Chat, chien ou cheval, n'essayez pas de la leur tirer, elle est solidement attachée.

Un merle trop glouton

Adapté d'un récit sibérien (voir l'introduction de Pourquoi les animaux ont une queue).

Autres étiologies concernant le merle : D'où vient que le merle puisse à la fois chanter et siffler, Pourquoi le merle vit moins longtemps que les autres oiseaux, Ce que dit le merle…

À partir de
4 ans

4 min

Forêt
Grotte

Pie
Merle
Gardien

En ce temps-là, le merle était blanc comme un ciel d'hiver. Quand il volait, on le confondait avec les nuages, quand il marchait, avec la neige. Ainsi, lorsque la pie, cette fieffée voleuse, se percha sur les branches basses du sapin, elle ne vit pas l'oiseau clair posé sur l'arbre enneigé.

Le merle trouva que la pie s'affairait bien curieusement, frappant l'écorce avec son bec, la griffant de ses pattes.

Crier

— Hé, la pie ! Que fais-tu donc à meurtrir ce pauvre sapin ?

L'autre se croyait seule. Elle faillit tomber de stupeur. Un éclair brilla dans son bec.

— Cachottière ! gloussa le merle. Montre donc ce que tu voulais enfouir sous l'écorce.

C'était un anneau d'or. Fin, ciselé, il luisait doucement dans l'obscurité. Le merle voleta jusqu'à la pie.

Avec envie

— J'en voudrais un tout pareil, siffla-t-il. Où l'as-tu trouvé ?

La pie soupira. Ce satané merle était bien le plus curieux de tous.

Ton mystérieux

— Loin, très loin, répondit-elle. C'est qu'il faut s'enfoncer dans les entrailles de la terre, mon ami, là où habite le roi des trésors secrets.

— Emmène-moi donc là-bas, dit le merle.

Et il suivit la pie dans la montagne, jusqu'à un grand lac, devant l'entrée d'une caverne aussi sombre que la nuit.

— Voilà, c'est ici, chuchota la pie. Écoute-moi bien : tu vas d'abord traverser une salle faite toute de cuivre, puis une autre d'argent. La troisième sera remplie d'or à l'infini. Mais c'est dans la quatrième que tu trouveras le roi des trésors secrets, assis sur son trône en diamant. Tu le reconnaîtras aisément : sa couronne est de saphir, ses vêtements de jade, son sceptre de cristal et ses yeux sont bienveillants. Il te donnera tout ce que tu lui demanderas.

Le merle battit des ailes, excité.

Ton joyeux

— Adieu, mon amie, j'y cours sur le champ !

La pie lui cria encore :

Le merle
interpella la pie.

Ton grave

— Surtout, surtout, ne touche rien avant que le roi te l'ait permis ! Sinon, il t'arrivera un grand malheur !

— Oui, oui ! répondit le merle en pénétrant dans la grotte. Sois sans crainte !

Et tout se déroula comme la pie l'avait expliqué. Dans la première salle, luisaient mille objets comme autant d'étoiles rouges et jaunes, d'une belle couleur cuivrée. Le merle se contenta d'y jeter un coup d'œil envieux. La seconde était pleine de merveilles en argent pur, qui brillaient si fort dans l'obscurité qu'on eût dit une armée de feux follets. L'oiseau blanc s'y arrêta un instant. Comme il aurait aimé posséder tout cela, le petit merle blanc ! Puis il déboucha dans la troisième. Et là, ce fut un éblouissement. Il lui sembla pénétrer une forêt en feu, tant étincelait l'or des murs, du plafond et du sol. Le merle n'en croyait pas ses yeux. « Quels fabuleux trésors ! » songeait-il.

L'or rend fou, même les oiseaux ! Oubliant les conseils de la pie, le merle piqua son bec dans le sable d'or qui jonchait le sol de la salle.

Malheureux volatile, qu'avait-il fait là ? Il y eut soudain un épouvantable grondement et le sol s'ouvrit dans un nuage d'or, vomissant une monstrueuse créature.

En colère

— Tu as osé toucher au trésor du roi sans sa permission, misérable oisillon ! rugit le terrible gardien, et il se jeta toutes griffes dehors sur le merle, les yeux fulminant d'éclairs, la gueule béante.

L'oiseau était leste. Il réussit à s'échapper d'un coup d'ailes et rebroussa prestement chemin, le cœur affolé. Mais il ne put éviter l'ultime souffle du monstre qui cracha sur le merle une longue flamme rouge et fumante.

À l'entrée de la grotte, la pie était toujours là, qui attendait l'oiseau.

— Tu n'as pas résisté à l'or, mon ami, je le vois bien.

— Tu le vois, et à quoi, grands dieux ?

— Regarde-toi dans le miroir de l'eau, dit la pie.

Le merle se pencha sur le lac. Les flammes du monstre avaient brûlé son beau plumage blanc. Il était devenu aussi noir que la nuit. Mais son bec était couleur d'or, comme le sable merveilleux qu'il avait picoré, et cela le consola un peu.

Le Serpent et l'Indien

Adapté d'une légende des Indiens d'Amérique (voir l'introduction de Pourquoi les animaux ont une queue).

À partir de
5 ans

6 min

Forêt
Village

Indiens
Serpents
Perroquet
Animaux
de la forêt

En ces temps étranges, le soleil s'était arrêté au-dessus de la Terre, comme s'il allait la regarder indéfiniment de son œil de feu. Il n'y avait ni ombre, ni nuit. Les bêtes et les hommes, qui avaient déjà inventé le sommeil, avaient bien du mal à dormir. Et s'ils s'assoupissaient un instant, la brûlure de la lumière leur mordait les yeux et les réveillait bien vite.

Seuls les serpents s'en accommodaient. On les voyait se glisser sous les pierres, ou s'enfouir sous les racines des arbres, quêtant

l'humidité et l'ombre bienfaisante. La raison en était simple :
les serpents possédaient la nuit et les ténèbres. Par quel incroyable hasard ? Nul ne le savait. C'était ainsi.

Quand les Indiens apprirent cela, ils décidèrent d'y mettre fin.
Que certains détiennent, et eux seuls, le sortilège de l'Ombre,
leur semblait profondément injuste. Le grand chef des Indiens
s'enfonça donc au plus profond de la grande forêt, là où les serpents vivaient, pour les prier de partager les ténèbres avec
tous.

Le roi des serpents dormait dans son palais d'ombre fraîche
quand le grand chef des Indiens se présenta devant lui. Au
bruit qu'il fit, le reptile se réveilla en sursaut.

Le roi des serpents.

En colère

– Qui es-tu, toi qui oses interrompre mon repos ? siffla-t-il,
furieux.

L'autre leva ses bras en signe de paix et déposa aux pieds du
serpent un arc magnifique et des flèches à la pointe d'or.

Doucement

– Je ne suis qu'un pauvre homme qui vient te demander un
peu de nuit et de ténèbres. En échange, voici le plus beau présent que je puisse t'offrir.

Le serpent le fixa de son œil immobile.

– Que puis-je faire d'un arc, ô homme, moi qui n'ai pas de
mains ?

Le grand chef des Indiens songea que l'animal avait raison. Il
retourna chez les siens, convoqua le conseil des Anciens, qui
décida d'offrir au serpent une crécelle. « Sage idée, pensa le
grand chef. Elle lui sera utile pour accompagner les danses de
son peuple. » Il s'aventura de nouveau au cœur de la forêt. Le
roi des serpents l'attendait. Il considéra la crécelle d'un air son-
geur.

– Que puis-je faire d'une crécelle, ô homme, moi qui n'ai pas
de mains ?

Mais cette fois, le grand chef des Indiens avait une réponse.

21

Ton joyeux

— Je vais l'attacher au bout de ta queue, ô serpent. Cela t'amusera.

Ce qu'il fit. Et quand le roi des serpents remua la queue, la crécelle grinça. Il trouva cela assez drôle, en effet. Alors, il donna au grand chef des Indiens un peu de nuit et de ténèbres, qu'il emprisonna dans un sac de cuir.

L'homme soupesa le sac. C'était bien léger.

Ton grave

— Dis-moi, ô roi des serpents, que voudrais-tu en échange de la nuit tout entière et de ses ténèbres ?

Le serpent réfléchit, l'œil mi-clos.

— Ce que tu me demandes là est considérable. Cent crécelles ne suffiraient pas. Apporte-moi plutôt une grosse cruche de ce terrible poison dont vous enduisez la pointe de vos flèches.

Et le grand chef des Indiens retourna au village. Les siens le reçurent triomphalement et lorsqu'on ouvrit le petit sac de cuir, la nuit et ses ténèbres recouvrirent la terre. Les Indiens purent alors se reposer tout leur content. Mais le sac était minuscule et la nuit fut de courte durée. À peine le sommeil s'était-il installé sous les paupières, que la lumière l'en chassa. Le soleil revint chauffer la Terre et brûler les yeux.

Les Indiens ne s'accommodèrent point de ce jour si long et de cette nuit si brève. On convoqua le conseil des Anciens, qui autorisa le grand chef à porter au roi des serpents une cruche pleine de poison.

Ce fut un long, un très long travail que de recueillir goutte à goutte toute cette quantité de poison, mais ils y parvinrent, tant était grand leur désir de ténèbres. Pour la troisième fois, le grand chef des Indiens s'enfonça dans la forêt d'émeraude.

Le roi des serpents avait fait préparer dans un grand sac une longue nuit pleine de ténèbres et il l'offrit à l'homme en échange de la grosse cruche.

Le chef des Indiens apporta une cruche de poison.

— Je te remercie, au nom des miens, ô roi, dit le chef des Indiens. Mais une chose m'intrigue : que vas-tu donc faire de ce terrible poison ?

Le serpent soupira.

Soupirer

— Vois comment nous sommes : petits, faibles pour la plupart, inoffensifs et désarmés. Trop de gens nous font des misères. Ce poison servira à nous défendre, à l'occasion.

L'homme hocha la tête. Il était juste que tous puissent se protéger. Il mit le grand sac sur son épaule.

Ton grave

— Surtout, n'ouvre pas ce sac avant d'être arrivé chez toi, ajouta le serpent. Les ténèbres envahiraient la Terre avant que j'aie eu le temps de distribuer le poison à tous les miens. Qui sait ce qu'il en résulterait !

Le grand chef promit et s'en fut vers son peuple. Mais sur le chemin, il rencontra le perroquet.

— Qu'as-tu sur tes épaules, homme ?

À peine avait-il répondu, que l'indiscret volatile s'envola en criant à tue-tête :

Crier

— L'homme porte dans son sac une longue nuit pleine de ténèbres ! Venez tous !

Et tous les animaux de la forêt s'attroupèrent autour du grand chef.

— Montre-la nous, ô homme, nous sommes impatients de la voir ! supplièrent-ils.

Le grand chef refusa, rappelant la promesse qu'il avait faite au serpent, mais les animaux ne voulurent rien savoir et, lui arrachant le sac des mains, l'ouvrirent en poussant des cris de joie.

Tout aussitôt, les ténèbres jaillirent, qui plongèrent la Terre dans l'ombre la plus épaisse.

Ainsi qu'il l'avait dit, le roi des serpents était en train de répartir le poison entre les siens, et la grande nuit noire l'empêcha de poursuivre sa tâche. Pire, les serpents, affolés, se bousculant pour avoir leur part, renversèrent alors la cruche de poison. Ce fut le plus grand désordre. Les uns réussirent à emporter une grande quantité de poison, d'autres en eurent un peu et certains pas du tout.

Voilà pourquoi, aujourd'hui, il y a des serpents venimeux, dont la morsure est parfois mortelle, et des serpents qui ne le sont pas. Et ce n'est pas toujours facile à deviner. Sauf pour la famille du roi : ceux qui en font partie portent tous une crécelle au bout de la queue, ce petit cadeau amusant du grand chef des Indiens.

Drôle de meule !

Adapté d'un récit africain (voir l'introduction de Pourquoi les animaux ont une queue).

Variante, recueillie en Catalogne :

à l'origine du monde, les cochons se promenaient en liberté. Le diable, qui ne savait comment passer le temps, se dit qu'il pourrait être porcher. Un jour, il dut s'absenter pour régler une affaire urgente et, ne voulant pas se charger du sac où il mettait son déjeuner, il creusa un trou et l'y enterra. Mais dès qu'il fut parti, les cochons se mirent à fouiller la terre avec leur groin, déterrant le sac et mangeant toutes les provisions. Le diable, furieux, abandonna les cochons qui, contents d'avoir trouvé un si bon déjeuner en fouillant la terre, continuent encore à la fouiller pour en trouver un autre.

À partir de 3 ans   3 min   Village   Tortues Sanglier

Sans huile, que voulez-vous faire ? La tortue avait farfouillé dans tous les coins de sa case. En vain. Elle grogna, pesta, ronchonna, et finit par se rendre chez le sanglier. Elle agita sa calebasse devant le groin de son voisin avec un grand sourire gracieux.

– Donne-moi un peu d'huile, Sanglier, je te prie.

L'autre fronça les sourcils, considéra l'intruse. Méfiance, méfiance.

– Que vas-tu donc en faire, mon amie ?

Diable, la tortue ne pouvait pas lui dire qu'elle en manquait, tout simplement ! Ce gros mal embouché allait encore lui faire la morale et patati et patata !

– Je vais la porter au sorcier, qui en a grandement besoin, dit-elle.

Le sanglier remplit
la calebasse.

Le sanglier, rassuré, remplit la calebasse jusqu'au bord.

– N'oublie pas de me rendre cette mesure d'huile dans neuf jours.

La tortue promit. Elle avait son huile, c'était tout ce qui comptait.

Mais au bout de neuf jours, comme il ne voyait rien venir, le sanglier vint réclamer son dû. Il n'y avait pas plus d'huile dans la calebasse que de noix de coco sur un baobab.

– Donne-moi encore deux jours, pleurnicha-t-elle. Deux petits jours de rien du tout.

Le sanglier grogna, tapa du pied, tempêta.

Crier

– Deux jours, soit, hurla-t-il. Mais gare à toi si tu manques à ta promesse.

En le regardant faire demi-tour, la tortue songea que la colère d'un pareil monstre serait terrible, et elle manqua s'évanouir. Dans deux jours, elle n'aurait pas plus d'huile qu'aujourd'hui.

– Calme-toi donc, lui dit sa femme. Tu oublies ceci.

Et elle tapota doucement sur la carapace de son mari.

Doucement

– Écoute-moi bien : quand le sanglier viendra, glisse-toi à la place de la pierre à moudre le maïs, cache tes pattes, ta queue et la tête à l'intérieur de ta carapace, puis surtout, surtout, reste immobile. Et je te sauverai du sanglier.

26

La tortue hocha la tête. Elle avait si peur qu'elle aurait fait n'importe quoi, même se transformer en pierre à moudre.

Quand le sanglier revint, il trouva Madame Tortue en train d'écraser des grains de maïs. Il poussa un terrible grognement.

Grosse voix

— Où est ma calebasse remplie d'huile ?

L'autre continua de moudre sans même le regarder. Le sanglier haussa le ton :

Très grosse voix

— Où est ton fripon de mari ?

Et Madame Tortue de moudre, de moudre en chantant. Alors, le sanglier se mit en colère, saisit la pierre à moudre le maïs et la jeta loin, fort loin parmi l'herbe rase de la brousse en criant :

En colère

— Tu m'échauffes la bile avec ta maudite meule !

Et puisque la tortue n'était pas dans la case, il partit comme un fou à sa recherche, farfouillant le sol marécageux de son énorme groin.

En vain, bien entendu. Il ne trouva ni huile, ni calebasse. Encore moins la tortue, qui s'était vite glissée au fond d'un trou, là-bas, dans la brousse où le sanglier l'avait jetée. Et qui riait, qui riait du bon tour qu'elle venait de jouer.

Le sanglier entendit-il le rire de la tortue ? Peut-être. Il fourragea longtemps, longtemps, longtemps dans les marécages, pour trouver cette satanée tortue sans parole. Depuis ce jour-là, il fouille, fouille sans cesse la vase, regardez-le. Mais sait-il encore ce qu'il cherche, ce gros balourd ?

La Dernière Danse

Texte publié dans le magazine Wakou, *n° 1 (avril 1989).*

À partir de
3 ans

1 min

Bal

Cigale
Chat
Souris
Autres
animaux

Autrefois, tous les animaux vivaient ensemble : le lapin avec le renard, la grenouille avec le cochon... et le chat avec la souris ! Quand arrivait le printemps, il y avait un grand bal. Et chacun y venait pour y danser durant toute la nuit.

La cigale menait le bal. Elle jouait si bien du violon ! Les danseurs en étaient très contents. Mais ils savaient tous que la cigale ne pouvait pas s'arrêter... Même quand ils criaient « Assez ! », la cigale n'entendait pas et jouait plus vite.

Et, une nuit, la cigale joua encore plus vite. Les danseurs, essoufflés, s'arrêtèrent de tourner les uns après les autres. Et bientôt, il ne resta plus sur la piste que le chat et la souris.

Ils danseraient encore si le chat, tout à coup, n'avait mis la patte sur le bas de la robe de la souris.

Crac ! La souris perdit sa robe et tomba sur son derrière. Et tous les animaux du bal éclatèrent de rire ! Sauf le chat : il crut que sa cavalière se moquait de lui. Alors il se mit en colère... Et se jeta sur la souris les griffes dehors ! Mais la souris, tout effrayée et honteuse d'avoir perdu sa robe devant tout le monde, courut se cacher dans le trou d'un mur !

Depuis cette nuit-là, les souris, quand elles voient un chat, se cachent dans un trou de souris...

Le Coucou
et son panache

Adapté d'un récit roumain (*voir l'introduction de* Pourquoi les animaux ont une queue).

Le coucou est l'oiseau le plus fréquemment cité dans les récits étiologiques qu'il soit seul ou associé à d'autres animaux. La place qui lui est octroyée tient à des caractéristiques qui, conjointes, font de lui un oiseau tout à fait particulier. On l'entend pendant une période très limitée, qui couvre à peu près la durée du printemps ; son cri, très typique, est parfaitement répétitif, aussi dit-on qu'il ne « parle » pas, enfin, et surtout, il pond son œuf dans le nid des autres oiseaux.

Exemples d'étiologies : Pourquoi le coucou ne chante qu'une fois par an, Pourquoi le coucou ne parle pas, Pourquoi le coucou n'a pas de queue, Pourquoi le coucou a les yeux rouges...

La majorité des récits sur la huppe ont pour but d'expliquer son paradoxe : elle sent mauvais, mais elle est très belle.

À partir de 4 ans 5 min Forêt Huppe
Alouette
Coucou

Avez-vous déjà bien écouté le chant du coucou, au printemps, quand le vent tiède fait bruisser les arbres ? Prêtez l'oreille : coucou, coucou, coucou. Sa musique en est triste, comme une longue plainte. Savez-vous pourquoi ? Cela remonte au temps jadis, voilà des lunes et des lunes.

Le coucou avait un superbe panache.

À cette époque-là, le coucou avait sur la tête un superbe panache rouge et noir, dont il était très fier. Mais, bon prince, il le prêtait volontiers à qui le lui demandait.

Un jour, la huppe lui rendit visite.

— Mon ami, dit-elle, j'ai un grand service à te demander.

Et elle raconta au coucou qu'elle était conviée au mariage de l'alouette, que tous les invités avaient les costumes et les chapeaux les plus extravagants qui soient, qu'elle avait peur de ne pas être à la hauteur, et que…

— J'ai compris, l'interrompit le coucou. Tu veux mon panache ? Prends-le donc. Mais rapporte-le moi dès demain.

La huppe promit. Elle s'en fut en dansant, heureuse comme personne, le panache sur la tête.

Lorsqu'elle arriva à la fête, tout le monde se pâma d'admiration devant ce couvre-chef qui dépassait de loin tous les autres.

L'alouette s'approcha, émerveillée :

— Ma chère, quelle couronne vous avez ! Qui donc vous l'a prêtée ?

Ton admiratif

La petite huppe redressa bien haut son bec.

— Prêtée ? Vous n'y êtes pas, chère amie. Ceci est un présent du roi Salomon, qui m'a ainsi remerciée de lui avoir donné quelques judicieux conseils.

Les invités en restèrent bec cloué et bouche bée. Conseillère du roi Salomon ! Quel prestige ! À partir de ce moment, la fête tourna autour de la huppe, de son panache, et de son pouvoir à la cour du roi. L'alouette en conçut même une certaine jalousie : après tout, il s'agissait quand même de son mariage ! Mais la fête prit fin et la petite huppe retourna chez elle, tout auréolée de sa nouvelle réputation.

Seulement, il fallait rendre le panache au coucou, comme promis. Et la huppe n'en avait aucune envie. À dire vrai, cette parure lui allait comme un gant, et tellement mieux qu'à ce pauvre coucou, n'est-ce pas ! Et que diraient les oiseaux, s'ils découvraient son mensonge ? Et le roi Salomon, ne serait-il pas vexé, qu'elle ne portât point son magnifique présent ?

Pour toutes ces raisons, bonnes et moins bonnes, la huppe garda le panache. Le coucou patienta un peu, puis, comme il ne voyait rien venir, alla trouver la petite huppe.

— Et mon panache ?

La petite huppe ouvrit des yeux étonnés.

Surprise
— Panache ? Quel panache ?

Ton agacé
— Mais celui qui est sur ta tête, voyons ! pesta le coucou.

La huppe soupira.

— Tu n'y penses pas, mon pauvre ami ! Un cadeau du roi Salomon !

Et, devant la mine ébahie du coucou, elle ajouta :

Avec fierté
— Va donc voir nos voisins, ils te le diront tous.

Bien sûr, chez les voisins, même son de cloche. Tout le monde avait pris pour argent comptant les vantardises de la petite huppe, et on affirma au coucou que le roi Salomon avait pour elle des bontés exceptionnelles, en raison de ses conseils éclairés. Le pauvre coucou eut beau chanter sur tous les tons que le panache était à lui depuis la nuit des temps, à lui et à lui seul, personne n'en crut un traître mot.

Il se mit alors à chercher la petite huppe pour lui faire entendre raison, mais la voleuse de panache avait déguerpi depuis longtemps.

Voie aiguë « Coquine ! Coquine ! » piaillait le coucou, en voletant d'un arbre à l'autre.

Il ne la trouva pas. Les petites huppes sont rusées comme les renards, dont elles ont la couleur.

Ah, vous aussi, vous croyiez qu'il disait « Coucou, coucou », le coucou ? Pas du tout. Il dit « Coquine ! Coquine ! ». Car encore aujourd'hui, il cherche cette satanée huppe, la voleuse de panache !

Le chien qui voulait un ami

Texte publié dans le magazine Wakou, *n° 3 (juin 1989).*

À partir de
2 ans

2 min

Forêt
Maison

Chien
Mouton
Loup
Ours
Homme

Autrefois, le chien vivait tout seul dans les bois. Mais il s'ennuyait ! Un jour, il décida de se trouver un ami.

Il vit un mouton dans un pré :

Petite voix

— Mouton, gentil mouton, veux-tu vivre avec moi ?

— Pourquoi pas ? dit le mouton. Suis-moi...

Le soir venu, ils s'endormirent. Mais un bruit réveilla le chien.

Il se mit à aboyer ! Le mouton était furieux :

Voix étouffée

— Tais-toi ! Si le loup t'entend, il viendra nous dévorer !

Et il le chassa !

Alors, le chien s'en alla chercher le loup.

Petite voix
— Loup gris, museau pointu, veux-tu vivre avec moi ?

— Pourquoi pas ? dit le loup.

Le soir, ils s'endormirent. Mais au milieu de la nuit, le chien se mit à aboyer !

Chuchoter
— Chut ! Si l'ours t'entend, il viendra nous dévorer, cria le loup.

Et il se sauva... à pas de loup... Alors, le chien s'en alla chercher l'ours.

Petite voix
— Ours brun, ours griffu ! Veux-tu vivre avec moi ?

— Pourquoi pas ? dit l'ours.

Le soir venu, ils se couchèrent tous les deux.

Mais le chien se mit à aboyer ! Tremblant de colère, l'ours cria :

Crier
— Si l'homme t'entend, il viendra nous tuer !

Alors le chien s'en alla chercher l'homme.

— Toi qui fais peur à l'ours, qui fais peur au loup, qui fais peur au mouton, veux-tu vivre avec moi ?

— Viens, dit l'homme.

Et il l'emmena dans sa maison... Au milieu de la nuit, le chien se mit à aboyer.

— Brave petit chien, mange si tu as faim. Mais laisse-moi dormir ! dit l'homme.

« Il n'a vraiment peur de rien ! » pensa le chien, et il se rendormit, heureux !

Et depuis ce jour, le chien est le meilleur ami de l'homme.

Les Couleurs du caméléon

Adapté d'un récit africain (voir l'introduction de Pourquoi les animaux ont une queue).

À partir de
3 ans

3 min

La Terre

Esprit
Homme
Caméléon
Autres
animaux

Il y a des lunes et des lunes, les êtres vivants étaient comme le vent, changeant d'endroit au moindre souffle, traînant par-ci, grimpant par-là, toujours de passage. Et quand on voulait s'arrêter plus longtemps, on était bousculé, délogé par les autres.

L'Esprit Bon, qui voyait tout cela d'un œil agacé, réunit tous les êtres vivant sur la Terre et dans les cieux.

Ton grave

– Mes amis, vous vivez comme le typhon, la tête à l'envers. Vous ne savez où dormir, où manger, où jouer. Je veux donner à chacun d'entre vous un endroit, sur la Terre ou dans les cieux, qui sera son logis.

Homme et animaux, tout le monde approuva l'Esprit Bon. Eux aussi en avaient assez d'errer éternellement à travers Terre et ciel.

– Dîtes-moi donc où vous désirez vivre, dit l'Esprit Bon.

L'homme s'approcha.

– Donne-moi une maison et un champ, demanda-t-il.

L'Esprit Bon hocha la tête en souriant.

– Tu les auras, homme.

Puis les animaux défilèrent, l'un après l'autre.

Changer d'intonation à chaque réplique

– Je voudrais vivre dans le ciel.

– Moi, je veux l'obscurité de la forêt.

– Laisse-moi vivre sous terre.

Pour les uns, c'était la savane ou la steppe, ou bien encore l'eau des fleuves, les lacs ou la mer. D'autres rêvaient de pics escarpés ou de taillis profonds. Tous avaient une préférence et l'Esprit Bon approuvait de la tête. La Terre et les cieux étaient si vastes !

Bientôt chacun eût parlé selon son désir. Seul parmi les êtres vivants, le caméléon était resté silencieux. L'Esprit Bon s'étonna.

Surprise

– Tu n'as pas choisi ta demeure, Caméléon ?

L'animal semblait hésiter. Il finit par faire entendre une toute petite voix.

Petite voix

– C'est que moi, vois-tu, cette vie de vagabond me convient. J'aime habiter partout et nulle part.

Le caméléon.

L'Esprit Bon se mit à rire de bon cœur.

Ton joyeux

– Tu es un curieux animal ! Mais chacun a le droit d'habiter selon son cœur et où bon lui semble, Caméléon.

Depuis cette époque, les êtres vivants se sont partagé la terre, les eaux et les cieux. Les animaux courent la savane, survolent la forêt, ou nagent dans le fleuve. Et l'homme vit dans sa maison, entouré de ses champs.

Quant au caméléon, il est chez lui partout. Qu'il saute sur une feuille verte, il devient vert. Qu'il trottine sur la branche, il est gris comme elle. Car voyez-vous, il marie sa peau avec toutes les couleurs du monde, le caméléon.

Zizanie marine

Adapté d'un conte de Grimm (voir l'introduction de Pourquoi les animaux ont une queue).

Presque tous les récits d'origine des pleuronectidés (sole, flétan, turbot...) relèvent leur asymétrie. Par exemple, les poissons se réunissent pour se donner un roi. Le flet manque à l'appel : devant un miroir, il tord la bouche pour voir comment il se présenterait en roi. Sa vanité est punie : il garde les yeux louches et la bouche de travers, et il nage aussi incliné qu'il l'était devant le miroir. La dissymétrie de ces poissons est toujours présentée comme l'effet d'une punition.

À partir de
3 ans

3 min

Mer

Poissons

À cette époque, la mer était partout. Elle recouvrait les montagnes, les rochers, la terre. C'était le royaume du vent et des vagues. L'écume jouait avec les rayons du soleil ou sous l'œil blanc de la lune. Au-dessus de l'eau, tout était en ordre. Mais en dessous, quel charivari ! Requins, harengs, murènes, dauphins, baleines, sardines, tout ce que les flots profonds recelaient de poissons, s'agitaient comme une folle fourmilière. Les uns nageaient en bancs puissants et bousculaient les solitaires, d'autres dansaient sur le ventre des endormis, ou jouaient à se manger entre eux. C'étaient des querelles à n'en plus finir, des batailles de nageoires, d'écailles luisantes, de queues furieuses.

Cela dura un temps. Puis les poissons se fatiguèrent de ce grand désordre qui faisait de la mer une éternelle foire d'empoigne.

Petite voix

— Si nous avions un roi, peut-être la paix régnerait-elle enfin, dit la sole.

Elle pensait : « Si j'étais reine, la paix régnerait à coup sûr. »

Le requin entrouvrit sa mâchoire.

Voix forte

— Alors, je serai votre souverain. Mes dents sont les plus terribles.

Ton moqueur

— Ridicule ! tonna la baleine. Je suis beaucoup plus grosse que toi, gringalet ! Je mérite la couronne.

L'espadon agita son long rostre.

Voix forte

— Je suis l'épée de la mer. Un roi a toujours une épée.

Diable ! La discussion allait sans doute durer une éternité. Mais la sole était rusée.

Petite voix

— Énormes ou minuscules, ronds ou pointus, nous nageons tous, nous les poissons. Organisons donc une course dans un champ de corail. Et que le plus rapide soit notre roi.

Tout le monde fut d'accord. La sole frétilla d'allégresse. « Je vais gagner, songea-t-elle. Plate comme je suis, je glisse entre les eaux comme personne. »

Et elle ricana du méchant tour qu'elle allait jouer à tous ces arrogants, ces va-t-en-guerre, ces vantards.

Pour donner le signal du départ, mille algues s'agitèrent comme des serpents de mer. Et la troupe des poissons s'élança dans un tourbillon de bulles et de remous, pour la conquête du trône marin.

La sole déchanta vite. Au bout du champ de corail rouge, ce fut le hareng qui remporta la course. Le hareng, oui, cet humble petit poisson argenté, qui parlait si peu et nageait si bien.

En colère

– Ce misérable ver blanc ! Cette ridicule limace grise ! Ce gredin de hareng ! pesta la sole, la bouche tordue de jalousie.

Elle la tordit plus encore lorsque les poissons posèrent la couronne de roi sur la tête du hareng. Elle la tordit tant et tant que ses lèvres gardèrent à jamais ce pli dédaigneux que nous lui connaissons. Le pli de la jalousie.

Voilà pourquoi la sole a la bouche tordue, même quand elle est joyeuse et danse sous l'eau.

Le hareng remporta la course.

Discrètes araignées

Adapté d'un conte africain (*voir l'introduction de* Pourquoi les animaux ont une queue).

À partir de
4 ans

6 min

Village

Araignées
Courges

Le soleil avait brûlé la terre comme jamais. Les arbres étaient secs, les champs rôtis et le fleuve presque à sec. La famine, cette terrible sœur des pauvres gens, ne tarda pas à s'installer dans le pays.

Père Araignée avait six enfants et une femme à nourrir. Et regardant leurs ventres si maigres, il se résigna à aller mendier quelque nourriture. Allant de village en village, il gémissait si fort sur son malheur qu'il réussit à grappiller ici sept crêpes, là, sept patates douces, ou bien encore, sept grains de riz. Tous les soirs, il rentrait avec quelque chose et posait son butin sur la natte.

Mère Araignée soupirait.

— Nous sommes huit, avec toi, mon ami. Comment partager sept parts, dis-moi ?

Père Araignée haussait les épaules, et disait, d'une voix plaintive :

— Je ne veux rien pour moi ou alors, juste une petite bouchée par-ci par-là, c'est tout.

Mais lorsque tout le monde se mettait à table, Père Araignée engouffrait goulûment la moitié de chaque portion en répétant :

— Juste une petite bouchée mes enfants !

Le coquin ! À ce régime-là, il devint vite aussi gros qu'un ananas bien mûr. Quelle erreur, Père Araignée ! Dans les villages où il passait à présent pour quémander sa subsistance, on lui claquait la porte au nez. « Cette grosse Araignée dodue n'a pas besoin de manger » pensait-on. Et la famille eut de nouveau faim.

La mort dans l'âme, Père Araignée se décida à travailler pour gagner son pain. Il partit vers le sud. Mais en chemin, il rencontra une courge qui poussait tranquillement sur sa branche. Une courge, me direz-vous, quelle belle affaire ! C'est que celle-ci n'était pas ordinaire. Non seulement elle était ventrue comme un cochon bien gras, mais elle parlait.

— Bonjour, Père Araignée. Où vas-tu de ce pas ?

Imaginez la surprise de l'autre.

— Ai-je bien entendu ? s'étouffa-t-il. Une courge qui parle ?

— Évidemment, je parle, pouffa la courge. Toutes les courges magiques parlent, ici.

— Montre-moi ta magie, Courge, dit Père Araignée.

Et la courge fit apparaître sur le champ une table garnie des plats les plus réjouissants. C'était bien une courge enchantée. Père Araignée dévora ce surprenant repas en un clin d'œil, et

Soupirer

Hausser les épaules

Voix suppliante

Ton joyeux

Surprise
Pouffer

emporta la courge avec lui. Sans nul doute, il tenait la clé de ses problèmes.

Ainsi, Mère Araignée et ses six enfants purent s'empiffrer des meilleures choses pendant des jours et des jours. Mais quand l'un d'eux s'étonnait d'une telle abondance, Père Araignée prenait un air mystérieux et refusait d'expliquer le miracle. Il avait caché la courge dans un buisson épais et, chaque matin, répétait le sortilège à l'abri des regards. Jusqu'au jour où l'un des enfants repéra son manège. Il attendit la tombée de la nuit où, comme toujours, Père Araignée allait palabrer avec le voisin, et dénichant la courge, la posa devant lui, ainsi qu'il avait vu faire son père.

– Montre-moi ta magie, Courge, dit-il.

Et l'incroyable légume fit apparaître une table couverte des mets les plus appétissants qui soient. Une fois le festin terminé, les enfants voulurent remettre la courge à sa place, mais dans leur grande précipitation, elle chuta sur une pierre et se fendit en deux.

Le lendemain, quand Père Araignée murmura : « Montre-moi ta magie, Courge ! », rien ne se passa. Envolée, la magie ! La courge était devenue un pauvre légume ordinaire.

Père Araignée la secoua comme un prunier, la gronda, l'insulta, mais rien n'y fit. Alors, il alla voir ses enfants, qui lui avouèrent tout. Père Araignée était si catastrophé qu'il oublia de les punir. Et la faim revint dans la maison.

Alors Père Araignée reprit la route du village, pour mendier à nouveau. « Peut-être rencontrerai-je une autre courge », songea-t-il.

Et ce fut le cas. Père Araignée n'en crut pas ses yeux : elle était là, semblable à la première, aussi joufflue qu'un potiron. Elle aussi le salua, comme l'autre.

– Montre-moi ta magie, Courge ! dit Père Araignée.

Mais cette fois, ce ne fut pas un repas copieux que la courge fit apparaître. Car il en sortit une solide cravache de crins tressés qui se mit à danser de belle manière sur le dos de Père Araignée, tant et si bien qu'il crut passer de vie à trépas !

Pleurnicher

– Quel épouvantable sortilège ! pleurnicha-t-il, lorsque la cravache eut cessé de danser.

Mais il emporta tout de même la courge. Il tenait sa punition. Il cacha la courge magique sous le même buisson, et le soir, il partit palabrer avec le voisin, comme à l'ordinaire. Dès qu'il eut tourné les talons, Mère Araignée et ses six enfants coururent chercher la courge.

– Montre-nous ta magie, Courge !

Elle la leur montra, et comment ! La cravache de crins tressés dansa comme elle n'avait jamais dansé ! Tout le monde s'éparpilla aux quatre coins de la case, et, pour se protéger de la terrible grêle de coups, se glissa, qui dans un trou, qui dans une fissure, qui sous un meuble.

Il en sortit une cravache de crins.

Plus jamais elles ne quittèrent leur cachette. C'est là qu'on les trouve encore, de nos jours. Vérifiez, vous verrez. Dans les coins sombres, surtout, là où personne ne peut les voir, ni une cravache de crins tressés leur caresser l'échine.

La Grande Soif du chacal

Adapté d'une légende d'Afrique du Nord.

Les récits étiologiques (voir l'introduction de Pourquoi les animaux ont une queue) *visent à expliquer l'origine d'une caractéristique animale : pourquoi le chacal a-t-il peur de la lumière du soleil ?*

Une autre variante de cette légende expliquerait la peur du chacal par le fait qu'il ait porté le soleil dans un sac sur son dos ; le soleil, trop chaud, l'aurait brûlé.

À partir de 3 ans   4 min   Ciel Soleil   Troupeau Chacal

Autrefois, quand les animaux étaient rois sur la Terre, le soleil vivait parmi eux, dans un village, au milieu de la steppe immense.

Autour de sa maison se pressaient brebis et agneaux. Car le soleil était berger : depuis des siècles et des siècles, chaque matin, il menait ses bêtes à travers les champs bleus du ciel. C'était merveille de voir, tout un jour, le troupeau paître dans l'infinie prairie et l'azur semblait fourmiller de laine blanche.

Tous les soirs, le soleil ramenait ses brebis au village. Et les animaux lui faisaient fête. Car chacun aimait le berger du ciel. C'était lui qui leur donnait la douce chaleur du matin et quand l'herbe était trop sèche, quand l'eau des rivières se tarissait, c'était lui qui donnait la pluie : il se mettait à traire une grosse brebis et du ciel tombaient des ondées bienfaisantes.

Jamais le lion n'aurait osé porté la patte sur une des brebis, ni le léopard, ni le jaguar, ni même la panthère aux dents si tranchantes. Jamais au grand jamais, même lorsque leurs flancs criaient famine. C'étaient les brebis sacrées du soleil.

Mais il y avait le chacal. Celui qu'on nommait le voleur des steppes. Celui qui fouillait de son museau gris la besace des voyageurs perdus dans le désert. Et tous savaient combien cet animal-là convoitait les moutons blancs du soleil.

Le chacal.

Chaque matin, il les regardait partir avec gourmandise, chaque soir son œil s'allumait à les voir revenir.

« J'attends mon heure, songeait-il. J'arriverai bien à en croquer un. »

Et ce jour arriva. Un matin, il vit une brebis s'éloigner du troupeau et peu à peu se perdre dans la steppe. Il la pista, l'étrangla d'un coup de dent et la dévora sous un arbre.

Ton admiratif

— J'avais raison, grogna-t-il. Sa chair est exquise.

Repu, il s'allongea à l'ombre. Mais bientôt, une terrible soif le prit. Sa langue était sèche, râpeuse. Il alla jusqu'à un puits.

Voix suppliante

— Donne-moi à boire, puits de la steppe. Ma soif est si grande !

— Bois donc, Chacal, dit le puits, s'il faut que tu t'abreuves.

Le chacal plongea sa gueule dans le puits, mais à peine effleura-t-il l'eau qu'elle disparut. Il ne restait plus au fond du puits qu'un peu de boue ocre et desséchée.

Étonné, le chacal trotta jusqu'à la rivière. Elle roulait des flots frais et il se sentit rassuré. Celle-là au moins ne s'enfuirait pas.

Voix suppliante

— Donne-moi à boire, rivière de la steppe. Ma soif est sans bornes.

— Bois donc, Chacal, répondit la rivière, s'il faut que tu t'abreuves.

L'animal se pencha sur l'onde tumultueuse mais sa gueule n'attrapa que du gravier gris. Il n'y avait plus une goutte d'eau.

Le chacal prit peur. Le soleil frappait de plus en plus fort et il sentait sa langue pendre jusqu'à terre. Tremblant sur ses pattes, il se traîna jusqu'au lac.

Voix suppliante

— Donne-moi à boire, lac de la steppe. La soif me cuit les entrailles.

Ricaner

— Bois donc, Chacal, ricana le lac, s'il faut que tu t'abreuves.

Mais quand il se baissa vers l'eau calme, ses crocs claquèrent sur des pierres chaudes.

Le chacal comprit qu'il allait mourir de soif. À bout de forces, il s'étala sur l'herbe rase et sa plainte rauque monta vers le ciel.

Voix suppliante

— Soleil, berger furieux, sois clément. Laisse-moi avaler un peu d'eau. Je sais mon crime.

Et il recracha morceau par morceau la brebis dévorée.

— Je rends ta bête à son troupeau. Soleil, donne-moi à boire.

Quand la brebis, bien vivante, eut rejoint l'azur, le soleil prit pitié du chacal.

— Ma colère est morte, dit-il. À présent, cours au puits, à la rivière, au lac. J'y ai fait revenir l'eau.

Le chacal but comme jamais animal ne but. Et quand il se fut abreuvé, il s'enfuit dans la steppe. On ne le revit plus jamais.

Mais depuis ce jour, le soleil ne retourna plus au village, au crépuscule. Il décida de rester désormais dans la grande prairie d'azur. Il y garde maintenant son troupeau de blanches brebis et d'agneaux, ces animaux sacrés qu'on prend parfois pour des nuages.

Aujourd'hui, les chacals rôdent toujours près des villages. Mais seulement la nuit, quand le soleil a disparu derrière l'horizon. Ils se méfient, les voleurs de la steppe, car ils connaissent l'histoire du premier chacal.

Une hutte pour trois

Adapté d'un conte du Moyen-Orient (voir l'introduction de Pourquoi les animaux ont une queue).

À partir de
4 ans

5 min

Forêt

Léopard
Bouc
Chèvre

C'était le temps où la grande forêt recouvrait la terre tout entière. Les animaux vivaient dans de petites huttes, faites de branches et de mousse, nichées sous les arbres ou dans les clairières. Ils y étaient heureux, et personne n'aurait songé à chercher querelle à son voisin.

Ce jour-là, le léopard errait dans les sous-bois. Depuis des nuits et des nuits qu'il dormait à la belle étoile, il songea qu'il serait bien agréable d'avoir un abri bien à lui. Il décida, comme les autres, de construire une hutte. Il chercha longtemps et finit par dénicher une petite clairière adorable. Il y faisait frais, et les arbres étaient touffus, accueillants à souhait. Évidemment, l'herbe était haute. « Il me faudrait faucher ces herbes » pensa-t-il et il s'en alla quérir une faucille.

Le bouc, qui passait par là, eut la même idée. « Voilà un petit coin où il ferait bon vivre », se dit-il. Il prit sa faucille et rasa toute l'herbe en un clin d'œil. Puis il rejoignit sa pâture.

Quand le léopard revint et vit l'herbe fauchée, il fut tout ébaubi. Il pensa que c'était là l'œuvre du bon génie des léopards.

Crier

— Demain, je taillerai les pieux, cria-t-il bien fort (si jamais le bon génie l'entendait, ce n'en serait que mieux !).

Et il s'en fut à la chasse.

Le jour suivant, le bouc revint dans la clairière, tailla des pieux pour sa hutte, et rejoignit sa pâture. Quand le léopard revint et vit les pieux taillés, il fut à peine étonné.

Voix forte

— Demain, je planterai les pieux en terre, dit-il tout haut (il était sûr que le bon génie se cachait derrière les buissons).

Et il s'en fut à la chasse.

Le bouc rasa l'herbe.

Le lendemain, le bouc planta les pieux en terre. La hutte prenait forme : il ne manquait plus que le toit. Puis, satisfait, le bouc rejoignit sa pâture.

Lorsque le léopard vit la hutte presque achevée, il sauta de joie. « Ce bon génie est un père pour moi » songea-t-il. Et il hurla :

Hurler

— Demain, je construirai le toit !

Et il s'en fut à la chasse.

Le lendemain, le bouc tressa un toit de feuillages et de branches et, fier de son ouvrage, rejoignit sa pâture.

À peine était-il parti que le léopard arriva. Il admira le toit, se lissa la moustache d'un air fort réjoui, et s'en fut à la chasse, avec la satisfaction du devoir accompli. « Demain, j'emménagerai donc » se dit-il.

Seulement voilà : le jour d'après, quand il entra dans la hutte, il y trouva un bouc et une chèvre.

En colère

— Qu'est-ce que vous faites chez moi ? rugit-il.

Surprise

— Comment ça, chez toi ? dit le bouc. Ici, c'est chez moi, mon ami.

Et il expliqua au léopard comment il avait fauché les hautes herbes, taillé, planté les pieux, bâti la hutte et arrangé le toit.

Grosse voix

— Pas du tout ! Pas du tout ! rugit l'autre. C'est le bon génie des léopards qui a fait cela !

Grosse voix

— Balivernes ! C'était moi, dit le bouc. Moi et moi seul.

Le léopard se mit à élever le ton et le bouc ne fut pas en reste. La chèvre, conciliante, les interrompit.

— Partageons la hutte, dit-elle. Elle est bien assez grande pour nous trois.

Et c'est ce qu'ils firent, bon gré mal gré. Chacun avec ses façons. Le bouc achetait des légumes, le léopard chassait l'antilope, et la chèvre cuisinait pour tout le monde. Cela aurait peut-être pu continuer longtemps, qui sait.

Mais un jour qu'il n'avait pas trouvé d'antilope, le léopard tua une des chèvres du village voisin, et la rapporta dans la hutte. Le bouc fut consterné. Une chèvre ! C'était comme si le léopard avait rompu le pacte.

Ton grave

— Jamais je ne mangerai de cette viande-là, voisin.

Et il s'en fut sur le champ trouver le grand chasseur de la forêt.

— Tue pour moi un léopard et rapporte-le moi, le pria-t-il.

Le chasseur tua donc un léopard et le remit au bouc. Quand ce dernier déposa le cadavre de la bête sur le sol de la hutte, le léopard eut un mouvement d'horreur.

Ton grave

— Jamais je ne mangerai de cette viande-là, voisin.

Et il se mit à avoir peur. Comment le bouc avait-il pu tuer ce léopard ? Une fois le bouc parti, il posa la question à la chèvre.

— Mon mari a le mauvais œil, cher voisin. Quand quelqu'un

52

ne lui revient pas, il le fixe dans le blanc des yeux, et le malheureux meurt instantanément. Ce léopard a dû l'agacer, voilà tout. Mais ne le dis à personne, c'est son secret.

Le léopard se mit à trembler de tous ses membres. « Ô bon génie des léopards, songea-t-il, protège-moi de ce terrible mauvais œil, je t'en supplie. »

Mais le génie semblait s'être évaporé. Le léopard se sentit soudain bien seul. « Si jamais ma tête ne revient pas à ce maudit bouc, je suis fait comme un rat ! Et depuis quelque temps, il me semble qu'il me bat froid. »

Il salua précipitamment la chèvre et en quatre bonds, il s'enfuit dans la forêt.

C'est depuis cette époque que les léopards vivent au plus profond des broussailles épaisses. Quant aux boucs, ainsi que vous le savez peut-être, ils préfèrent la compagnie des hommes. Ils pensent, à tort ou à raison, qu'elle est beaucoup moins dangereuse.

La scolopendre qui vendait des pattes

Adapté d'un récit chinois (voir l'introduction de Pourquoi les animaux ont une queue).

À partir de
2 ans

3 min

Campagne

Scolopendre
Autres
animaux

L'histoire que vous allez entendre vient d'un temps reculé, un temps dont nul ici n'a le souvenir, à part quelques vieux rochers de la montagne, quelques vieilles vagues de la mer, et le soleil, qui est au début de toute chose.

À cette époque, personne n'était tout à fait fini, voyez-vous. À l'un, il manquait un bras, à l'autre, une queue ou un cou. Mais surtout, surtout, les gens et les animaux avaient besoin de jambes et de pattes. Pour marcher, c'est quand même bien pratique. Quand quelqu'un était fatigué de boiter ou de se traîner par terre, il se rendait au grand marché, où la scolopendre tenait boutique.

Maligne, la petite bête ! Elle vendait, à qui en voulait, une, deux ou trois pattes, de toutes tailles, de toutes couleurs. Des pattes avec des pieds, avec des sabots ou des ongles, des pattes poilues ou lisses, des pattes aux griffes acérées ou aux ergots bien pointus. Une invraisemblable collection de pattes !

Tout le monde lui demandait d'où elle les tenait. Alors, la coquine plissait l'œil et répondait :

Ton mystérieux — Du fond des mers, du fond du ciel, du fond du sol.

Ce qui coupait court à toute discussion. En réalité, elle les fabriquait elle-même dans son atelier souterrain, loin de la vaine agitation de la surface.

La scolopendre fit donc pendant longtemps des affaires faramineuses. Diable, c'est qu'il y avait du monde, sur Terre et les pattes se vendaient comme des petits pains !

Et puis un jour, les hommes et les animaux n'en eurent plus besoin. Ils avaient fait leur plein de pattes. Et la scolopendre eut beau mettre les plus beaux spécimens sur son étal, s'agiter dans tous les sens et héler ses anciens clients, ce fut en pure perte. Les gens et les bêtes passaient tranquillement, campés sur leurs jambes ou leurs pattes, sans lui accorder la moindre attention.

Gémir — Pensez aux malheurs qui vous guettent ! gémissait la scolopendre. Qui sait si vous ne perdrez pas une patte ou deux, un jour ?

Mais tout le monde haussait les épaules. Chacun sait qu'une bonne santé vous rend téméraire. Et le chien de courir, le cheval de trotter, le lièvre de bondir, le canard de se dandiner, l'antilope de galoper.

La scolopendre se fâcha tout net.

En colère — Courez, trottez, bondissez, dandinez-vous, galopez donc,

La scolopendre tenait boutique.

animaux ingrats et imprudents ! Je rirai bien, le jour où vous aurez besoin de mes pattes ! Vous n'en voulez plus ? Je les garde pour moi, jusqu'à la dernière !

Ainsi en décida la scolopendre. Plus jamais elle ne fabriqua ni ne vendit de pattes. Et celles qui restaient, l'ingénieuse les utilise encore : regardez-la, dans l'herbe, qui trottine gaiement. Aujourd'hui, on l'appelle le mille-pattes.

du coq à l'âne

La Poule

Texte de Jules Renard, extrait de Histoires naturelles.

Dans cet ouvrage publié en 1896, le créateur de Poil de carotte *se révèle surtout comme un poète ou un chasseur d'images. Il fixe les figures des animaux par des traits brefs et fermes, en se servant d'un jeu subtil d'analogies, d'indications picturales et musicales. Il se soumet, certes, au monde extérieur, mais il l'interprète de façon libre, avec une imagination drôle et tendre, inspirée par un sincère amour des bêtes.*

Maurice Ravel (1875-1937) a donné en 1906 une élégante transcription musicale à cinq d'entre ces Histoires naturelles.

À partir de 5 ans   2 min   Ferme   Poule

Pattes jointes, elle saute du poulailler, dès qu'on lui ouvre la porte.

C'est une poule commune, modestement parée et qui ne pond jamais d'œufs d'or.

Éblouie de lumière, elle fait quelques pas, indécise, dans la cour.

Elle voit d'abord le tas de cendres où, chaque matin, elle a coutume de s'ébattre.

Elle s'y roule, s'y trempe, et, d'une vive agitation d'ailes, les plumes gonflées, elle secoue ses puces de la nuit.

Puis elle va boire au plat creux que la dernière averse a rempli.

Elle ne boit que de l'eau.

Elle boit par petits coups et dresse le col, en équilibre sur le bord du plat.

Ensuite elle cherche sa nourriture éparse.

Les fines herbes sont à elle, et les insectes et les graines perdues.

Elle pique, elle pique, infatigable.

De temps en temps, elle s'arrête.

Droite sous son bonnet phrygien, l'œil vif, le jabot avantageux, elle écoute de l'une et de l'autre oreille.

Et, sûre qu'il n'y a rien de neuf, elle se remet en quête.

Elle lève haut ses pattes raides, comme ceux qui ont la goutte.

Elle écarte les doigts et les pose avec précaution, sans bruit.

On dirait qu'elle marche pieds nus.

Le Nid et la Tempête

Adapté d'un conte balte.

Ce conte, que l'on retrouve aussi en Finlande, évoque la difficulté qu'il y a à choisir entre l'apparence et la réalité, entre un mensonge flatteur et une vérité qui n'est pas toujours agréable à entendre.

À partir de
6 ans

4 min

Ile
Ciel

Oiseaux

Qu'il était doux de vivre sur cette île ! Rien n'y manquait, ni eau, ni nourriture, ni chaleur. Tous y vivaient heureux ; heureux du soleil qui leur donnait rendez-vous chaque matin, heureux de la lune qui éclairait les nuits sombres, heureux de la chanson des arbres.

En parla-t-on à la corneille ? C'est possible. Elle vint s'installer sur cette île si bienfaisante. Cela lui réussit fort bien. Au printemps, trois œufs mouchetés de gris furent pondus. La corneille les couva patiemment. Et bientôt, sous les plumes noires, trois gentils oisillons sortirent des coquilles brisées.

Tout allait donc pour le mieux et la corneille était aux anges. Elle se félicitait d'avoir choisi pour vivre ce paradis merveilleux. Sa petite famille allait pouvoir manger tout son content.

Pourtant, un soir, le ciel se couvrit d'un énorme nuage noir, menaçant, terrible. Un nuage rempli d'orage et d'éclairs, de vents et de pluie. Et la tempête éclata soudain, comme si les cieux déversaient la mer tout entière, comme si mille ouragans soufflaient à la fois.

L'eau montait, montait furieusement. Bientôt, elle atteindrait la cime des arbres. Et le nid serait noyé !

La corneille décida d'emmener ses petits au-delà de la mer, là où les flots ne faisaient pas rage. Mais comment faire ? Elle ne pouvait pas les prendre tous les trois en même temps ! Tant pis ! Elle en saisit un entre ses griffes et, d'un grand coup d'ailes, s'envola au-dessus des vagues rugissantes.

À peine éloignée de l'île, il lui vint une idée. Elle questionna l'oisillon :

Elle en saisit un entre ses griffes.

— Que feras-tu pour moi quand je t'aurai fait franchir les mers ?

<table>
<tr><td>Voix aiguë</td><td>— Moi ? piailla le petit. Je te porterai par-delà les eaux en furie, tout comme toi tu me portes aujourd'hui.</td></tr>
</table>

— Moi ? piailla le petit. Je te porterai par-delà les eaux en furie, tout comme toi tu me portes aujourd'hui.

Crier

— Quel mensonge ! cria la corneille, et elle laissa choir le poussin dans les flots.

Faisant demi-tour, elle se précipita à tire-d'aile vers son nid. L'eau n'était pas loin de l'atteindre. Elle s'empara d'un des deux oisillons et fonça de nouveau vers le large. Puis, de nouveau :

— Que feras-tu pour moi quand je t'aurai fait franchir les mers ?

L'autre répondit gaiement :

Ton joyeux

— Je te porterai où tu voudras ! Tu n'auras plus besoin d'agiter tes ailes. Tu es contente ?

Grogner

— Menteur ! Tu ne le feras pas ! grogna la corneille.

Elle ouvrit ses griffes et l'oisillon fut englouti dans la mer.

Puis l'oiseau noir repartit vers l'île pour sauver son dernier

61

enfant. Il était temps ! L'eau bouillonnait déjà autour du nid. La corneille referma ses griffes sur le poussin et reprit son vol vers l'horizon. Encore une fois, elle demanda :

— Que feras-tu pour moi quand je t'aurai fait franchir les mers ? L'oisillon ne répondit pas tout de suite. Il réfléchissait. Se doutait-il que ses propos allaient peut-être le précipiter dans les eaux blanches d'écume ?

Ton grave

— Mère, dit-il enfin, tu me portes et je t'en remercie. C'est ce que je ferai, le moment venu : je porterai mes oisillons, moi aussi.

La corneille claqua du bec.

— Tu es sage, mon petit. Voilà la réponse que j'attendais. Je prendrai donc soin de toi comme tu le feras plus tard avec tes petits.

C'est vrai. Les oiseaux ne s'occupent jamais de leurs parents. Seulement de leurs enfants. Et c'est un peu triste d'entendre cela. Heureusement, moi qui raconte cette histoire et vous, qui l'écoutez, nous ne sommes pas des oiseaux !

Le Grelot des chats

D'après une fable d'Ésope.

Ésope est un fabuliste grec, à demi légendaire, qui aurait vécu au VIe siècle. Esclave affranchi, difforme et bègue, il aurait voyagé au Proche-Orient et en Grèce, avant d'être mis à mort par les prêtres delphiens.

Les fables qu'on lui attribue, populaires dès le Ve siècle, ont été reprises dans toutes les littératures européennes et dans la littérature arabe. Elles ont servi de modèle à Phèdre et aux fabulistes postérieurs. La rédaction en prose grecque qui nous en est parvenue est une compilation due à Planude (XIVe siècle). Dans cette version, les fables sont des récits très courts, suivis d'une morale. Les personnages y sont généralement des animaux porteurs des principaux caractères de l'homme. Leur célébrité, renouvelée par les Fables de La Fontaine, *est à l'origine d'une tradition littéraire.*

À partir de
3 ans

3 min

Pays
des rats

Rats

En ce temps-là, les rats se réunissaient une fois par an. Du Japon, d'Amérique, d'Italie, ils venaient de partout. Blancs, gris, noirs, rats des villes ou rats des champs, tous étaient les bienvenus.

Cette fois, un grand émoi les secouait. Ils avaient décidé de se débarrasser une fois pour toutes des chats.

C'en était assez ! Assez de ces mangeurs de chair fraîche ! Assez de ces moustachus aux crocs pointus et à la griffe aiguë ! Les rats voulaient vivre en paix, sans l'ombre terrible de ces maudits félins, saperlipotin !

Chacun prit la parole. On discuta, délibéra, palabra et pour finir, on se querella. Personne n'était du même avis. Et la réunion ne fut plus qu'un gigantesque tohu-bohu.

C'est alors qu'un rat monta sur l'estrade et fit taire l'assemblée.

– Nous sommes tous d'accord, mes amis. Le chat est l'unique source de nos maux. Il n'y a pas, sur la Terre, d'animal aussi cruel que ce monstre à moustaches. Même le lion a parfois pitié de nous. Et avec sa patience infinie, ce diable de chat nous surprend toujours, clouant au sol notre queue de ses griffes, et s'amusant avec nous, avant de refermer ses crocs. L'horrible bête ! Le seul moyen d'y échapper, c'est de l'entendre venir. Mais il est aussi silencieux que le nuage dans le ciel !

– Écoute, mon ami, on sait tout cela, interrompit un gros rat. Foin de vaines paroles ! Dis-nous ton idée, et vite.

– Très simple, dit l'autre. Il suffit d'attacher au cou de chaque chat un grelot bien sonnant, et le tour sera joué !

Le peuple des rats applaudit à tout rompre. C'était génial ! Un grelot ! Un simple grelot ! Pourquoi n'y avait-on pas pensé plus tôt ? On vota à l'unanimité pour la proposition et tout le monde se sépara enchanté. Le monde allait changer de visage, sans nul doute. Ces fichus chats n'avaient qu'à bien se tenir !

Alors, pourquoi, aujourd'hui, les rats se font-ils toujours dévorer par les matous ? Les grelots étaient-ils de mauvaise qualité et ne sonnaient-ils pas assez fort ?

Un rat fit taire l'assemblée.

Avec impatience

Ton joyeux

Point du tout. Simplement, il ne s'est trouvé aucun rat assez courageux pour passer un grelot autour du cou des chats. Qui l'aurait fait, de toute façon ? Les chats chassent toujours les rats et les croquent. C'est ainsi, et cela n'est pas prêt de changer !

Le Cheval

Texte de Jules Renard, extrait de Histoires naturelles *(voir l'introduction de* La Poule).

À partir de
5 ans

2 min

Ferme

Cheval

Il n'est pas beau, mon cheval. Il a trop de nœuds et de salières, les côtes plates, une queue de rat et des incisives d'Anglaise. Mais il m'attendrit. Je n'en reviens pas qu'il reste à mon service et se laisse, sans révolte, tourner et retourner.

Chaque fois que je l'attelle, je m'attends qu'il me dise : non, d'un signe brusque, et détale.

Point. Il baisse et lève sa grosse tête comme pour remettre un chapeau d'aplomb, recule avec docilité entre les brancards.

Aussi je ne lui ménage ni l'avoine ni le maïs. Je le brosse jusqu'à ce que le poil brille comme une cerise. Je peigne sa crinière, je tresse sa queue maigre. Je le flatte de la main et de la voix. J'éponge ses yeux, je cire ses pieds.

Est-ce que ça le touche ?

On ne sait pas.

Il pète.

C'est surtout quand il me promène en voiture que je l'admire. Je le fouette et il accélère son allure. Je l'arrête et il m'arrête. Je tire la guide à gauche et il oblique à gauche, au lieu d'aller à droite et de me jeter dans le fossé avec des coups de sabots quelque part.

Il me fait peur, il me fait honte et il me fait pitié.

Est-ce qu'il ne va pas bientôt se réveiller de son demi-sommeil, et, prenant d'autorité ma place, me réduire à la sienne ?

À quoi pense-t-il ?

Il pète, pète, pète.

Pauvre Jaunet

Adapté d'un conte lituanien.

Le thème de l'animal sauvage qui essaie de dévorer (ou dévore) un animal domestique a donné de très nombreux contes répandus dans le monde entier.

À partir de 3 ans   6 min   Ferme   Coq
Poule
Poussin
Fouine
Autres
animaux

Loin, très loin, au pays où les hirondelles allaient passer l'hiver, vivaient un coq et une poule.

Pique-Vermisseau et Cot-Codette (c'était ainsi qu'on les appelait) étaient comme deux pachas, dans la basse-cour. Rien ne manquait. Avaient-ils faim ? Ils se baissaient et hop ! d'un coup de bec ramassaient un ver de terre. Avaient-ils soif ? La mare était toute proche. Un petit couple tranquille, disait-on autour d'eux. Le coq était le maître de la basse-cour, la poule caquetait tout le jour et cela suffisait à leur bonheur. Suffisait ? Pas tout à fait, cependant. Il leur manquait quelque chose : un poussin ! Oui, un oisillon tout jaune, piaillant dans les plumes de sa mère !

Et cela arriva. Un jour, Cot-Codette finit par pondre un œuf. Rien ne pouvait faire plus plaisir à son coq de mari. Enfin, un fils ! Un héritier ! Quelqu'un à qui il apprendrait toutes les ruses, et les meilleurs coins pour dénicher les vers ! Ils lui cherchèrent un nom. Pique-Vermisseau et Cot-Codette se disputèrent longtemps, échangèrent même des coups de bec, mais finirent par tomber d'accord : le poussin aurait pour nom Jaunet.

Ce fut la fête. Canards, dindons, pintades, oies, la basse-cour tout entière célébra l'événement, ainsi que nombre d'animaux des alentours, qui vinrent féliciter la mère. Parmi ceux-ci, Œil-Perçant, la buse, le rapace le plus féroce du pays. Feignant d'apporter ses louanges aux deux parents, il se jeta sur Cot-Codette, l'emprisonna de ses pattes griffues, et l'emmena au loin.

Longtemps Pique-Vermisseau se lamenta sur le sort de son épouse. Et puis il songea à se remarier. Il fallait bien une mère pour Jaunet ! Ainsi va la vie. Il fit la cour à une certaine Noirâme, et l'épousa bientôt. Il crut bien faire. Mais la nouvelle femme du coq n'aimait pas Jaunet. Et bien sûr, lorsqu'elle eut un poussin à son tour, elle lui accorda tout son amour, et à lui seul. Au moment de le baptiser, elle tint ce drôle de langage à son époux.

Avec autorité

— Poule-au-grand-nom, poule de renom, dit-on. Notre enfant s'appellera donc : Poussin-malin-dont-la-beauté-n'a-pas-sa-pareille-si-ce-n'est-celle-de-sa-mère !

Ce qui, vous en conviendrez, était plutôt ridicule. D'ailleurs, toute la basse-cour gloussa. Pique-Vermisseau ne fut pas content du tout, et même pire. Mais Noirâme n'en démordit pas. Poussin-malin-dont-la-beauté-n'a-pas-sa-pareille-si-ce-n'est-celle-de-sa-mère, elle voulait l'appeler, Poussin-malin-dont-la-beauté-n'a-pas-sa-pareille-si-ce-n'est-celle-de-sa-mère, elle l'appellerait. Point final. Le coq se désintéressa donc de la question et, picorant de-ci de-là, laissa Jaunet, Noirâme et Poussin-malin-dont-la-beauté-n'a-pas-sa-pareille-si-ce-n'est-celle-de-sa-mère à leur sort.

Triste sort, d'ailleurs, que celui du pauvre Jaunet. Sous prétexte qu'il était plus grand que son demi-frère, la marâtre ne cessait de l'envoyer chercher grains ou bestioles pour celui-ci. Quant à Pique-Vermisseau, incapable de prononcer le nom de son second fils, c'était toujours à Jaunet qu'il demandait service. Si bien que Jaunet devint chétif comme fétu de paille, et s'épuisa bientôt à courir ainsi partout, alors que Poussin-malin-dont-la-beauté-n'a-pas-sa-pareille-si-ce-n'est-celle-de-sa-mère se prélassait au bord de la mare. Aussi, lorsque Jaunet tomba nez à nez avec la fouine, il n'eut même pas la force de s'enfuir et se fit attraper en un tournemain. Il réussit pourtant à crier :

Crier

— Père ! Au secours ! Sauvez-moi !

Le sang du coq ne fit qu'un tour. Gonflant son jabot, il se mit à claironner :

Voix forte

— Chiens, chats, taureaux, cochons, moutons ! Mes compagnons ! Accourez et sauvez mon fils Jaunet !

Tous les animaux de la ferme encerclèrent la fouine qui, de peur d'y perdre des plumes, lâcha bien vite Jaunet et s'enfuit à toutes jambes. Mais en passant près de la mare, d'un coup de gueule, elle saisit Poussin-malin-dont-la-beauté-n'a-pas-sa-pareille-si-ce-n'est-celle-de-sa-mère, trop paresseux pour s'être mis à l'abri.

— Mère ! cria le poussin, sauvez votre enfant chéri !

70

À la vue de son trésor, qui pendait du museau de la fouine, Noirâme se mit à hurler :

Voix très forte

– Chiens, chats, taureaux, cochons, moutons ! Mes compagnons ! Accourez et sauvez mon fils Poussin-coquin-dont-le-chat-botté-n'a-nul-autre-sommeil-cot-cot-cot !!!

La pauvre poule ! Elle était si émue qu'elle s'emberlificotait la langue ! Les animaux se regardèrent, étonnés : quel était ce nouveau nom ridicule ? Ce bric-à-brac de pacotille ! De qui se moquait-on, ici ? Alors, Pique-Vermisseau intervint :

Voix affolée

– Mes amis ! Ma femme est bouleversée ! Elle parle de son fils Poussin-malin-dont-la-beauté-n'a-pas-sa-pareille-si-ce-n'est-celle-de-sa-mère, vous comprenez ?

La fouine
emmena le poussin.

Ah oui, maintenant, ils comprenaient. Mais trop tard ! Le temps de prononcer l'interminable nom, et la fouine s'était évaporée, le poussin entre ses dents.

Noirâme pleura beaucoup son fils et Pique-Vermisseau, beaucoup moins, ou fit semblant. Il s'occupa un peu mieux de Jaunet. Le frêle poussin jaune devint bientôt un joli poulet blanc. Qu'on l'appelât toujours Jaunet le faisait rire alors, mais, disait-il, se souvenant de la fouine : « Mieux vaut Jaunet que Poussin-malin-dont-la-beauté-n'a-pas-sa-pareille-si-ce-n'est-celle-de-sa-mère, nom d'un ver de terre ! »

Et il avait raison, nom d'un cornichon !

71

démons et merveilles

Le Chat botté

Adapté du conte de Perrault.

Ce conte est aussi appelé par les folkloristes : Le chat serviable. *Il est composé de plusieurs éléments :*

– le héros est un jeune homme pauvre qui possède un chat ;

– l'animal se rend chez le roi et lui fait des cadeaux de la part de son maître ;

– le roi visite les propriétés du héros et lui donne sa fille en mariage.

Ce conte est répandu dans toute l'Europe jusqu'en Sibérie et en Inde, d'où il a essaimé en Indonésie et aux Philippines. On le retrouve aussi chez certains Indiens d'Amérique et en Afrique.

Dans les versions françaises, influencées par celle de Perrault, l'animal est un chat, mais il en est d'autres (en Sicile, Serbie, Bulgarie, Roumanie, Russie, Finlande, Turquie, Mongolie) où le héros est un renard, un renard doré qui capture les bêtes en leur promettant une dorure de la queue.

Perrault se serait inspiré d'un conte écrit en italien par Straparole dont le recueil, traduit en français en 1572, était bien connu en France à son époque.

Ce conte se rencontre aussi sous d'autres titres : Le Marquis Barbara et son chat, Le Renard doré, Le Chat au sac, Compère Petit Chat, Le Fils du meunier.

À partir de 4 ans

9 min

Campagne Château

Jeune homme Chat Roi Princesse Ogre

Voilà une histoire qui commence fort mal : un meunier, aimé et respecté de ses trois fils comme de tout le voisinage, vient de mourir. Et l'héritage est bien pauvre : son moulin, son âne et son chat. Le partage n'a pas été difficile. À l'aîné, le moulin, au cadet, l'âne, et au benjamin... le chat !

Certes, un chat est un bon compagnon, aimant et docile, mais est-ce lui qui moudra le blé ou transportera la farine, comme le moulin et l'âne des deux aînés ? Que nenni ! Seul avec son pauvre héritage ronronnant sur ses genoux, le jeune homme se lamente :

Se lamenter

– Que vais-je devenir ? Comment gagner le sou si je n'ai pour aide que ce malheureux matou ?

Et il pleure, maudissant le ciel de son peu de chance. Le chat, qui entend ces lamentations, est horriblement vexé. « Pour qui me prend-il donc ? songe-t-il dans ses moustaches, qu'il avait fort longues. Ignore-t-il qu'en ces temps douloureux, un chat est le meilleur des dons ? Des moulins et des ânes, il en pleut à foison ! » Et, se tournant vers son maître, qui n'en finit pas de geindre et même de s'arracher les cheveux :

Avec autorité

– Allons, compère ! Un peu de sang-froid, que diable ! Ce n'est pas en pleurnichant de la sorte que nous allons nous enrichir, sacrebleu !

Un chat qui parle ! Le fils du meunier en reste sans voix.

Voix douce

– Laissez-moi faire, mon maître, reprend l'animal. En moins de temps qu'il n'en faut à la tempête pour plier le blé, votre fortune sera faite !

Et il expose son plan au jeune homme, qui, suffoqué par tant d'audace, ouvre une bouche de plus en plus grande.

Ton impatient

– Allons, gronde gentiment le chat, fermez donc cette bouche et apportez-moi de ce pas une paire de bottes et un sac. Du nerf, mon maître !

L'autre s'empresse d'obéir à cet animal si sûr de lui. Et bientôt, vêtu d'un large feutre empanaché, de bottes de cuir et d'une ceinture à boucle dorée, le chat part exécuter son plan.

Le félin se coiffa, s'habilla et se chaussa.

Voix solennelle

Tout chasseur de fortune suit les règles du jeu : commencer par le commencement ! Notre félin, coiffé et botté, se munit donc d'un sac de carottes bien juteuses et, les exposant bien en vue d'un terrier de lapins, se cache derrière un buisson. En un clin d'œil, une troupe de rongeurs s'attable autour des appâts. Quelques coups de pattes et le chat en fourre plus d'un dans son sac. Tâche aisée pour un chasseur de son espèce ! Et, son butin sur l'épaule, il court au château du roi, qui l'accueille aimablement.

— Majesté, dit le chat, c'est mon maître, le marquis de Carabas, qui m'envoie et vous prie d'accepter ce gibier de sa part.

Le roi est ravi :

Ton joyeux

— Remercie ton maître pour ces délicieux lapereaux, brave chat. J'en ferai un excellent ragoût, dès ce soir !

Pendant quelque temps, le chat poursuit son manège. Il continue à apporter au roi force gibier, à plume ou à poil, toujours au nom de ce soi-disant marquis de Carabas, son maître bien-aimé. Et le roi de le remercier chaque fois, enchanté de l'aubaine. Ne dit-on pas que les petits cadeaux entretiennent l'amitié ?

Un jour, apercevant le roi et sa fille dans leur carrosse, le chat se précipite vers le fils du meunier.

Avec autorité

— Déshabillez-vous, mon maître ! Plongez dans la rivière qui longe la route, et laissez-moi faire !

Le jeune homme enlève ses pauvres guenilles et saute dans l'eau sombre, sans chercher à discuter plus avant. Et quand le carrosse vient à passer, le chat s'époumone :

Crier

— Au secours ! Au secours ! Mon maître, le marquis de Carabas, se noie !

Le roi fait arrêter le carrosse et, fort curieux, en vérité, de voir ce marquis de Carabas qui le régale depuis quelques semaines de gibier si délicieux, envoie ses valets repêcher le noyé. Puis il s'enquiert de l'incident.

Essoufflé

— D'habiles voleurs ont dérobé les habits de mon maître pendant qu'il se baignait ! explique le félin. De surprise, le marquis a bu la tasse, Sire !

Le roi ordonne alors qu'on apporte au jeune homme les plus beaux habits qu'on puisse trouver dans ses malles. Le fils du meunier, une fois revêtu d'un beau pourpoint doré, d'une chemise de soie et d'une grande cape, a fière allure. Grand, bien fait, blond comme les blés d'été, il se dégage de sa personne un air de noblesse qui ne laisse pas indifférente la princesse. Elle le trouve même fort à son goût. Quant au roi, impressionné par tant d'allure, il insiste pour que le jeune homme se joigne à leur promenade. Et tous de monter dans le carrosse.

Le chat se frotte les mains. Son plan commence à prendre tournure, saperlipopette ! Il précède alors le carrosse et interpelle des paysans qui fauchent un pré :

Voix forte

— Vous qui fauchez, je vous somme de dire au roi que ces prés appartiennent au marquis de Carabas, ou, foi de félin, il vous en cuira !

Les faucheurs s'empressent d'opiner du bonnet. Aussi, quand le roi passe près d'eux et les questionne, ils font ce que le chat leur a demandé, et plutôt deux fois qu'une. Ravi de voir qu'à un beau visage s'ajoute un bel héritage, le roi continue sa route.

Le chat ne s'arrête pas là : voyant des moissonneurs sur le bord d'un champ, il les apostrophe :

Voix forte

— Vous qui moissonnez, je vous somme de dire au roi que ces

Le chat interpelle des paysans.

77

champs appartiennent au marquis de Carabas, ou, foi de félin, il vous en cuira !

Lorsque le souverain passe près d'eux et les interroge, les moissonneurs répondent en chœur :

Voix forte — Ces champs sont à notre maître vénéré, le marquis de Carabas, Sire !

Diable ! Le roi est de plus en plus enchanté d'avoir à ses côtés un voisin aussi puissant. Et au fur et à mesure que le carrosse va son bonhomme de chemin, les biens du marquis de Carabas s'étalent de tous côtés, grâce aux bons soins de messire le Chat. Celui-ci arrive bientôt devant un château magnifique, qui domine la vallée. Renseignements pris, c'est celui d'un ogre, justement propriétaire (comme le hasard fait bien les choses !) des terres malicieusement attribuées au marquis de Carabas ! Quelle aubaine ! Le chat va donc présenter ses hommages à l'ogre, qui le reçoit fort bien, ma foi, lui offre à boire et à manger. Tous deux se mettent à converser.

— J'ai ouï-dire que les ogres sont capables de se transformer en toutes sortes d'animaux, du plus féroce au plus minuscule, dit le chat.

L'ogre sourit de toutes ses dents.

Ton joyeux — Sans doute, répond-il. Je m'en vais vous le prouver sur l'heure !

Et il se change en un lion terrible et rugissant. Le chat, un instant terrorisé, se reprend bien vite :

Ton moqueur — Cela est fort effrayant, admet-il du haut d'un lustre où il s'est réfugié. Mais je ne peux croire que, gros comme vous l'êtes, vous puissiez vous transformer en petit animal. Que sais-je, moi ? Une souris par exemple !

L'ogre éclate de rire. Quel naïf, ce pauvre chat ! Un ogre peut tout ! Et une souris trottine bientôt sous le nez du chat.

— Vous voyez bien que c'est possible ! glousse l'ogre.

Ton ironique

— Sans aucun doute, miaule le chat, qui n'en fait aussitôt qu'une bouchée. À malin, malin et demi, messire l'Ogre.

Dans la cour du château, le carrosse royal vient de faire son entrée. Le roi a voulu rendre visite au châtelain d'une si splendide forteresse. Alors, le chat se précipite devant le souverain et, avec une profonde révérence :

Voix solennelle

— Sire, que votre Majesté soit la bienvenue dans l'humble demeure de mon maître, le marquis de Carabas. Une collation attend votre bon plaisir.

L'ogre
se change
en souris.

Une collation ! La belle affaire ! En fait, c'est à un dîner luxueux que le roi est convié, avec mille et un plats parmi les plus rares ! Car l'ogre, avant d'être dévoré, attendait quelques amis en sa demeure. Le roi n'en revient pas de tant de richesses et, apercevant les regards amoureux que se jettent le fils du meunier et la princesse, s'approche du jeune homme et lui dit :

— Monsieur de Carabas, vous me combleriez en acceptant de devenir mon gendre, ma foi !

Le soir même, un éblouissant feu d'artifice célèbre le mariage des deux jeunes gens. Quant au chat botté, épuisé par toutes ces aventures, il se met en boule au coin de la cheminée, et se prend à rêver aux souris qui lui tomberont peut-être demain sous la dent, et seulement si l'envie lui en prend. Car le chat d'un marquis de Carabas ne chasse que pour son plaisir, soyez-en sûr !

Le Crapaud et la Princesse

Adapté du conte de Grimm.

Ce conte reprend un thème très courant dans la littérature orale : celui de l'époux enchanté.

Être aimé par un être humain suffit en général pour briser un enchantement. L'originalité de ce conte tient au fait qu'une promesse, plus que le fait de la tenir, permet au héros, transformé en grenouille, de redevenir prince.

À partir de 3 ans

5 min

Palais Étang

Princesse Crapaud Roi Prince

En ce temps-là, sur la colline de Bruniquelle, se dressait un vaste palais de marbre et d'or, dans lequel vivaient un roi et ses filles, toutes aussi belles qu'un matin de printemps. Leur peau était blanche comme le lait, et leur taille si fine, leurs cheveux si soyeux, qu'à leur passage, les gens étaient saisis d'admiration devant tant de grâce. Mais Bérangère, la plus jeune d'entre elles, était plus belle encore que ses sœurs. On racontait dans le pays qu'à sa vue, les arbres s'inclinaient, les nuages rêvaient, le soleil pâlissait de jalousie.

Par un soir d'été lourd de chaleur, la princesse alla se promener près d'un étang où la fraîcheur était exquise. Sortant de sa poche une balle d'or, elle se mit à jouer avec elle. C'était son passe-temps préféré. Elle la lançait très haut, frappait dans ses mains, la rattrapait en virevoltant, riait aux éclats. Fut-elle distraite ? Ce soir-là, la balle d'or lui échappa et tomba dans l'eau. Bérangère était désespérée. L'étang était profond, le jouet était perdu ! Elle pleura à chaudes larmes. Soudain une voix résonna près d'elle :

Petite voix

— Que voilà un chagrin attendrissant !

Surprise, la princesse tourna la tête. Et elle vit un crapaud, posé sur une feuille de nénuphar.

Petite voix

— Sèche tes larmes, continua le petit animal. Je vais repêcher ta balle d'or. Mais dis-moi, que me donneras-tu en échange ? Bérangère était si contente qu'elle promit or, argent, bijoux. Mais l'autre secoua la tête.

Le crapaud.

Petite voix

— Je ne veux rien de tout cela, ô ma belle princesse.

Et, devant l'œil étonné de la jeune fille :

Petite voix

— Je désire que tu fasses de moi ton compagnon, tout simplement. Je partagerai ta couche, tes repas, tes jeux, ton palais.

La princesse était si désireuse de retrouver sa balle d'or qu'elle accepta sans hésiter. Et en un clin d'œil, le crapaud retrouva la balle et la fit rouler sur la rive de l'étang. Folle de bonheur, Bérangère la ramassa et, sans plus se soucier de l'animal, s'en retourna au palais, oubliant (tête de linotte !) sa promesse. Et le crapaud eut beau coasser tout son soûl, rien n'y fit.

Le lendemain, alors que le roi et ses filles devisaient dans le parc du palais, on annonça un visiteur. Et l'on vit arriver le crapaud, sautillant et coassant. Bérangère pâlit à sa vue, soudain inquiète. Mais le roi invita fort courtoisement l'animal à exposer le motif de sa venue.

Petite voix

— Ce que je veux, une personne saurait vous le dire, ici, Majesté.

Et il sautilla jusqu'aux pieds de Bérangère, blême comme jamais.

— Quel est donc ce mystère, ma fille ? dit le roi.

Voix désolée

— Père, ma honte est grande ! J'ai promis à ce crapaud de le prendre pour compagnon et je n'ai pas tenu parole, alors qu'il m'avait rendu grand service.

Le roi était droit et juste. Il haussa les épaules.

Hausser les épaules

— Qu'à cela ne tienne, mon enfant. Sieur crapaud sera désormais un frère pour toi. Tu partageras tout avec lui et ainsi tiendras-tu ta promesse.

Bérangère ne pouvait qu'obéir. Elle fit des efforts désespérés pour s'habituer au répugnant animal. Mais elle frémissait rien qu'à la vue de cette peau visqueuse, pleine de pustules et le moindre des coassements du crapaud la faisait frissonner. Elle s'en plaignit au roi. Mais son père demeurait inflexible.

Ton grave

— Cet animal t'a aidée quand tu étais chagrine, ne l'oublie pas, Bérangère ! Tiens donc ta promesse ! ne cessait-il de répéter.

La jeune fille résista tant qu'elle put tout au long du jour. Mais le soir venu, quand le crapaud sauta sur son lit, elle faillit s'évanouir. Le supporter à ses côtés n'était déjà pas facile, mais l'avoir auprès d'elle, dans des draps de satin, toute une nuit, quelle horreur ! Prise d'une rage subite, elle saisit l'animal par une patte.

Crier

— Tu veux dormir, vilain crapaud ? Dors donc ! hurla-t-elle.

Et elle le jeta violemment contre le mur.

— Mon Dieu ! qu'ai-je fait ? larmoya-t-elle.

Déjà elle regrettait son geste et se précipitait pour secourir l'animal, mais elle s'arrêta, stupéfaite : à la place du crapaud se tenait un prince, habillé de velours et d'or, et si bien fait, que Bérangère en tomba amoureuse sur le champ.

— Une sorcière jalouse m'avait condamné à devenir crapaud, belle Bérangère. Et toi seule pouvait me délivrer de ce maudit sort, si une once de pitié trouvait place dans ton cœur.

Ivre de joie, la princesse s'en fut trouver le roi.

Ton joyeux

— Je tiendrai ma promesse, père, et toute ma vie s'il le faut !

Le roi s'étonna du brusque revirement de sa fille, mais quand il vit le prince, et les doux regards qu'il portait sur Bérangère, il comprit que, palsambleu ! faire d'un crapaud son gendre était désormais chose possible.

On raconte que les autres filles du roi s'allèrent promener souvent près de l'étang de Bruniquelle, une balle d'or à la main, pour la laisser choir dans l'eau sombre. Les maladroites ! Ou peut-être avaient-elles quelque idée derrière la tête ?

Jorinde et Jorindel

Adapté du conte de Grimm.

À partir de 5 ans

5 min

Forêt
Château

Jeune
homme
Jeune fille
Sorcière
Oiseaux

C'était une belle journée d'été, voilà très longtemps. Deux jeunes amoureux se promenaient dans la forêt, devisant gaiement, heureux d'être ensemble. Ils avaient pour noms Jorinde et Jorindel. Ils s'aimaient depuis si longtemps, et d'un amour si fort, si grand, que rien ne pouvait les séparer, semblait-il. Et quand le soir tomba, les deux jeunes gens, la main dans la main, roucoulaient encore, malgré l'obscurité qui gagnait les bois. Une chouette soudain cria, au-dessus d'eux. Ils comprirent enfin qu'ils s'étaient perdus et qu'il leur faudrait chercher un abri pour la nuit. Ils marchèrent longtemps, serrés l'un contre l'autre. C'est alors qu'ils aperçurent une lueur entre les arbres. C'était celle d'un immense château, noir et lugubre.

– Voilà notre refuge, dit Jorindel.

Ce qu'il ne savait pas, c'est que la sombre demeure était le château de la reine des sorcières ! La reine des sorcières ! Ses pouvoirs étaient grands ! Elle savait se changer en animal pour attirer les bêtes de la forêt et dévorer leur cœur ! Et elle avait jeté un terrible sort autour de son château : qu'une jeune fille vînt à passer alentour et elle était transformée aussitôt en oiseau, et bien vite mise en cage par la sorcière. C'était une bien étrange collection. On disait qu'elle en avait déjà plus de mille !

Maudit château ! Mais cela, Jorinde et Jorindel l'ignoraient. Ils entrèrent dans le palais ténébreux, simplement heureux d'avoir trouvé un abri pour dormir.

Ton rassurant

– Nous serons bien, ici, dit Jorindel en se tournant vers sa bien-aimée.

Mais Jorinde avait disparu. Et une hirondelle voletait maintenant au-dessus de lui, gazouillant un chant triste, si triste !

Le château de la reine des sorcières.

Chantonner

> *Me voilà hirondelle,*
> *Mon pauvre Jorindel !*
> *Que n'es-tu oiseau,*
> *Mon doux damoiseau !*

Le jeune homme fut épouvanté. Il demeura figé comme la pierre, incapable de faire un geste. Alors, dans un nuage de fumée âcre, la reine des sorcières apparut à ses côtés, comme si elle sortait du néant. Elle était laide comme la mort, avec son nez crochu, ses verrues, ses dents pointues, ses yeux rouges. Elle saisit l'hirondelle d'un geste vif, et dit en ricanant :

Ricaner

– Les jouvenceaux de ton espèce ne m'intéressent pas ! Mais je garde ta jouvencelle ! Pars, jeune sot ! Et ne reviens jamais !

La reine des sorcières apparut.

Jorindel cria, pleura, supplia la sorcière de lui rendre Jorinde, se jeta à ses pieds. Inutile, hélas ! La sorcière s'était déjà évanouie dans l'obscurité glacée du château.

Longtemps, le jeune homme erra dans la forêt, terrassé par un chagrin fou, hurlant son désespoir. Il s'endormit enfin et un songe vint le visiter. Il rêva d'une fleur pourpre au cœur de perle. Quand il s'éveilla, il sut que cette fleur lui permettrait de retrouver sa bien-aimée. Il la chercha durant huit longs jours et sept longues nuits. Au matin du neuvième jour, il la trouva près d'une rivière. Elle était comme le rêve l'avait peinte : rouge sang, avec au milieu de ses pétales, une goutte de rosée semblable à une perle. Il la cueillit et s'en revint au château de la sorcière.

La fleur était bien magique. Un coup sur le battant de la porte et celle-ci éclata en morceaux. Jorindel se précipita à l'intérieur et, guidé par la fleur cramoisie, parvint dans la salle aux mille oiseaux.

Crier

— Je reviens chercher ma Jorinde, méchante femme ! hurlat-il.

Alors la sorcière lui lança force maléfices, malédictions et sortilèges, lui crachant son fiel, l'inondant des poisons les plus vénéneux. Mais Jorindel avait la fleur pour armure : il était hors d'atteinte. Et il cherchait, cherchait, cherchait, parmi les mille cages, sa Jorinde changée en oiseau. Il y en avait tant et tant ! Rossignols, alouettes, corbeaux, milans, roitelets, pinsons ! « Comment savoir ? » se désespérait-il. Soudain il entendit un chant qu'il connaissait bien :

Chantonner

> *Me voilà hirondelle,*
> *Mon pauvre Jorindel !*
> *Que n'es-tu oiseau,*
> *Mon doux damoiseau !*

C'était Jorinde ! Sa Jorinde ! Il se précipita vers la cage de l'hirondelle, la toucha de sa fleur pourpre et la jeune fille, plus belle que jamais, se jeta dans les bras de son ami. Puis, comme si avec Jorinde retrouvée venait la délivrance, les mille cages s'ouvrirent, et les mille oiseaux redevinrent les jeunes filles qu'elles avaient été jadis. Ce fut un joyeux cortège qui quitta le funeste château, avec, à sa tête, les deux amoureux éperdus de bonheur.

Et la reine des sorcières, dans tout cela ? Dans l'aventure, elle avait perdu tous ses pouvoirs. On dit qu'elle passa le reste de son existence à contempler les mille cages vides, en pleurant des larmes de crapaud. Son château fut peu à peu envahi par la forêt et disparut sous la végétation. Peut-être y est-elle toujours. Si vous passez par là, prenez soin de cueillir une fleur pourpre au cœur mouillé par la rosée. On ne sait jamais.

La Belle et la Bête

Adapté du conte de Mme Leprince de Beaumont.

Jeanne-Marie Leprince de Beaumont est née à Rouen en 1711. Séparée de son mari, elle a vécu en Angleterre (de 1745 à 1760) comme éducatrice et y a fondé Le Nouveau Magasin français, *une revue littéraire et scientifique destinée à la jeunesse. Déjà connue par un roman, auteur de nombreux ouvrages empreints de moralisme, elle reste surtout célèbre par ses contes, groupés dans* Le Magasin des enfants *(1767 ; recueil où figure* La Belle et la Bête*),* Le Magasin des adolescents *(1760),* Le Magasin des pauvres *(1768). Elle meurt en France en 1780, en laissant une œuvre volumineuse qui tombera presque complètement dans l'oubli.*

Le conte de La Belle et la Bête *est une des multiples versions du conte que les folkloristes ont intitulé* La recherche de l'époux disparu *et qui donne lieu, en France, à plus de cent versions différentes.*

Il comprend plusieurs motifs : un jeune homme enchanté demande une jeune fille en mariage et l'emmène dans son domaine. Le mari accorde un jour à sa femme d'aller revoir sa famille, sous certaines conditions. Ces interdits sont alors violés, parfois indépendamment de la volonté de la jeune femme, et les époux ont quelque difficulté à se retrouver. Mais la fin du conte les voit réunis. On retrouve ce conte sur une aire très vaste, allant de la Scandinavie à l'Inde et à la Chine, à travers presque toute l'Europe et l'Asie Mineure.

On a pu démontrer que les versions orales de ce conte dérivent toutes du texte littéraire de Mme Leprince de Beaumont, largement diffusé à travers toute l'Europe par de nombreuses impressions populaires. On sait qu'elle n'a fait que condenser la très longue histoire incluse par Mme de Villeneuve dans ses Contes marins.

À partir de
6 ans

12 min
+ 15 min

Campagne
Château

Monstre
Jeune fille
Sœurs
Père
Prince

Qui a dit que beauté ne rimait jamais avec bonheur ? Des jaloux disgracieux, sans doute, de tristes sires qui n'avaient jamais vu la plus jeune fille du marchand Gauthier !

Des six enfants de ce vieil homme – trois garçons et trois filles – la cadette était sans nul doute la plus belle et, ce qui ne gâtait rien, la plus douce, la meilleure des personnes. On l'appelait Belle (quel autre nom eût pu mieux lui convenir ?).

Tout le monde l'adorait, sauf, peut-être, ses deux sœurs, Berthe et Gertrude, jalouses et méchantes, qui faisaient tout pour lui nuire. Mais rien ne venait troubler la quiétude de Belle, qui coulait des jours heureux avec sa famille.

Un jour, pourtant, il advint une chose terrible : le marchand Gauthier, par un de ces revers de fortune qui arrivent parfois, perdit tous ses biens. Finies les superbes toilettes, les promenades en calèche ! Finis les spectacles, les luxueux dîners ! Les enfants du marchand durent se faire une raison : leur père était ruiné. La famille dut abandonner la somptueuse demeure qu'elle habitait depuis toujours pour aller vivre à la campagne, dans une pauvre ferme.

C'eût été un malheur pour d'autres : mais Belle s'habitua sans mal à cette vie modeste. Bien au contraire, cela lui plut d'élever des animaux, de chercher l'eau à la fontaine, de sarcler le jardin, en un mot, de mener une vie simple et champêtre. Ses trois frères n'étaient pas en reste : enfin, ils pouvaient courir dans les champs, et parcourir à cheval d'immenses étendues sans être coincés entre carrosse et calèche !

Berthe et Gertrude n'étaient pas de cet avis. Cela les rendait même aussi furieuses que possible. Quoi ! Elles ne pouvaient plus courir les échoppes pour acheter perles, rubis et saphirs ! Ni paresser au coin de l'âtre en se faisant servir le thé ! Et bien sûr, plus aucun prétendant le matin à leur porte, comme autrefois, tant elles étaient pauvres !

Pourtant, il fallait bien qu'elles s'habituent à leur nouvelle vie. Leur père évoquait l'exemple de Belle, fidèle à elle-même. Fichtre ! Rien de tel pour aiguiser leur jalousie ! Et elles ne cessaient de se moquer :

Ton moqueur

— Regarde donc cette pauvre Belle, qui se complaît dans le purin des cochons ! Ou encore :

Ton moqueur

— Seule une fille stupide peut se satisfaire de vivre dans un pareil taudis !

Mais nul n'était dupe, et tous connaissaient les qualités de Belle. Il y eut même des gentilshommes pour lui proposer le mariage, malgré sa pauvreté. Mais, chaque fois, la jeune fille repoussait poliment les avances, parlant du bonheur qu'il y avait à vivre cette vie paisible auprès de son vieux père.

Un jour, quelque chose arriva, qui bouleversa la maisonnée entière. Le marchand Gauthier avait enfin des nouvelles d'un de ses bateaux perdus dans les mers lointaines d'Amérique. Une lettre était arrivée, par un beau matin ensoleillé, qui demandait au marchand de venir chercher sa marchandise.

Vous imaginez l'effet d'une telle nouvelle ! Berthe et Gertrude crièrent leur bonheur sur tous les tons, des larmes au rire, du rire aux larmes. On essaya bien de les calmer, mais apaisez donc une souris qui hume l'odeur du fromage ! Déjà, elles s'imaginaient princesses dans un château de marbre et d'or, avec des robes vermeilles, des colliers de pierreries, des souliers de jade ! Et elles eurent tôt fait d'ordonner à leur père – le faible homme ! – de leur ramener céans moult toilettes, fanfreluches et colifichets ! En attendant le château et son parc, les calèches et leurs chevaux !

Belle restait silencieuse dans son coin. Elle savait bien, elle, que mille bateaux de marchandises n'auraient pu suffire à payer tout ce que ses sœurs réclamaient à cor et à cri. Le père se tourna vers elle.

– Et toi, Belle, que veux-tu donc ?

Voix douce

– Oh, père, un rien me contenterait. Une rose, une simple rose suffirait à mon bonheur.

Le père sourit. Il reconnaissait bien là la bonté de sa fille. À la fois chagrine des excès de ses sœurs, mais ne voulant pas condamner leur conduite en ne réclamant rien. Il s'en fut donc au port.

Mais adieu toilettes, rubis et château ! Dans les cales de son bateau, le marchand Gauthier ne trouva rien d'autre que des balles de coton moisi. Quant au reste de sa flotte, elle avait sombré au large des côtes d'Amérique, emportant dans les tréfonds marins les richesses du Nouveau Monde.

Le pauvre homme rentra tête basse. Que de rêves évanouis, en si peu de temps ! Et comment annoncer cela à ses enfants, tous si pleins d'espoir ?

Le vieil homme était tellement troublé qu'il en oublia de diriger son cheval. La bête, bride sur le cou, prit un tout autre chemin que celui qui menait à la ferme du marchand. Ce n'est que lorsqu'il se vit entouré d'arbres sombres, au cœur d'une vaste forêt, que Gauthier s'aperçut de son erreur.

Ton agacé

– Allons bon ! Il ne manquait plus que ça ! Où m'as-tu mené, vieux bourricot ? Tourne donc à droite !

Mais, droite ou gauche, rien n'y fit. Aucun sentier ne semblait vouloir sortir de la forêt. Pendant des heures et des heures, le vieil homme erra au milieu des bosquets et des ronces. Enfin, à force de tourner en rond, de revenir sur ses pas et d'essayer d'autres pistes, bête et homme arrivèrent devant un immense château. « Comme c'est étrange, pensa Gauthier. Jamais je n'ai entendu parler d'une telle demeure par ici... » Il hésitait. Devait-il continuer sa route ou toquer à l'énorme huis ? La réponse lui vint du hululement d'une chouette : le soleil disparaissait déjà derrière les arbres et le froid de la nuit se faisait sentir. Alors, le vieillard frappa à la porte et, n'obtenant aucun écho, franchit la porte du château.

– Holà ! Y a-t-il quelqu'un, ici ? cria-t-il.

Personne. Pourtant, le château avait l'air habité : il n'y avait aucune trace de poussière sur les meubles, les vases étaient remplis de fleurs et les cheminées flambaient ardemment.

Le marchand avança. Dans une des nombreuses pièces qu'il visita, il trouva une grande table dressée. Mais nul convive ! Une seule assiette, entourée de plats remplis de mets délicats, paraissait attendre le vieillard.

Ils arrivèrent devant un immense château.

Il jeta un coup d'œil autour de lui. Le décor était somptueux ! Rideaux de velours, tableaux superbes, tapis d'Orient, lustres de cristal, tout, ici, indiquait la richesse du châtelain. Mais de châtelain, point. Gauthier attendit quelques instants, appela faiblement, puis, n'y tenant plus, s'attabla devant l'assiette. Rassasié, il décida de pousser plus loin l'exploration du château. Quelle ne fut pas sa surprise de trouver une chambre avec, au-dessus de la porte, son propre nom gravé sur une plaque de marbre ! Il entra : un lit aux moelleuses couvertures lui tendait les bras. Épuisé par sa folle journée, il s'endormit.

Au petit matin, ce fut le gazouillis d'un rossignol qui l'éveilla. « Ma foi, songea-t-il, ce château est sans doute la demeure d'une bonne fée qui m'a fait l'honneur de son hospitalité. » Ravi, il s'habilla et décida de reprendre sa route. La veille, la nuit l'avait empêché d'admirer les jardins. Il s'y rendit à présent. Tout y était superbe : fleurs odorantes, haies finement ciselées, jets d'eau luxuriants… Passant devant un rosier, il eût une pensée pour Belle. « Si je n'ai pas été capable de ramener des robes et des pierreries pour mes filles, au moins cette fleur montrera à Belle combien je pense à elle. » Et il cueillit la rose. Geste funeste ! À peine eut-il pris la rose, qu'un rugissement épouvantable se fit entendre. Terrorisé, le marchand se retourna. Et il vit une bête immonde, gigantesque, le fixer de ses yeux rouges, à deux pas de lui. De sa gueule béante aux crocs pointus, l'écume bavait.

Une horrible bête apparut.

En colère

— Voilà comment vous me remerciez de mon hospitalité ! rugit la Bête. Je vous ai logé, nourri, j'ai même fait soigner votre cheval et vous, vous volez mes roses ! Faites votre prière, triste vieillard, votre dernière heure est venue !

La voix du monstre était si terrible, ses yeux, si féroces, que le marchand faillit s'évanouir. Il tomba à genoux. Il supplia, pleura, expliqua tant et si bien que la Bête, s'apaisant un peu, dit :

Grosse voix

— Vous parlez de vos filles ! Soit ! Si l'une d'entre elles le désire, elle peut venir mourir à votre place. Allez la chercher, ou revenez ! Et sachez que, même à mille lieues d'ici, vous ne pourrez pas m'échapper !

La Bête tourna les talons, laissant le marchand en proie à un immense désespoir.

Le chemin du retour fut pour lui une souffrance sans bornes. À chaque pas de son cheval, c'était vers sa mort qu'il avançait. Car bien sûr, pas question de demander à ses filles qu'elles se sacrifient ! Il désirait simplement les embrasser une dernière fois avant de retourner dans l'antre du monstre.

Les six enfants furent transportés de joie à la vue du cheval qui cheminait là-bas, sur le chemin, et qui portait leur père sur son dos.

Gertrude et Berthe imaginaient déjà leurs toilettes de soie, leurs colliers de perles, leurs chaussures de vair ! Belle et ses frères, inquiets, eux, de la longue absence de leur père, furent soulagés en revoyant la silhouette familière. S'ils avaient su, pourtant !

Le marchand n'eut pas besoin d'ouvrir la bouche. À sa mine basse, à ses yeux rougis, tous comprirent qu'il s'était passé quelque chose.

Ton méprisant

— Et voilà ! s'écria Berthe. Incapable de conclure quelque affaire !

Ton méprisant

— Au lieu de toilettes et de parfums rares, c'est cette misérable rose qu'il ramène ! ajouta Gertrude, méprisante.

En effet, Gauthier avait gardé la fleur, cause de tous ses malheurs. Belle s'approcha de son père et lui demanda doucement de lui raconter ses aventures.

Il expliqua tout, jusqu'aux moindres détails, et finit, après une hésitation, par ajouter :

En hésitant

— Il m'a bien proposé de lui amener une de mes filles, en échange de ma vie… Mais il n'en est pas question !

Avec autorité

— Évidemment que non ! s'exclama Berthe.

Vous pensez bien que les deux sœurs ne se bousculaient pas pour sauver leur père, ce vieillard sans parole ! Les trois frères, quant à eux, ne parlaient que de prendre les armes.

— Allons, mes fils, allons ! La Bête est trop puissante pour être tuée. Une armée même n'y suffirait pas.

Alors Belle dit :

– Père, j'irai avec vous. Je mourrai à votre place.

Le marchand protesta avec force. Mais elle ajouta :

Voix douce

– Je ne pourrais survivre à votre mort, père, si la Bête vous prenait pour victime.

Et, imperturbable, elle commença à rassembler ses affaires pour le voyage.

Berthe et Gertrude riaient sous cape. Décidément, cette fille était aussi gourde que belle ! Cette affaire les enchantait. Alors, elles se frottèrent les yeux avec un oignon pour faire croire qu'elles étaient attristées par le départ de leur sœur. Les trois frères baissaient la tête, impuissants. Quant à Gauthier, il pleurait tout son saoul, anéanti par l'implacable raisonnement de sa fille.

Fin de la première partie.

Résumé :

Le marchand Gauthier, pour avoir cueilli une rose dans le parc de la Bête, est condamné à mort. Il revient chez lui pour dire au revoir à ses enfants. Belle, sa fille, décide alors de partir à sa place. Elle dit adieu à sa famille et prend la route.

Seconde partie.

Belle partit en direction du château de la Bête, laissant derrière elle un père et des frères fous de douleur, ainsi que deux sœurs qui empestaient l'oignon.

Quelques heures plus tard, elle était devant la demeure de la Bête. Son père n'avait pas menti. Que de magnificence ! Que de richesses ! Mais la jeune fille n'avait pas le cœur à s'émerveiller. Elle entra dans le château. Bientôt, elle aperçut la table où son père avait mangé. Elle était surchargée de mets exquis, plus encore que ne l'avait raconté le marchand. Mais que lui importait ? Elle n'avait pas faim. Montant à l'étage, elle vit une porte où était incrusté en lettres d'or et de diamant son

prénom : Belle. « Ce monstre devine donc tout ! » pensa-t-elle. Elle entra dans la chambre et ne put retenir un cri d'étonnement. Il y avait là tout, absolument tout ce dont une jeune fille peut rêver : bijoux, toilettes, parfums capiteux, chaussures à foison. Et, merveille des merveilles : une bibliothèque digne d'un roi ! Éberluée, Belle ne songea plus à la Bête. Elle se mit à feuilleter tous les ouvrages, à sentir les parfums, à toucher le doux tissu des robes. Puis elle trouva un mot sur le lit : « Veuillez avoir la bonté de vous joindre à moi pour le dîner. » Et le message était signé : « La Bête ». Alors, elle retrouva ses esprits : son père, la mort prochaine, cet horrible monstre...
Pourtant tout était si délicat ici, et l'épouvantable châtelain avait tant d'attentions pour elle ! Elle songea que sa fin n'était peut-être pas si certaine. Et elle se prépara pour le dîner.

Belle attendait devant la cheminée. Elle s'était vêtue d'une des magnifiques robes entreposées dans la chambre. Ainsi parée, on eut dit la lune en personne ! Sa toilette n'était ni grise, ni argentée, non, mais de cette indéfinissable couleur qui fait la beauté de l'astre nocturne. Et les bijoux qu'elle portait brillaient comme autant d'étoiles, mettant en valeur la beauté de son visage. Elle était calme. Pourquoi ? Elle n'aurait pas su le dire, mais au fond d'elle-même, elle sentait qu'elle n'avait pas grand chose à craindre.
Pourtant, quand la Bête apparut sur le coup de six heures, pour dîner, elle frémit. La figure monstrueuse de l'animal s'adoucit en voyant la jeune fille.

Ton bourru — Bonsoir, Belle, grogna la Bête.

Voix douce — Bon... Bonsoir, la Bête, balbutia-t-elle en retour.

— Êtes-vous venue ici de bon cœur ou votre père vous y a-t-il forcée ? demanda le monstre.

Il baissait la voix pour ne pas effrayer Belle.

– De bon cœur, la Bête, dit-elle. Jamais mon père ne m'aurait obligée à faire une chose pareille !

Grosse voix – Vous êtes très bonne, Belle. Vous en serez récompensée un jour, soyez-en sûre.

Ils passèrent à table.

Grosse voix – Mon aspect vous répugne, n'est-ce pas ? demanda le monstre.

Voix douce – Il est vrai que vous êtes bien laid. Mais je suis persuadée que vous êtes bon. Je le sens, la Bête.

Grosse voix – Je suis bon, mais aussi sot qu'un âne ! grogna-t-il.

Voix douce – N'est pas sot qui le reconnaît, la Bête !

Le monstre la regarda longuement, les yeux pleins de gratitude et dit :

Grosse voix – Belle, vous êtes ici chez vous. Allez où bon vous semble, dans le château, dans les jardins. Ouvrez tous les livres, toutes les portes. Profitez de la demeure. Soyez heureuse et vous me rendrez heureux.

Le dîner se passa fort agréablement. Belle observait la Bête à la dérobée et sentait une grande compassion monter en elle. « Quel dommage qu'il soit si laid » pensait-elle.

À la fin du repas, la Bête s'en fut. Mais arrivée à la porte, elle se retourna et dit :

Grosse voix – Belle, voulez-vous m'épouser ?

La jeune fille crut que le ciel lui tombait sur la tête. Elle hésita à répondre, craignant une colère soudaine. Puis, prenant son courage à deux mains, elle finit par répondre :

Voix douce – Non, la Bête. Je suis désolée.

L'animal partit, un chagrin fou dans les yeux.

Belle fit comme son hôte le lui avait conseillé. Elle parcourut le château et les jardins de long en large, admirant chaque massif de fleurs, chantant avec les oiseaux, galopant parfois sur des chevaux dont l'immense écurie était pleine. Le matin, elle ne manquait jamais d'ouvrir le clavecin de la salle de musique, ou de saisir un luth pour jouer quelque mélodie. Elle se délectait de tous ces livres merveilleux qu'elle pouvait lire à volonté.

Un jour, elle trouva sur son lit un volume, probablement posé là par la Bête. Elle l'ouvrit. Le livre commençait par cette phrase : « Quoi que vous désiriez, ordonnez-le, vous êtes la souveraine de ces lieux. »

Elle trouva sur son lit un volume.

Alors, rêveuse, Belle murmura : « Si je pouvais voir ce que mon père devient, je serais comblée. Hélas... » Mais à peine finissait-elle de prononcer ces mots, que le livre s'illumina et, au lieu de la gravure illustrant la page, apparut la ferme de son père. Toute la famille dînait, l'air affligé. Berthe et Gertrude, cependant, étaient de bien piètres comédiennes. Elles avaient beau grimacer pour paraître tristes, rien n'y faisait : leurs yeux brillaient de la joie d'être enfin débarrassées de cette sœur honnie. Son père et ses trois frères avaient par contre un visage d'une tristesse infinie, portant le deuil de leur Belle, qu'ils croyaient disparue. Puis l'image se troubla, s'effaça et le livre magique se referma, laissant Belle pensive et chagrine.

Plusieurs mois passèrent ainsi, Belle partageant ses journées entre le livre magique et ses promenades. Le soir, la Bête ne manquait jamais de se joindre à elle pour dîner et, loin de s'en offusquer, la jeune fille commençait à y prendre goût. Elle se surprenait même à regarder impatiemment l'horloge qui semblait ne jamais vouloir indiquer assez tôt le chiffre six, l'heure fatidique du repas, heure à laquelle la Bête arrivait invariablement.

Une seule chose la peinait cependant : chaque soir, après le dîner, son hôte lui demandait de l'épouser. Et elle lui répondait immuablement, d'une voix douce :

Voix douce

— Vous êtes un ami cher, la Bête, mais je ne puis vous mentir : je ne vous aime pas assez pour devenir votre femme.

Et la Bête baissait la tête, triste et résignée.

Un matin, Belle vit dans le livre magique une chose qui la terrifia : son père, très malade, était alité et semblait sur le point de mourir. Le soir même, elle implorait la Bête :

Ton suppliant

— Je vous en supplie, laissez-moi le revoir avant qu'il meure. Je vous promets de revenir finir mes jours à vos côtés, mais laissez-moi partir !

La Bête ne résista pas longtemps :

Grosse voix

— Plutôt que de vous voir ainsi chagrine, allez donc voir votre père. Courez, courez là-bas, je resterai seul.

Et il ajouta, comme pour lui-même :

Grosse voix

— Mais si vous ne revenez point, j'en mourrai...

Voix douce

— Non, la Bête. Je reviendrai. Le livre m'a montré que mes sœurs sont maintenant mariées, que mes frères sont à l'armée. Mon père a besoin de moi, voilà tout. J'y resterai huit jours, pas une heure de plus.

Grosse voix

— Faites selon votre cœur, Belle, grogna la Bête, qui sortit un bijou de sa poche. Prenez cette bague : elle vous conduira chez vous et vous ramènera ici, dès que vous le désirerez. Souvenez-vous de votre promesse. Adieu, Belle.

La jeune fille était aux anges. Enfin, elle allait retrouver son père ! Si elle ne sauta pas au cou de la Bête, c'est que son aspect lui répugnait encore.

Le lendemain matin, ce fut dans sa propre chambre qu'elle s'éveilla. La bague l'avait transportée dans la ferme. Elle se précipita dans la pièce où était son père, qui crut s'évanouir, tant sa surprise fut grande. Le bonheur les submergea. Le marchand se leva immédiatement, se sentant déjà bien mieux et courut prévenir ses deux autres filles, qui habitaient non loin de là.

Cependant, Belle était retournée dans sa chambre pour s'habiller. Quelle surprise, alors ! Elle y trouva son coffre, celui qu'elle avait au château, rempli de robes dorées et scintillantes.

Chuchoter

– Merci, la Bête, chuchota-t-elle. Vous êtes un amour !

Et elle revêtit une robe en songeant : « Je n'ai point besoin de toutes ces toilettes. Une seule suffira. Les autres seront pour mes sœurs. » Visiblement, la Bête n'était pas d'accord : le coffre disparut soudain. Belle rit de bon cœur.

– D'accord, la Bête ! Je les garde pour moi, après tout !

Et le coffre réapparut.

Berthe et Gertrude se montrèrent alors sur le seuil de la porte. Mais, au lieu d'embrasser leur sœur, elles poussèrent des cris d'orfraie.

Ton admiratif

– Sapristi, Belle, quelle robe ! Et où as-tu pêché pareils bijoux ?

Et elles continuèrent de la sorte à caqueter comme un bataillon de poules, émerveillées et jalouses à la fois.

Belle s'enquit de leurs maris. Berthe ne put cacher sa rancœur. Son époux était aussi beau qu'un dieu, mais si entiché de sa personne, qu'il passait ses journées à s'embrasser dans les mille et un miroirs de leur maison.

Quant à Gertrude, elle n'était guère mieux lotie. Son mari était un homme d'esprit, certes, mais qui utilisait son cerveau pour faire tourner tout son monde en bourrique.

Il semblait bien que les deux infernales sœurs aient été quelque peu punies de leur méchanceté. Pourtant, rien ne leur fut épargné, car, à écouter Belle leur raconter sa vie au château de la Bête, et combien elle était heureuse, elles devinrent vertes de jalousie.

Quand elles furent seules, Gertrude grogna :

En colère

– Cette petite peste ne mérite pas tout cela ! Ne sommes-nous pas plus belles et meilleures qu'elle ?

Berthe réfléchissait.

— Je crois bien que j'ai trouvé la solution, ma sœur. Si Belle reste plus de huit jours ici, la Bête viendra sans aucun doute la dévorer ! Tâchons donc de la retenir plus longtemps !

Et elles se mirent à l'ouvrage. Tous furent étonnés de les voir soudain si aimables, si douces. Elles firent à Belle mille caresses et pas un jour ne passait sans qu'elles pleurent à chaudes larmes à la pensée de voir Belle partir loin d'elles. Elles furent si convaincantes, que leur jeune sœur n'eût pas le cœur de les quitter au huitième jour.

Belle trouva
la Bête mourante.

Tous les matins qui suivirent, quand Belle annonçait sa décision de partir, Berthe et Gertrude s'arrachaient les cheveux et se traînaient à genoux en suppliant leur cadette de rester. Au dixième jour, Belle ne put s'empêcher de penser à la Bête, dont la peine devait être immense. Elle alla chercher son livre magique, dans le coffre, et souhaita voir la Bête. À la vue de l'image qui apparut sur la page, elle poussa un cri d'effroi. La Bête gisait dans son jardin, mourante, gémissant le nom de Belle. Sans l'ombre d'une hésitation, elle courut voir son père.

Ton tragique

— La Bête se meurt. Je réalise tout à coup combien j'ai été ingrate en restant ici. Je suis bien plus heureuse à ses côtés que mes sœurs avec leurs tristes époux. Je m'en vais l'épouser, père.

Le marchand, heureux de cette décision, embrassa sa fille. Alors, Belle caressa sa bague et disparut.

Dans le parc du château, elle trouva la Bête dans la position que lui avait montrée le livre.

Avec affolement

— Mon Dieu ! Je l'ai tuée, s'écria-t-elle en la voyant couchée, comme sans vie.

Elle se jeta sur le sol et se mit à pleurer. Ses larmes coulèrent sur le visage de la Bête, qui ouvrit les yeux.

— Vous avez failli à votre parole, Belle. Je meurs aujourd'hui.

101

Mais, au moins, aurais-je eu le bonheur de voir votre visage une dernière fois.

Belle se jeta sur sa poitrine.

Ton suppliant

— Pitié, ne mourez pas ! Je vous aime, la Bête, je veux devenir votre femme.

Ce fut comme si le ciel éclatait en morceaux. Un éclair fabuleux illumina le château, les jardins, les arbres, et Belle, fascinée par les gerbes de lumière, ne songeait plus à regarder la Bête.

Ton grave

— Vous m'avez délivré du sort qui m'emprisonnait, Belle !

Quelle était cette voix auprès d'elle, douce, mélodieuse, si différente de celle, rauque, de la Bête ?

La jeune fille se retourna lentement, stupéfaite. Devant elle, il y avait un jeune homme, beau comme l'astre solaire.

Surprise

— Où est donc la Bête ?

— Devant vous, Belle, J'ÉTAIS la Bête.

Et, à la jeune fille abasourdie, le jeune homme raconta son histoire.

— Voilà bien longtemps, une mauvaise fée m'a jeté un sort, me condamnant à vivre sous cette monstrueuse apparence. Seule, une jeune fille pouvait me délivrer, en me promettant de m'épouser. Vous seule avez su voir l'homme que la Bête cachait, Belle. Je vous offre mon château, ma vie, mon amour. Qui nous séparera, maintenant ?

Belle ne disait rien. Le bonheur l'inondait. Elle prit la main du prince et tous les deux entrèrent dans le château, illuminé d'un feu d'artifice somptueux. Dans la grande salle, Belle retrouva son père, qu'elle serra sur sa poitrine, ses frères, ravis d'avoir une princesse pour sœur et ses deux aînées, dont les yeux roulaient de rage et de jalousie.

Une femme s'avança alors. Belle la connaissait pour avoir vu son portrait dans une salle du château. C'était la marraine du prince.

— Mon garçon, tu as trouvé là une jeune épouse sans pareille. Sa beauté n'a d'égale que sa bonté. Elle t'a délivré de ton sortilège, et avec toi, ton royaume et tes sujets. Sois-en digne.

La marraine du prince était une fée. Elle avait de grands pouvoirs. C'était elle qui avait donné à la Bête toutes ces choses magiques dont Belle avait profitées. Elle se tourna vers Berthe et Gertrude.

Ton menaçant

— Vous êtes aussi bêtes que méchantes. Deux oies stupides, rien de plus ! Je vous condamne donc à devenir deux statues. Vous aurez ainsi l'éternité pour regretter votre infernale jalousie, à moins que vous n'ayez quelque remords. Alors, seulement alors, vous redeviendrez humaines.

Et les deux sœurs se changèrent aussitôt en pierre.

Belle eut un peu de regret de les voir ainsi, mais que peut-on contre un sortilège ?

Plus tard, beaucoup plus tard, les enfants de Belle et du prince s'étonnaient encore de voir dans le parc du château ces deux étranges statues : et, à les regarder de près, on voyait deux visages hideux, déformés par la jalousie, pleurant de rage et de colère. Les remords ne semblaient pas les avoir étouffées.

On dit qu'elles s'y trouvent encore.

Le Manoir aux chats

Adapté d'un conte letton.

*Ce conte, **intitulé par les folkloristes** La Chatte blanche, se retrouve sous des titres différents :* La Souris (ou la grenouille) comme fiancée, Les Trois Plumes, Le Pauvre Garçon meunier et la petite chatte, L'Aiguille, le chien et la princesse, Le Bossu et ses deux frères.

On y retrouve des éléments fréquemment utilisés dans la littérature orale :

– le héros est le plus jeune des trois fils d'un roi qui a promis sa couronne à celui de ses fils qui réussira le mieux dans trois quêtes successives ;

– l'héroïne est une princesse métamorphosée ;

*– le héros **arrive à** un château appartenant à une chatte blanche auprès de laquelle il demeure un certain temps et qui l'aide dans ses quêtes :*

– la chatte se transforme en princesse et épouse le héros.

On a recensé en France trente-neuf versions différentes de ce conte.

La chatte blanche, *de Mme d'Aulnoy, est la plus ancienne des versions connues. Elle a été éditée pendant tout le XIXe siècle pour le colportage et a donc beaucoup influencé les versions françaises où, dans la plupart d'entre elles, l'héroïne est une chatte. Ailleurs, dans les versions internationales, c'est la grenouille que l'on retrouve le plus souvent.*

Ce conte est répandu dans toute l'Europe, en Asie occidentale (Turquie, Arménie) et en Afrique du Nord. On sait que certaines versions du Proche-Orient et de l'Afrique du Nord sont apparentées au célèbre conte de Pari-Banou, *des* Mille et une nuits.

À partir de 5 ans

11 min

Châteaux
Forêt

Roi
Frères
Chats
Princesse

Hausser les épaules

Un roi avait trois garçons. Les deux aînés ne manquaient pas d'esprit, mais le troisième était niais. Cela arrive parfois dans les familles nobles. Devenu vieux, le châtelain décida que le moment était venu de léguer à ses enfants tout ce qu'il possédait. À cette nouvelle, les deux fils aînés ne tardèrent pas à se quereller, car chacun d'entre eux voulait être l'unique héritier du domaine paternel. Le sot les observait en riant et se contentait de dire :

— Que m'importe le domaine, je vous le laisse. Je ne désire que deux choses : un vieux cheval de trait et une carriole.

Cependant, les deux aînés continuaient à se chamailler avec une telle violence que leur père les manda près de lui et leur dit :

— Je suis las de vos disputes. Partez donc à travers le monde et celui d'entre vous qui me rapportera la canne de bois ciselée la plus belle sera mon héritier.

Dès le lendemain, tous deux prirent les meilleures montures qu'ils purent trouver dans les écuries du château, puis ils se mirent en route, dans deux directions opposées. Le sot observait ces préparatifs sans rien dire. Son père lui demanda :

— Et toi, mon enfant, tu ne veux pas partir aussi sur les routes du monde, en quête d'une canne de bois ciselée ?

105

Rire

— Non père, répondit-il en riant, qu'ils cherchent tous deux, qu'ils cherchent, quant à moi, je ne ferai rien.

Cette réponse intrigua le père.

À quelques jours du retour de ses frères, le sot attela son vieux cheval à sa carriole et quitta à son tour le domaine, en prenant une route qu'aucun de ses frères n'avait explorée. En chemin, il se laissait guider par son cheval. Ainsi, chaque fois qu'ils arrivaient à un croisement de routes, il laissait l'animal faire à sa guise. Le soir, il arriva ainsi au cœur d'une forêt sombre. Quelque peu effrayé, il commençait à se demander s'il ne devrait pas rebrousser chemin, lorsqu'il distingua au loin deux lumières. S'en approchant, il parvint à un somptueux manoir, dont l'entrée monumentale était gardée par deux matous à la mine peu engageante. Sûr d'être dévoré par eux, le sot s'engagea cependant sur le perron du manoir. À sa grande surprise, les chats, loin de l'attaquer, s'approchèrent amicalement pour lui lécher la main en signe de bienvenue. Dans la cour du château, il découvrit une multitude de chats, tous plus beaux les uns que les autres, et s'exprimant avec les mêmes mots que les humains. Ils accueillirent le visiteur et l'escortèrent à l'intérieur du manoir où ils le reçurent avec faste.

Le lendemain matin, comme le sot voulait repartir, les chats lui proposèrent de rester. Il avait fort envie de se laisser tenter, mais il craignait de n'avoir plus guère de temps pour se mettre en quête d'une canne de bois ciselée plus belle que celle que ses frères auraient pu trouver en parcourant le vaste monde. Une chatte blanche, à qui il se confiait, lui dit :

— Ne t'inquiète pas. Reste là et dans trois jours, tu auras la canne de bois la plus belle qui soit au monde.

Le sot resta donc au manoir où ses nouveaux amis le servirent comme un roi. Le soir du troisième jour, la chatte blanche lui apporta une noix et lui dit :

L'entrée était gardée par deux matous.

106

Voix douce

— Retourne chez toi, mais surtout, n'ouvre pas cette noix en chemin. Tu verras, tout ira bien.

Le sot reprit sa carriole et s'en alla. Arrivé au palais paternel, il retrouva ses frères qui venaient d'arriver, mais il eut bien du mal à les reconnaître tant ils avaient maigri en chemin. Au sol, devant le trône de leur père, ils avaient déposé les cannes les plus extraordinaires qu'ils avaient pu trouver. Le sot, lui, avait plutôt bonne mine. S'approchant du trône paternel, il sortit la noix de sa poche et tapa légèrement dessus du bout du doigt. Aussitôt, surgit du cœur de la noix une canne à pommeau ciselé, la plus belle qui soit au monde. Ses deux frères n'en croyaient pas leurs yeux, et le père, ébloui, déclara :

— C'est à toi, mon enfant, que revient le royaume.

Naturellement, ceci ne faisait nullement l'affaire des deux aînés qui refusèrent d'abandonner l'héritage au profit de leur cadet.

Hausser les épaules

— Que m'importe, dit celui-ci, je vous laisse le royaume, mais je garde mon vieux cheval et ma carriole de bois.

En entendant ces mots, les deux frères recommencèrent aussitôt à se quereller. Las de les entendre, le père convoqua ses trois fils une nouvelle fois.

— Celui d'entre vous qui héritera de moi devra se marier. Partez sur les routes du monde et rapportez chacun un voile de noce pour votre future épouse. Celui qui trouvera le plus beau sera le maître du royaume.

Les deux aînés prirent aussitôt les chevaux les plus beaux et partirent dans deux directions opposées. Le sot ne bougea point et, comme la première fois, il dit à son père :

Rire

— Qu'ils cherchent tous deux, quant à moi je ne ferai rien.

Ces paroles intriguèrent le père et les jours passèrent.

À quelques jours du retour de ses frères, le sot attela son vieux cheval à sa carriole et s'en alla à son tour dans la troisième direction. Une fois de plus, il laissa son cheval libre de choisir

107

son chemin, et une fois de plus, à la nuit tombée, ils arrivèrent au manoir des chats, que gardaient toujours les deux matous à la mine menaçante. Nullement effrayé, le sot descendit de sa carriole et gravit les marches du manoir. Aussitôt, tous les chats s'approchèrent pour lui faire fête et le conduire dans les appartements. Le lendemain, comme il allait partir, les chats le prièrent de rester, mais il craignait que le temps ne lui manque pour trouver le voile de noce. Il se confia de nouveau à ses amis, et la chatte blanche lui dit :

Voix douce

— Ne t'inquiète pas. Passe trois jours avec nous et tu auras ce que tu désires.

Et le sot demeura au manoir. Le soir du troisième jour, la chatte blanche lui tendit un coffret de bois en disant :

Voix douce

— Prends ce coffret, et rentre chez toi sans l'ouvrir en route. Va ton chemin et tout ira bien.

Quand le sot arriva au palais, ses deux frères étaient déjà là, montrant à leur père les plus beaux voiles de noce qu'ils avaient pu trouver de par le monde.

— Ces voiles sont beaux, dit leur père, mais il en existe de plus somptueux encore.

Le sot eut du mal à reconnaître ses deux aînés tant ils avaient maigri en chemin. Lui avait fière allure et la mine réjouie.

— Que rapportes-tu, mon garçon ? lui demanda son père.

— Rien d'aussi beau que mes aînés, dit le sot.

Mais à peine eut il ouvert le coffret, qu'il découvrit à l'intérieur le plus beau voile de noce de l'univers, brodé de fils de soie délicats. Le père prit la parole :

— Voyez, dit-il à ses aînés, le voile de votre frère est incontestablement le plus beau. C'est à lui que reviendra le domaine.

Les deux aînés, qui s'accordaient à trouver le voile magnifique, refusèrent cependant de renoncer à l'héritage. Le sot, une fois de plus, leur dit :

Hausser les épaules

– Que m'importe le royaume ? Gardez-le, laissez-moi juste mon vieux cheval et ma carriole de bois.

À ces mots, les deux aînés reprirent aussitôt leur querelle, chacun d'entre eux criant que le domaine lui revenait. Voyant qu'ils allaient finir par se battre, le père les sépara, puis, une fois de plus, il s'adressa à ses trois fils :

– Oublions tout ce qui s'est passé dit-il. Partez tous trois à travers le monde pour chercher une épouse. Celui qui reviendra avec la plus belle sera l'héritier du domaine.

Ayant pris les meilleurs chevaux, les deux aînés partirent aussitôt dans deux directions opposées. Le sot ne broncha pas et resta là, plusieurs jours durant. Le voyant ainsi, son père lui demanda pourquoi il n'essayait pas, lui aussi, de tenter sa chance. Le sot répondit en riant :

Rire

– Qu'ils cherchent, car ainsi, moi, je ne ferai rien.

Une fois de plus, le sot resta au château jusqu'au quatrième jour précédant le retour de ses frères. Puis il attela son vieux cheval à sa carriole et s'en alla à son tour sur les routes du monde. Perplexe, il s'interrogeait. Après tout, les chats lui avaient donné la canne de bois ciselée et le voile de noce, mais maintenant, le plus dur restait à faire : trouver une belle jeune fille à épouser. Ne sachant vraiment pas comment s'y prendre, le sot décida qu'une nouvelle fois, il se laisserait guider par son cheval. À peine eut-il décidé cela, que sa monture se mit à galoper à vive allure, vers le manoir aux chats. Alors, le sot mit pied à terre et, à nouveau, les chats lui firent fête et lui rendirent des hommages dignes d'un roi. Le soir venu, le sot visita tour à tour toutes les pièces du manoir, espérant rencontrer un être humain à qui parler et peut-être même une jeune fille à épouser. Mais seuls les chats lui répondirent.

Le lendemain, au moment de partir, sa tristesse était si grande qu'il confia aux chats, ses amis, la cause de tous ses soucis.

La chatte blanche.

109

Alors, la chatte blanche lui dit :

Voix douce

— Reste ici trois jours, et ta promise tu rencontreras.

Le soir du troisième jour, comme le sot voulait partir, les chats insistèrent pour qu'il demeure au manoir une nuit de plus. Le sot y consentit, mais, à peine s'était-il couché, qu'un vent violent se déchaîna, faisant gémir les boiseries de tout le château, et grincer portes et fenêtres. Le sot, terrorisé, sortit bientôt de sa chambre pour se réfugier près des chats, mais… miracle ! il les trouva tous changés en êtres humains. Quant à la chatte blanche, elle était devenue une princesse au teint pâle et aux longs cheveux d'ébène.

S'approchant du sot, elle l'embrassa et lui demanda s'il voulait l'épouser. Bientôt, un carrosse d'or emporta les deux fiancés vers le château du père du sot. En voyant la princesse, les deux frères aînés furent pris de jalousie, car leur femme avait bien piètre allure à côté d'une telle beauté. Une fois encore, le père offrit le royaume au plus sot de ses enfants. Mais ce dernier, n'écoutant que son bon cœur, partagea le domaine entre ses frères, ne conservant pour lui que son cheval et sa carriole.

C'est dans cet équipage que le sot et sa fiancée regagnèrent le manoir des chats pour la plus belle noce du printemps. Une noce dont tout le monde dans le pays parle encore aujourd'hui, car ce manoir-là avait eu pendant longtemps la sinistre réputation de porter malchance à tous ceux qui avaient la mauvaise idée de s'en approcher. Bien longtemps auparavant, le diable en personne avait transformé en chats tous ses habitants.

C'est un sot qui avait eu raison du sortilège, mais on ne savait pas très bien comment. Parfois, on prétendait qu'un cheval y était pour quelque chose… Et c'était peut-être vrai.

Ngourangouran, le fils du crocodile

Adapté d'un conte africain.

Certains éléments de ce conte sont communs avec ceux du conte type que les folkloristes ont appelé : « Jean de l'Ours ». *En effet, Ngourangouran est le fils d'un animal et d'une femme que ce dernier a enlevée. Lorsqu'il aura grandi, le héros se sauvera en emmenant sa mère pour retrouver sa famille maternelle.*

L'enjeu du conte est ici le choix entre deux essences antinomiques : le monde des humains ou le monde sauvage des animaux. Le héros, qui est pourtant le fils d'un crocodile, préfère choisir le monde des hommes. En tuant son père, il tue la part sauvage qui était en lui. Du reste, le conte ne peut finir qu'avec la mort de l'animal, à partir du moment où le héros a fait son choix. On retrouve ainsi des motifs de Jean de l'Ours, *isolés ou rattachés à d'autres récits, dans un passé plus ou moins reculé.*

À partir de 6 ans

9 min

Village
Montagne
Forêt

Crocodile
Villageois
Esprits
Jeune fille
Jeune homme

Il y a bien longtemps, bien loin d'ici, la tribu des Fang habitait au bord d'un fleuve immense et majestueux. Dans ce fleuve vivait Ombour, un crocodile énorme, dont la tête était aussi grosse que celle d'un éléphant et les yeux, gigantesques. En moins de temps qu'il n'en faut pour le dire, il pouvait croquer un homme ou deux, aussi facilement que s'il s'était agi de bananes.

Un jour, comme Ngan Esa, le chef des Fang, se tenait près du fleuve, le gigantesque crocodile s'approcha de la rive et lui dit :

Voix forte

— J'en ai assez de me nourrir de poisson. La chair humaine a bien meilleur goût. Je te somme de m'apporter chaque jour un homme à dévorer, chaque semaine, une femme et une fois par mois, une jeune fille. Sinon, poursuivit-il, je mangerai tous les habitants de ton village.

Dès qu'il eut regagné sa case, Ngan Esa rassembla tous ses compagnons pour leur faire part de la nouvelle. Sa décision était prise. Les premières proies du crocodile seraient des prisonniers de guerre que les Fang avaient enfermés dans plusieurs cases, au bout du village.

En hésitant

— Mais ensuite ?..., s'inquiétèrent les Fang.

Hausser les épaules

— Ensuite, j'ignore ce que nous ferons, répondit Ngan Esa en haussant les épaules.

À partir de ce jour-là, les Fang conduisirent au fleuve un prisonnier mâle chaque matin et une prisonnière, une fois par semaine. Le dernier jour du mois, ils y menèrent une jeune fille que le terrible Ombour dévora comme les autres, en moins de temps qu'il n'en faut pour le dire. Quand il n'y eut plus aucun prisonnier dans la geôle, Ngan Esa dit aux Fang :

Ton grave

— L'heure est venue d'abandonner le village. Gagnons la montagne. Là-bas, Ombour n'ira pas nous chercher.

Tristement, les Fang chargèrent leurs bagages sur des chariots et ils se mirent en route avec leur bétail, sans regarder derrière eux, car ils savaient qu'ils n'avaient pas le choix.

Pendant toute la journée, le crocodile Ombour attendit en vain son repas. Le lendemain, il s'impatienta. Le surlendemain, il se fâcha et, sans plus attendre, il décida d'aller manger tous les Fang du village. Quelle ne fut pas sa surprise de trouver des cases désertes, sans le moindre petit Fang à se mettre sous la dent ! « Où sont-ils passés ? » se demanda-t-il. Incapable de le dire, il interrogea les esprits de la Forêt :

Voix forte — Quittez les arbres qui vous abritent, esprits de la Forêt. Répondez au roi des crocodiles. Dites-moi où les Fang s'en sont allés, sinon je vous enverrai la foudre.

Mais les esprits de la Forêt, qui étaient les amis des Fang, firent la sourde oreille et se gardèrent bien de répondre aux questions du crocodile. Alors, celui-ci invoqua les esprits des Eaux :

Voix forte — Sortez des ondes, esprits des Eaux. Savez-vous où se cachent tous ceux qui vivaient ici ? Répondez sans hésitation, ou je vous enverrai la tempête.

Les esprits des Eaux avaient un point commun avec le crocodile : ils habitaient au même endroit. Ils décidèrent donc de l'aider. Ils lui dirent que les Fang s'étaient enfuis loin, bien loin, jusque dans la montagne. Ombour se lança aussitôt à leur poursuite.

Pendant ce temps-là, les Fang avaient pris de l'avance. Chaque soir, Ngan Esa invoquait les esprits de la Forêt :

Ton implorant — Vaillants esprits sylvestres, protégez mon peuple et guidez nos pas. Devons-nous poursuivre notre chemin pour échapper au cruel Ombour ?

Et toujours, les esprits de la Forêt conseillaient d'aller plus loin, et encore plus loin, car ils pensaient que c'était le plus sûr

Ngang Esa invoquait les esprits de la Forêt.

moyen d'éviter les terribles crocs du crocodile. Alors les Fang marchaient, encore et toujours. Et pendant ce temps-là, les vieux mouraient, les hommes devenaient des vieillards et les enfants, des hommes. Mais les Fang marchaient toujours. Pourtant, un soir, harassés de fatigue, ils se lassèrent et mirent en doute les conseils des esprits de la Forêt. Alors, Ngan Esa se mit à invoquer les esprits des Eaux.

Ton implorant

— Esprits des Eaux, quittez fleuves et rivières pour aider mon malheureux peuple. Que devons-nous faire ? Serons-nous en sécurité ici ou devons-nous aller plus loin, au delà des montagnes et des forêts ? Répondez-moi, esprits des Eaux !

Les esprits des Eaux, qui protégeaient Ombour, usèrent d'une ruse et conseillèrent à Ngan Esa de rester là où il se trouvait. Les Fang se mirent aussitôt à bâtir des cases. Croyant avoir retrouvé la paix et la sécurité, ils étaient heureux. Mais cette paisible existence fut de courte durée, car le troisième jour, l'horrible crocodile Ombour fit soudainement son apparition. Et il déclara au chef Ngan Esa :

Voix forte

— Tu m'as trahi, Ngan Esa. Tu dois être puni pour cela. Désormais, tu me fourniras chaque jour deux hommes au lieu d'un, deux femmes par semaine et deux jeunes filles une fois par mois. Mais avant, aujourd'hui même, tu me donneras Aléna Kiri, ta fille unique, et je la dévorerai.

Mais Aléna Kiri était belle, si belle, que lorsqu'il la vit, Ombour en tomba aussitôt amoureux. Il l'installa sur son dos et repartit vers la rivière sans plus se soucier des Fang.

Quelques mois plus tard, Aléna Kiri donna naissance à un enfant. Ngourangouran, le fils du crocodile Ombour, était agile et fort. Il grandissait plus vite que les autres enfants. Ainsi, quand d'autres de son âge apprenaient encore à parler, lui était déjà un homme fait. Sa mère, la belle Aléna Kiri, lui parlait souvent des Fang et du mal qu'Ombour leur avait fait.

Sans même les connaître, Ngourangouran souhaitait venger les Fang et la force de ce désir lui faisait oublier qu'il était lui-même le fils du crocodile. Parfois, il proposait à sa mère de s'enfuir avec lui, d'abandonner le fleuve pour partir retrouver les Fang, mais toujours elle refusait.

– Si nous le faisions, disait-elle à son fils, le terrible Ombour ne tarderait pas à nous retrouver, ce qui serait affreux pour nous et pour tous les Fang.

Un jour pourtant, plus lasse qu'à l'accoutumée, elle lui dit :

– Si tu veux rentrer dans la tribu, tu dois tuer Ombour.

– Mais comment puis-je y parvenir ? demanda Ngourangouran. Ombour est le plus fort de tous les crocodiles, et une lance ne parviendrait même pas à l'égratigner, car sa peau est plus dure qu'une pierre.

Sa mère lui conseilla d'invoquer les esprits de la Forêt. Ngourangouran le fit sans plus attendre :

Ton implorant

– Esprits de la Forêt, ne m'abandonnez pas. Je suis le descendant des Fang. Dites-moi comment tuer Ombour, mon terrible père, qui a la peau dure comme fer.

Les esprits de la Forêt, qui voulaient du bien aux Fang, guidèrent Ngourangouran à travers la forêt vierge, jusqu'à une palmeraie. Là, poussait un palmier appelé palmyre. Les esprits de la Forêt demandèrent à Ngourangouran de récolter la sève de ce palmier dans un très grand récipient et de laisser fermenter ce liquide pendant trois jours et trois nuits. Quand ce temps fut écoulé, la sève s'était transformée en une boisson au goût de miel, qui rendait allègres tous ceux qui en buvaient. Toujours avide de nourriture et de boisson, Ombour s'en désaltéra et se mit à chanter sa joie. Et il continua ainsi, buvant et chantant, allant jusqu'à vider une cruche entière, puis il s'endormit d'un sommeil profond. Profitant de cette bonne fortune, Ngourangouran saisit un gros gourdin et l'enfonça dans la

Ngourangouran
saisit un gourdin.

115

gorge du crocodile. Ombour poussa un hurlement à faire trembler les montagnes et tenta de recracher le gourdin. Mais tous ses efforts furent vains et il ne tarda pas à mourir. En voyant Ombour étendu sans vie, la joie d'Aléna Kiri fut grande et plus grand encore son soulagement. Elle embrassa Ngourangouran et tous deux se mirent en route pour aller retrouver les Fang. Ils marchèrent des jours et des nuits et parvinrent enfin au village. Tout à son bonheur de retrouver sa fille, Aléna Kiri, Ngan Esa la serra fort contre son cœur et il fut heureux d'apprendre que le beau jeune homme qui l'accompagnait était son petit fils. Mais quand Ngourangouran raconta qu'il avait tué Ombour, les Fang ne le crurent pas et Ngan Esa le traita de menteur. Aléna Kiri jura que son fils disait la vérité. Elle montra la dent qu'il avait arrachée au crocodile, mais rien n'y fit. Alors, Aléna Kiri et Ngourangouran conduisirent les Fang au cœur de la forêt, jusqu'à la palmeraie où poussaient les palmyres. Là, ils enseignèrent aux Fang comment préparer la boisson au goût de miel qui rendait les hommes allègres. Alors, peu à peu, les Fang se laissèrent convaincre et ils commencèrent à croire ce que leur racontait Ngourangouran. Ils se désaltérèrent avec la boisson au goût de miel et la trouvèrent si délicieuse, qu'ils décidèrent d'installer leur village en pleine forêt, tout près de l'endroit où poussaient les palmyres. Ils appelèrent leur nouveau village Akourangan, car ce mot voulait dire « délivré du crocodile ».

Plus tard, bien des années plus tard, quand Ngan Esa devint très vieux, son petit-fils Ngourangouran le remplaça à la tête de la tribu. Et aujourd'hui encore, chez les Fang, on honore sa mémoire.

Les Cygnes sauvages

Adapté du conte d'Andersen.

Ce conte, intitulé par les folkloristes La Petite Fille qui cherche ses frères *est composé de plusieurs éléments :*

– le départ des frères ;

– la recherche des frères par la sœur qui a grandi ;

– la transformation des frères en animaux ;

– l'heureux dénouement : les frères retrouvent forme humaine et la sœur épouse un prince.

Ce conte est répandu dans toute l'Europe, l'Asie Mineure et l'Afrique du Nord. On trouve des éléments du thème dès le XIIᵉ siècle dans le Dolopathos *du moine lorrain Jean de la Haute-Seille : c'est l'histoire des Enfants-Cygnes.*

On a recensé, en France, plus de trente-six versions différentes de ce conte.

À partir de 5 ans

7 min + 9 min

Campagne Château Ciel

Roi Marâtre Frères Sœur Cygnes

Loin, bien loin d'ici, dans un pays de neige, vivait un roi. Veuf depuis peu, il avait onze fils et une seule fille, Héloïse. Le père adorait ses enfants et tous vivaient heureux. Un jour pourtant, le roi se remaria. La nouvelle reine était une mauvaise femme qui n'aimait guère les enfants et ne s'en cachait pas, sauf devant le roi. Peu de temps après son arrivée au palais, elle plaça Héloïse à la campagne, chez un couple de paysans. Puis elle s'acharna sur les pauvres princes, ne cessant de les maltraiter et cherchant à leur nuire par tous les moyens, en disant tant de mal d'eux à leur père, que ce dernier peu à peu oublia tout l'amour qu'il leur portait.

Un beau matin, la reine entra dans la salle où se trouvaient les princes et leur dit :

Voix forte

— Changez-vous en grands oiseaux muets et envolez-vous par la fenêtre. Partez à la découverte du monde.

Le terrible sort de la reine faillit sur un point. Les princes se transformèrent bien en cygnes sauvages, mais ils ne devinrent pas muets comme elle l'avait souhaité. Ils quittèrent le palais à grands battements d'ailes en poussant des cris de cygnes. À quelques heures de l'aube, ils passèrent au-dessus de la maison où vivait Héloïse et tentèrent de se faire remarquer en tournoyant au ras du toit pendant un long moment, mais rien n'y fit. Tout le monde dormait à poings fermés dans la maisonnée et nul ne les remarqua. Alors, ils reprirent leur vol, à la découverte du monde, et montèrent haut dans le ciel jusqu'à disparaître dans les nuages. Après de longs jours, de longues nuits de route, les cygnes sauvages parvinrent enfin à une forêt sombre percée par une rivière.

Pendant ce temps-là, dans la pauvre maison paysanne, Héloïse trouvait le temps bien long. S'amusant d'une feuille de chou, car elle n'avait rien d'autre pour jouer, elle regardait le ciel et le soleil en pensant au château et à tout l'amour que ses frères lui portaient. Au fil du temps, elle devenait de plus en plus belle. Son cœur était bon. Mais sa tristesse grandissait avec elle.

À l'âge de 15 ans, elle rentra au château de son père. Sa

marâtre, jalouse de sa beauté, aurait bien aimé la changer en oie sauvage, mais elle ne s'y risqua pas, car le roi aimait tendrement sa fille.

Un matin, la reine ramassa deux crapauds dans le jardin et les chargea d'une sinistre mission.

— Touche le genou d'Héloïse quand elle se déshabillera pour qu'elle devienne laide comme toi, dit-elle à l'un des deux.

Au second, elle ordonna de toucher la main d'Héloïse faisant ainsi d'elle la personne la plus méchante du royaume.

À l'heure du bain d'Héloïse, les crapauds sautèrent dans la baignoire. Le premier se posa sur son genou, et le second lui embrassa la main comme l'avait ordonné la reine. Quand la jeune fille sortit de l'eau, deux roses flottaient à la surface. La beauté et la bonté de la jeune fille avaient réussi à conjurer le sortilège et loin de se laisser abîmer par les crapauds, c'était elle qui, par sa présence, avait changé en fleurs les animaux si mal intentionnés. Furieuse, la reine décida de faire venir Héloïse dans sa chambre chaque jour à l'heure de sa toilette. Et tous les matins, elle la frottait avec du bouchon brûlé pour lui rendre la peau noire, et jetait sur ses cheveux une poussière nauséabonde ramassée dans la basse-cour. Bientôt, même le roi fut incapable de reconnaître sa fille en croisant cette souillon dans le jardin du palais. Prise d'une grande tristesse, Héloïse s'enfuit du château. Un seul espoir adoucissait sa peine, celui de retrouver ses frères, égarés comme elle sur les routes du monde. La nuit venue, Héloïse s'endormait sur un lit de feuilles et rêvait à ses frères et à leur enfance joyeuse au palais paternel.

Un matin, le chant des oiseaux la réveilla. Elle entendit le bruit d'une source et la chercha dans les buissons. S'approchant de l'onde pour faire sa toilette, elle découvrit son visage noir dans le reflet de l'eau, ce qui l'épouvanta. Elle se désha-

Deux roses flottaient à la surface de l'eau.

billa et se trempa dans l'eau froide, et aussitôt, sa peau redevint blanche. Héloïse était à nouveau la plus belle des princesses. Elle se rhabilla et peigna sa chevelure avec deux branches, puis elle reprit son chemin, en se nourrissant de pommes et de nèfles sauvages. Le lendemain, Héloïse croisa une vieille femme qui cheminait comme elle dans la forêt. Heureuse de rompre sa solitude, elle lui demanda si elle n'avait pas vu onze princes.

– Non, répondit la vieille, mais non loin d'ici, j'ai croisé onze cygnes aux fronts couronnés d'or.

Du doigt, elle indiqua la direction à Héloïse qui se mit aussitôt en chemin. Après de longues heures de marche, Héloïse arriva à la mer. Sur le sable, elle ramassa onze plumes blanches, qu'elle porta à ses lèvres pour y laisser un baiser tant elles lui semblaient douces. Le soir venu, elle aperçut les grands cygnes sauvages qui s'approchaient d'elle à grandes envolées. Au moment où ils se posèrent, toutes leurs plumes disparurent et Héloïse vit apparaître ses frères chéris. Tout au bonheur de se retrouver, ils riaient et pleuraient à la fois. L'aîné prit la parole.

– Dans la journée, dit-il à sa sœur, nous sommes des cygnes, mais à la nuit tombée, nous reprenons forme humaine. Nous habitons de l'autre côté de l'océan. Quand nous venons ici, le voyage est si long qu'ils nous prend deux jours. Nous nous arrêtons pour dormir sur un rocher isolé au milieu des mers, car quand nous avons forme humaine, nous devons nous reposer sur un morceau de terre, aussi petit soit-il, sous peine de nous noyer. Chaque année, nous avons le droit de passer onze jours ici, sur la terre de nos ancêtres et de survoler le château de notre père où nous avons passé des jours heureux en ta compagnie, petite sœur. Dans deux jours, hélas, nous devrons repartir. Comment pourrons-nous t'emmener ?

– Moi, dit Héloïse, je voudrais tant vous sauver !

Des nèfles.

120

Ils en parlèrent pendant de longues heures et finalement, il fut décidé qu'Héloïse repartirait avec ses frères dès le lendemain.
Fin de la première partie.

Résumé :
Un roi s'est remarié et la nouvelle reine n'aime pas les enfants de son mari. Alors, elle transforme les onze fils en cygnes, et les envoie à la découverte du monde. Leur sœur, Heloïse, maltraitée elle aussi par leur marâtre, part à leur recherche. Elle les retrouve au bord de la mer : ils sont cygnes pendant le jour et reprennent forme humaine à la nuit tombée. Héloïse décide de partir avec eux et de les sauver.

Seconde partie.

Pendant toute la nuit, ils tressèrent un hamac suffisamment solide pour qu'Héloïse puisse s'y étendre. Au petit matin, les frères se retransformèrent en cygnes. Ils saisirent le hamac et s'envolèrent aussitôt pour leur long voyage. Ils étaient déjà haut dans le ciel quand Héloïse s'éveilla. De temps à autre, le plus jeune des cygnes déposait près d'elle un fruit qu'il venait de cueillir sur les branches d'un arbre, afin qu'elle puisse se désaltérer. Pour le remercier, elle lui souriait.

Les cygnes cependant volaient moins vite qu'à l'ordinaire, car le poids d'Héloïse les ralentissait. Le soleil commençait à décliner et le rocher sur lequel ils avaient coutume de faire halte pour y reprendre forme humaine n'était toujours pas en vue, lorsque de sombres nuages annonçant un orage les enveloppèrent. Une sourde inquiétude s'empara d'Héloïse. Elle s'en voulait de les ralentir et craignait qu'ils ne se noient par sa faute. La tempête s'approchait, le ciel devenait de plus en plus terrible, sillonné par des éclairs menaçants. Au moment où le soleil s'enfonçait dans la mer, Héloïse aperçut enfin le frêle récif, balayé par des vagues déferlantes où ses frères passèrent la nuit serrés les uns contre les autres pour se réconforter. Au matin, ils reprirent leur voyage. Bientôt, Héloïse aperçut devant elle, posé sur un nuage, un palais de glace, brillant de milliers de cristaux et entouré d'une forêt d'arbres étranges.

– Est-ce là le pays où nous allons ? demanda-t-elle à ses frères.

– Non, répondit le plus jeune. Ce château de nuées est un mirage. C'est celui de la fée Morgane où nul être humain ne doit s'aventurer.

Héloïse, plus loin, crut voir des églises, mais ce n'était que l'orgue du vent dans les vagues. Plus loin encore, la houle s'apaisa et elle découvrit enfin le véritable pays où ils allaient, avec ses montagnes aux crêtes bleues, ses forêts et ses villes immenses. Au crépuscule, elle entra dans une grotte voûtée, tapissée de plantes aux saveurs capiteuses.

– À quoi vas-tu rêver ? demanda le plus jeune des frères.

– Mon vrai rêve serait de vous aider, répliqua Héloïse, car ce désir, inlassablement, occupait son cœur pur, jour et nuit.

Cette pensée était si prenante que soudain, elle eut le sentiment que son rêve prenait corps, l'emportant loin par-delà les airs, jusqu'au château de la fée Morgane. Quand celle-ci vint à sa rencontre, Héloïse reconnut, sous les traits de cette fée à la beauté éblouissante, l'âme de la vieille femme qu'elle avait rencontrée dans la forêt, celle-là même qui lui avait parlé des cygnes couronnés.

– Si tu veux sauver tes frères, dit la fée, tu devras avoir un grand courage, car ta mission sera rude, mais tu y parviendras en suivant fidèlement mes conseils. Cueille des orties, de la variété poussant près de la grotte où tu habites. Des cloques brûleront ta peau et abîmeront tes mains délicates, mais poursuis ta tâche sans faillir. Tresse ces orties pour en faire onze gilets dont tu recouvriras les cygnes sauvages. C'est seulement à ce prix que le sortilège sera rompu. Mais n'oublie pas. Pendant tous les longs mois ou les longues années que durera ce

Ils passèrent la nuit
sur un rocher.

travail, tu ne devras pas prononcer la moindre parole. Un seul mot de toi et tes frères mourront.

La fée réveilla Héloïse, qui, par enchantement, avait déjà regagné la grotte où elle habitait. Sans plus attendre, elle commença à arracher les orties qui lui brûlaient les doigts et les bras. Mais elle continuait inlassablement, car elle savait que tel était le prix à payer si elle voulait sauver ses frères. À la nuit tombante, lorsqu'ils rentrèrent, ils s'affolèrent de la trouver muette, mais en voyant ce qu'elle faisait, ils comprirent qu'elle tentait de les sauver. Le plus jeune frère se mit à pleurer sur son épaule et ses larmes apaisèrent les douleurs des mains et des bras d'Héloïse.

Pendant deux jours et deux nuits, elle travailla sans cesse et eut bientôt fini son premier gilet. Elle allait commencer le second, quand elle entendit aboyer des chiens de chasse. Elle ramassa ses bottes d'orties et se réfugia dans la grotte. Mais au même moment, un chien bondit hors des taillis pour l'y rejoindre, aussitôt suivi par une joyeuse troupe de chasseurs. Le plus beau d'entre eux s'approcha d'Héloïse. C'était le roi de ce pays. Troublé par la beauté de la jeune fille, il lui demanda comment elle était arrivée là, mais elle se tut obstinément et dissimula ses mains pour qu'il ne voie pas les cloques faites par les orties. Ne voulant que son bonheur, le roi la souleva et la plaça sur son cheval, car il désirait l'emmener dans son palais. Pendant tout le temps que dura le voyage, Héloïse pleura en songeant à ses frères mais elle ne pouvait rien dire au roi.

Elle ramassa
ses bottes d'orties.

Le soir venu, ils parvinrent à la ville royale. Le roi conduisit la jeune fille au palais et la fit vêtir d'une robe de soie couleur de lune. Plus resplendissante que jamais dans ces magnifiques atours, elle continuait pourtant à pleurer. Le roi ne semblait pas s'en soucier. Il continuait à sourire et ordonna que l'on joue de la musique et que l'on apporte les friandises les plus raffinées. Puis il conduisit Héloïse dans de superbes jardins. Comme son visage restait sombre, il ouvrit la porte d'un petit appartement qui ressemblait étrangement à la grotte où elle vivait. Sur la table, on avait déposé la botte d'orties qu'elle avait filée et le gilet qu'elle avait fait. Voyant cela, Héloïse retrouva le sourire. Elle serra très fort la main du roi pour exprimer sa gratitude et se remit aussitôt au travail. Le roi, heureux de l'avoir vue sourire, annonça aussitôt à tous ses sujets qu'il allait bientôt l'épouser.

L'archevêque voyait d'un mauvais œil le mariage du roi avec cette fille muette. C'est pourtant lui qui célébra la noce. Pour manifester son mécontentement, il enfonça si fort la couronne sur le front d'Héloïse, qu'il la blessa. Mais elle tut sa douleur en pensant à ses frères.

Jour après jour, elle s'attachait de plus en plus à son époux, dont le cœur était pur. Elle aurait aimé lui parler, mais elle poursuivait son ouvrage en se taisant, tissant les gilets, inlassablement. Quand elle eut achevé le septième, elle n'avait plus d'orties. Comment pourrait-elle sortir pour aller en cueillir elle-même ? Le cœur battant, elle attendit la nuit et s'échappa du château pour ramasser des orties auprès du cimetière où elle savait qu'il en poussait. Hélas ! Tapi dans l'ombre, l'archevêque avait observé son manège. Aussitôt, il rapporta au roi ce qu'il avait vu, allant jusqu'à insinuer qu'Héloïse était une sorcière malveillante, qui n'avait séduit le souverain que pour faire son malheur. Ces paroles ébranlèrent le roi qui devint de plus en plus triste. Et sa peine s'ajouta au chagrin d'Héloïse, si bien que ses larmes coulaient sans cesse sur la robe couleur de lune, qu'elles semblaient parer de mille diamants.

Bientôt pourtant, elle arriva au terme de son ouvrage. Un seul gilet manquait et, une fois de plus, elle se trouva à court d'orties. Elle repartit donc au cimetière, mais le roi et l'archevêque la suivirent, et ils virent qu'elle se rendait à l'endroit même où se rassemblaient les sorcières. Alors le roi, croyant qu'elle était l'une d'elles, décida qu'elle serait brûlée vive. Il la jeta dans un cachot. En dépit de sa tristesse, elle se remit à son ouvrage en priant Dieu dans le secret de son cœur, pour qu'il la sauve, et ses frères avec elle. Vers le soir, elle entendit un bruissement d'ailes contre les barreaux de sa prison. Ses frères l'avaient retrouvée et l'ouvrage était presque achevé. Pendant toute la nuit, de petites souris l'aidèrent dans sa tâche.

Une heure avant l'aube, les onze frères se présentèrent à la tour de garde du château et demandèrent à voir le roi. Mais avant d'avoir eu gain de cause, ils redevinrent cygnes sauvages et s'envolèrent.

L'heure de brûler la sorcière approchait. La foule se pressait pour assister à l'événement. Prête, en robe de bure, Héloïse avait été conduite au pied du bûcher, mais elle poursuivait malgré tout son onzième gilet, que la foule voulait lui arracher en criant qu'il s'agissait bien de sorcellerie... Au moment où le bourreau s'approcha, les onze cygnes se posèrent à ses côtés. Héloïse eut juste le temps de lancer sur eux les onze gilets, et ils redevinrent les princes aux cheveux d'or qu'ils n'auraient jamais dû cesser d'être. Le plus jeune avait encore une aile de cygne car son gilet n'avait qu'une manche.

Le plus jeune frère avait encore une aile de cygne.

Alors Héloïse, enfin, put parler et clamer son innocence. Puis elle se jeta dans les bras de son époux et lui raconta toute son histoire. Elle put aussi lui dire son amour. Et ils vécurent heureux, aussi longtemps que dura le temps.

La Peau du serpent

Adapté d'un conte australien.

Ce conte reprend le thème très fréquent dans la littérature orale de l'époux enchanté.

En traitant le serpent comme un hôte, la jeune fille le tire vers le monde des hommes.

Elle le socialise et l'humanise par la parole. Enfin, elle choisit pour lui : en effet,

ayant été toute sa vie un serpent, il n'est peut-être pas prêt à prendre lui-même une

décision.

À partir de
5 ans

5 min

Village
Montagne

Jeune fille
Jeune
homme
Serpent
Sorcier

Nagda était la plus belle des jeunes filles du village. Quand elle chantait, sa voix était de miel. Quand elle dansait, elle semblait irréelle, si gracieuse, si légère ! Ses prétendants étaient plus nombreux que les arbres de la forêt. Mais Nagda aimait Kuruti, le meilleur chasseur du village. Ils s'épousèrent un soir de pleine lune, et la noce qui les unit fut une grande fête. Puis ils s'installèrent dans leur maison.

Les jours passèrent, heureux, paisibles. Nagda attendait un enfant. Or, il était écrit que le malheur s'abattrait sur les deux époux. Un jour de chasse, Kuruti fut mordu par un serpent et mourut dans d'atroces souffrances. Le chagrin qu'éprouva Nagda fut immense. Mais l'enfant qu'elle portait l'aida à surmonter son désespoir. Hélas ! Quand elle accoucha, ce fut un serpent qu'elle mit au monde. Un serpent ! On voulut le tuer. Nagda l'entoura de ses bras, le protégeant contre tous et, puisque c'était l'enfant de Kuruti, elle l'éleva du mieux qu'elle put. Mais quand vint le moment de lui trouver une femme, les filles du village poussèrent de hauts cris. Épouser un serpent, quelle horreur ! Même la plus pauvre, la plus laide, la plus démunie d'entre elles s'y refusa. Nagda était désespérée. Qu'adviendrait-il de son fils, sans femme, sans toit, le jour où elle quitterait le peuple des vivants ? Elle se rendit chez Kabour, le sorcier, un sage entre les sages. Kabour réfléchit longuement.

Voix solennelle

— Je vais t'aider, belle Nagda. J'irai dans ce village au bord de la mer, où vivent si pauvrement des pêcheurs et leurs enfants. Je trouverai une épouse pour ton fils. Pendant ce temps, envoie-le chasser dans la montagne, à l'orée du bois, près de ma maisonnette.

Kabour fit ce qu'il avait dit. Il alla dans le village, trouva une jeune fille fort gracieuse, qu'on appelait Zaldja, et lui proposa un marché :

Voix solennelle

— À l'orée d'un bois, dans la montagne, il y a une petite maison agréable. Elle est à toi, si tu consens à l'entretenir, et surtout à y accueillir à bras ouverts toutes les créatures qui viendront te rendre visite.

Une maison à elle ? Zaldja fut enchantée. Ici, au village, les

127

huttes étaient si misérables ! Elle accepta la proposition du sorcier. Elle s'installa dans la maison. Un matin, elle trouva un serpent sur le pas de la porte. D'abord effrayée, elle se souvint de la promesse faite au sorcier, et le laissa entrer. Elle lui offrit un repas, un coin où dormir, ce jour-là et ceux qui suivirent. Bientôt, le serpent devint l'hôte familier des lieux et Zaldja s'en accommoda. Ils parlaient longuement, le soir, près de la cheminée. Zaldja se sentait moins seule.

Un matin, le serpent disparut. La jeune fille le chercha longtemps autour de la maison, puis, la gorge serrée, s'aventura dans les bois et sur les sentiers de la montagne. En vain. Quand elle rentra sans l'avoir trouvé, elle songea qu'elle avait perdu un ami. Mais dans la maison, une surprise l'attendait. Il y avait là un jeune homme beau comme le jour, qui lui demanda l'hospitalité. Ravie, elle accepta. La soirée fut un enchantement. Ils parlèrent longuement, rirent, burent, mangèrent. Et Zaldja ne remarqua pas cette peau de serpent vide, enroulée près de la cheminée. Elle alla se coucher, après avoir préparé le lit du jeune homme.

Le lendemain, la maison était vide. Avait-elle rêvé ? Sa solitude lui sembla soudain plus pesante encore. Elle descendit au village conter son étrange aventure à Kabour, le sage. Ils parlèrent longtemps et, quand Zaldja remonta dans la montagne, sa démarche était joyeuse, légère. Elle savait désormais ce qu'elle avait à faire. Elle prépara un repas de fête et fit un grand feu dans la cheminée.

Le jeune homme revint à la tombée du jour. Zaldja vit la peau de serpent, dans un coin sombre. Profitant de la distraction de son hôte, elle s'en empara et la jeta dans le feu, qui crépita étrangement.

– Qu'as-tu fait là ? lui dit-il. En détruisant cette enveloppe, tu m'obliges à être un homme pour le restant de mes jours !

Zaldja jeta la peau de serpent dans le feu.

Zaldja se mit à rire !

— Es-tu sûr de préférer un corps sans bras ni jambes ? Moi pas ! Homme-serpent tu étais, homme tu es à présent. N'est-ce pas mieux ainsi ?

Le visiteur en convint. Et il venait de trouver femme, lui, le serpent maudit, le fils de Nagda et de Kuruti. Le lendemain, ils descendirent dans la vallée, main dans la main. Nagda serra son enfant dans ses bras et Kabour les maria le jour même.

Le sortilège était vaincu. Toutes les jeunes filles du village ont gardé longtemps dans leur cœur le regret de n'avoir pu voir l'homme derrière le serpent.

« C'est ainsi, disait Kabour. Il faut toujours regarder de l'autre côté du miroir, quand l'image qu'il nous donne ne nous convient pas. »

Le Chamois

Adapté d'un conte italien.

Les bergers sont des êtres étonnants, qui vivent en marge de la société, à mi-chemin entre le monde des bêtes et celui des humains. Ils sont par essence amoureux, mais leurs rencontres avec des nymphes sont toujours des rencontres ratées, car ils sont enfermés dans un monde d'hommes.

Dans ce conte, le berger se retrouve happé par le monde des bêtes, le monde sauvage.

À partir de
4 ans

6 min

Montagne
Grotte
Village

Berger
Nymphe
Chamois

Les montagnes n'ont pas toujours accueilli les bergers et leurs troupeaux. Il y a de cela très longtemps, nul homme ne s'y risquait : c'était le domaine des bêtes sauvages, des nymphes et des fées. Et l'on racontait tant de choses terribles et mystérieuses... Pourtant, l'été, lorsque l'herbe des vallées se faisait rare, les pâtres louchaient vers les verts pâturages des montagnes, qui leur semblaient si savoureux. Un jour, les hommes décidèrent d'y mener leurs troupeaux. Ils expliquèrent aux rochers, aux arbres, aux buissons, aux chamois, aux chevreuils et aux autres bêtes, qu'ils ne feraient rien pour déplaire aux nymphes qui les protégeaient. Ils ne feraient que faire paître leurs chèvres, leurs moutons et leurs vaches. Ainsi, seuls quelques bergers restèrent dans les pâturages avec les bêtes, pour les garder des loups, des ours. Et tous vivaient en harmonie avec le peuple de la montagne. Car chacun savait combien les nymphes étaient charmantes, et combien leurs colères étaient terribles quand on les dérangeait.

Par une chaude après-midi d'été, Johan, un berger resté avec son troupeau, se mit à chercher un peu d'ombre fraîche. Abandonnant un instant ses moutons et son chien, il grimpa plus haut, vers un coin planté de sapins sombres. C'est alors qu'il découvrit l'entrée d'une caverne, à moitié cachée par des genêts. « Voilà l'endroit qu'il me faut », songea-t-il. Il entra dans la grotte avec soulagement. Dieu, qu'il faisait frais, ici ! Il s'allongea sur le sol, avec sur les paupières un sommeil délicieux. Pourtant, il ne ferma pas les yeux : il les ouvrit, au contraire ! Là-bas, au fond de la caverne, brillait une étrange lueur. Comme si la lune s'était cachée là. Johan s'en approcha, un peu effrayé. Et quelle ne fut pas sa stupeur d'entrer dans une immense salle, toute drapée d'or et d'argent, avec, trônant en son milieu, une grande table chargée de mets plus merveilleux les uns que les autres ! Les couverts étaient de vermeil, les verres, de cristal, et la nappe, brodée d'or, était plus blanche encore que la neige en hiver. Devant tant de luxe, de parfums capiteux, d'odeurs enivrantes, le pauvre berger eut peur. « Cela ne peut être que la table du démon ! » se dit-il. Et, saisissant sa houlette, il se mit à frapper la table, brisant les

Il découvrit l'entrée d'une caverne.

131

verres, les assiettes, éparpillant sur le sol la nourriture. En un clin d'œil, la pièce fut dévastée.

Johan n'était pas seul, dans la montagne. Il courut aussi vite qu'il put expliquer aux autres bergers son formidable exploit.

— La table du démon, oui ! hurlait-il, mimant sa farouche bataille avec la table.

Les autres ricanèrent. Personne ne le crut.

— Venez donc voir, dit-il.

Tout le monde se rendit dans la grotte. Mais là, plus rien ! Ni table rompue, ni cristal brisé, ni vermeil renversé. Rien qu'une caverne obscure, humide, fétide. On se moqua de Johan, et, comme les aventures étaient rares, on se promit bien de raconter l'affaire aux gens du village. Ce garçon-là était fou, voilà tout ! Johan resta seul. « Je n'y comprends rien, marmonnait-il, rien du tout. » Il en perdit un moment l'appétit, le sommeil. Il ne parlait même plus à son chien. Et puis, il oublia.

Mais un soir, un soir qu'il rêvassait, le front tourné vers la lune blême, il y eut soudain une lueur aveuglante, près de lui. Une nymphe ! Belle comme jamais il n'aurait osé la rêver. Mais ses yeux fulminaient. Le berger se mit à trembler de tous ses membres.

En colère

— C'est toi ! Toi, l'imprudent, qui a osé pénétrer chez moi, l'autre jour. Et pis encore, tu as tout saccagé ! De quel droit, dis-moi, berger ?

Johan tomba à genou, sans un mot. La nymphe plissait son front de colère.

Voix forte

— Voici ton châtiment, berger. Il sera aussi grand que le fut ta sottise. Je te condamne à devenir chamois, à sauter de roche en roche, à brouter herbes et feuillages, pour le restant de ta vie !

Le pauvre berger se mit à pleurer.

— Qui s'occupera de mes enfants, de ma femme, ô nymphe ? Épargne-moi, je t'en supplie !

Les nymphes, même courroucées, peuvent se montrer pleines de pitié.

Voix douce — À cause de tes enfants, j'allégerai ta peine, berger. Tu seras chamois jusqu'au printemps prochain. Et là, si tu as survécu à l'hiver, tu redeviendras homme.

Et elle disparut dans la nuit. À la place de Johan était un jeune chamois, à l'œil fiévreux, qui bondit bientôt dans la montagne.

Tout le monde chercha Johan, des jours et des jours. Bien sûr, le berger fut introuvable. Parfois, les hommes croisaient un chamois au regard étrange, qui les dévisageait un instant avant de sauter sur les pentes vertigineuses. Qui aurait pu se douter de l'extraordinaire sortilège ?

L'hiver passa. On tenait Johan pour mort depuis bien longtemps. Pourtant, au printemps, quand les troupeaux reprirent le chemin de la montagne, les bergers rencontrèrent un homme à demi nu, squelettique, en loques, les yeux comme délavés par la pluie, et qui marchait avec peine sur la sente en lacets. C'était Johan.

Gémir — J'ai survécu ! gémissait-il. J'ai survécu !

On l'emmena au village, on le soigna. Mais quand il expliqua ce qui lui était arrivé, on haussa les épaules. Transformé en chamois par une nymphe ! Décidément, ce pauvre Johan était toujours aussi farfelu. Et les villageois de rappeler l'aventure de la grotte, dont on avait beaucoup ri.

Pourtant, si les gens avaient été plus attentifs, ils auraient remarqué l'étrange forme des oreilles du berger perdu. Pointues ! Elles étaient pointues ! Comme celles du chamois qu'il avait été. La nymphe avait voulu qu'il gardât à tout jamais le souvenir de sa faute.

À la place de Johan était un jeune chamois.

133

Un époux piquant

Adapté d'un conte de Bohême.

Ce conte réunit deux éléments de la tradition orale : le désir d'avoir un enfant, même tout petit (c'est Tom Pouce, Grain de Millet *ou* Poucette *chez* Andersen*) et l'époux enchanté.*

Le thème de l'enfant longtemps désiré et qui naît tout petit se retrouve en Europe, au Proche-Orient et, sporadiquement, sur les continents africain et américain.

L'époux enchanté, c'est-à-dire transformé en animal, doit, pour retrouver une apparence humaine, être mis à mort : il faut en effet tuer en lui le côté animal.

À partir de 4 ans

9 min

Campagne
Palais

Paysans
Hérisson
Roi
Princesse

C'était une petite chaumière bien pauvre qu'habitaient le fermier et sa femme, au creux du vallon. En vérité, la misère était depuis toujours leur compagne, et c'est difficilement qu'ils arrivaient à subsister lorsque les grands froids descendaient de la montagne. Mais, s'ils avaient faim et froid, rien ne les peinait davantage que de ne pas avoir d'enfant ! Un poupon, rien qu'un seul ! Une petite frimousse toute rose, qui leur aurait rendu le sourire ! Rien qu'un peu de gaieté entre leurs quatre murs, ce n'était pas trop demander, tout de même ! Mais les années passaient et l'enfant ne venait pas.

Un soir d'hiver, alors qu'ils se réchauffaient tous deux au coin du feu, la femme soupira :

Soupirer

— Qu'un enfant nous rendrait donc heureux ! Nous sommes si seuls, ici ! Même un hérisson me comblerait !

L'homme se mit en colère.

En colère

— Enfin, femme ! Tu blasphèmes ! Un hérisson, quelle idée folle !

Mais la fermière continuait son rêve à haute voix :

Soupirer

— Oui, un petit hérisson, qui nous appellerait Papa, Maman !

À peine avait-elle fini sa phrase qu'ils entendirent un bruit étrange dans le four à pain. Le fermier ouvrit la porte. Et que vit-il ? Un hérisson ! Parfaitement, un hérisson, tout gris et plein de piquants ! L'adorable bestiole pointa son museau vers le couple et balbutia :

Petite voix

— Papa ! Maman !

Incroyable aventure ! Le paysan bougonna qu'à souhaiter de pareilles sornettes, le diable s'en était mêlé ! Cette maudite créature ne valait pas un pet de lapin. Mais il se radoucit quand le hérisson lui dit doucement :

Petite voix

— Mon cher Papa, donne-moi donc un chien et une houlette. Si tu me confies tes moutons, je saurai les garder dans les prés, et ce, pendant un an et un jour .

Tout heureux malgré lui de s'entendre appeler « Papa », il fit ce que la petite bête lui demandait. Et le hérisson s'en alla, le chien trottinant à ses côtés, mener les moutons dans les pâturages voisins. Il se trouva un beau pré, et s'installa sous un gros ormeau.

— Voilà l'endroit idéal pour faire paître les bêtes ! s'exclamat-il.

Vrai, l'herbe était si grasse, si verte, qu'au bout d'un an et un jour, si bien nourri, le troupeau avait doublé !

Mais si les uns prospèrent, d'autres sont mal en point. Il advint que le roi du pays, lors d'une partie de chasse, s'égara non loin de là. Pendant des heures entières, il avait marché, crié pour qu'on l'entende, mais en pure perte : il était bel et bien perdu. Et il connaissait trop mal le coin pour s'en sortir tout seul. C'est alors qu'il aperçut le troupeau du hérisson. Il reprit courage : sans nul doute, il devait y avoir un berger dans les environs. Mais personne alentour. Il vit seulement un hérisson, sa houlette à la main, assis tranquillement sous un gros ormeau.

Le hérisson s'installa sous un ormeau.

Voix forte — Holà, hérisson ! Ce joli troupeau n'a-t-il donc pas de gardien ? demanda-t-il à l'animal.

Petite voix — Vous l'avez devant vous, compère.

Allons bon ! Le roi fronça les sourcils. Mais il était trop épuisé pour s'étonner davantage.

— Peux-tu m'aider à retrouver mon chemin jusqu'au palais, étrange berger ?

Petite voix — Le palais du roi ? Diable ! dit le hérisson. Y auriez-vous quelque affaire ?

Le souverain se mit à rire.

Rire — Je suis le roi, berger ! Et j'ai quelque affaire au palais, en effet ! Je t'offrirai ce que tu veux, si tu m'y mènes.

Le hérisson réfléchit.

Petite voix — Je vais vous y mener, Sire. La région n'a pas de secret pour moi. En échange...

Il laissa sa phrase en suspens. Le roi devint inquiet, soudain.

Ton impatient

— Eh bien, dis-le donc ! Que diable veux-tu, hérisson ?

Petite voix

— Une de vos filles, Sire. Je veux qu'elle m'épouse dans un an et un jour.

Le roi s'étrangla. Ses filles, ses merveilleuses filles, épouser un hérisson, et berger de surcroît ! Il n'en était pas question. Il offrit à la bestiole beaucoup d'argent, de l'or, des terres à foison. Rien n'y fit. Le hérisson n'en démordit point.

Petite voix

— Je ne veux ni argent, ni or, ni terre, Sire ! Je veux une princesse.

Le soir tombait. Dans un instant, la campagne serait sombre et dangereuse. Le roi songea qu'il lui faudrait en passer par le désir fou du hérisson. La mort dans l'âme, il accepta le marché. Il tendit une bague au berger.

Ton résigné

— Soit, mon ami. Prends cette bague, elle te permettra, quand tu le désireras, d'entrer dans mon palais sans coup férir.

Le hérisson la prit, puis, précédant son illustre compagnon, il le mena jusqu'au palais.

Petite voix

— À bientôt, Sire. Dans un an et un jour, je viendrai chercher ma fiancée.

Et il s'enfonça dans la forêt pour retrouver son troupeau. Là, il rassembla ses bêtes et se hâta de retourner à la chaumière. Quelle surprise pour les deux paysans d'entendre de nouveau cloches et bêlements ! Pas de doute ! C'était bien le troupeau qui revenait après tant d'absence ! Et deux fois plus gros, sapristi !

Petite voix

— Je suis bien aise de vous revoir, chers parents, dit une petite voix derrière les moutons.

L'homme ouvrit les bras.

Avec chaleur

— Hérisson, cher hérisson, tu m'as prouvé que tu valais autant qu'un fils ! Entre donc te reposer chez nous. Notre maison est la tienne, maintenant.

137

À partir de ce jour, tout alla pour le mieux dans la chaumière. Le hérisson faisait tout, absolument tout comme s'il était un être humain. Besoin de pétrir la pâte ? Il pétrissait. Des vaches à traire, des poules à nourrir, du bois à couper ? Il trayait, nourrissait, coupait. Rien ne lui faisait peur, rien du tout. Le paysan et sa femme étaient aux anges. Pas un seul jour sans que l'un ou l'autre ne remerciât le ciel de leur avoir donné un tel fils !

Une année s'écoula ainsi. C'était l'heure. Le hérisson prit donc la bague royale et trottina jusqu'au palais. À la vue du bijou, les gardes le laissèrent passer et un page le mena jusqu'aux appartements du roi. Quand le souverain vit le hérisson, un frisson le parcourut de la tête aux pieds. Ainsi l'animal n'avait pas abandonné son sinistre projet ! Mais il n'avait qu'une parole ! Tristement, il fit appeler ses trois filles. Elles accoururent, curieuses de voir l'étrange visiteur dont tout le palais parlait. Mais quand le roi leur expliqua ce qu'il attendait d'elles, les trois princesses déchantèrent bien vite.

L'aînée éclata de rire.

– Quoi ! Moi, si belle, si riche, si courtisée, j'épouserais ce misérable sac d'épines ? Plutôt me jeter par la fenêtre, père !

Et la cadette d'ajouter :

– Quelle horreur ! Ne vous en déplaise, mon père, jamais je ne m'unirai à une bestiole pareille !

La troisième ne disait rien. Elle baissa son joli visage et croisa les mains.

– Père, je ne voudrais pour rien au monde que vous manquiez à votre parole. Il en sera selon votre désir.

Ces paroles n'étonnèrent point le roi, qui la serra sur son cœur. Des trois, c'était celle qu'il préférait, hélas ! Le soir même, le hérisson épousait la jeune princesse. Mais malgré les réjouissances, personne n'avait vraiment le cœur gai. Tout le monde

Les trois filles du roi.

plaignait la pauvre fille, sauf ses deux sœurs, qui trouvaient la situation fort drôle. Pauvre princesse ! Le hérisson avait beau être le plus gentil des maris, son aspect la mettait au désespoir. À peine l'animal s'approchait-il d'elle qu'elle manquait éclater en sanglots. Quelle allait être sa vie à côté d'un époux si épineux, si minuscule ? Et le hérisson en prenait ombrage : la princesse était si jolie, il l'aimait tant ! Le soir de la cérémonie, dans la chambre nuptiale, elle ne put retenir son chagrin et pleura tout son soûl. Alors, le hérisson s'approcha doucement d'elle et lui murmura :

Petite voix

— Ma chère épouse, je comprends votre douleur. Prenez cette dague et enfoncez-la moi dans le cœur.

La princesse refusa tout d'abord, mais, convaincue par l'animal que c'était là l'unique issue à leurs tourments respectifs, les larmes aux yeux, elle plongea l'arme dans la poitrine du hérisson. Et sitôt la lame plantée dans le corps du hérisson, un miracle se produisit ! Sous les yeux éblouis de la princesse, un magnifique jeune homme apparut, qui se redressa et, l'embrassant tendrement :

— Merci mille fois de m'avoir aidé à briser l'enchantement qui m'emprisonnait !

Alerté, le roi accourut, enchanté de la tournure des événements. Car ce jeune homme n'était pas seulement charmant : c'était le prince du royaume voisin !

Le roi se tourna vers sa fille :

Ton admiratif

— Mon enfant, tu as sauvé mon honneur et vois comme le ciel t'a récompensée !

Le palais fit fête aux deux jeunes gens, sauf les deux autres princesses, vertes de rage à la pensée que ce beau prince leur avait échappé. Elles devinrent si laides qu'à leur approche, les gens s'effrayaient ! On dit que, dépitées et meurtries par le bonheur de leur jeune sœur, elles s'enfermèrent dans le donjon

139

et qu'elles y restèrent toute leur vie. Personne ne les prit en pitié !

Le hérisson fit venir ses parents au palais et tous vécurent heureux comme des coqs en pâte !

Si vous trouvez un jour un hérisson dans le four à pain, choyez-le du mieux possible. Après tout, c'est peut-être un prince ensorcelé...

Neige-Rose
et Rouge-Rose

Adapté du conte de Grimm.

Les nains représentent souvent, dans les contes, les forces souterraines, maléfiques de l'intérieur de la Terre. Rien de bon ne peut venir d'eux : la preuve, dans ce conte, le nain aurait pu remercier les jeunes filles de le sauver. Or il n'en est rien. Bien au contraire ! Il essaie de tirer le prince vers son monde, en le transformant en ours, mais ce dernier, en fréquentant les jeunes filles, se donne la possibilité de redevenir humain. En tuant le nain, le prince tue la part maléfique qui était en lui.

 À partir de 5 ans

 9 min

 Forêt

 Sœurs
Ours
Nain
Prince

Au cœur d'une forêt, dans une petite maison, vivait une pauvre veuve en compagnie de ses deux filles, Neige-Rose et Rouge-Rose. Si la mère avait choisi ces prénoms, c'est parce que ses deux fillettes ressemblaient aux fleurs blanches et roses qui fleurissaient chaque printemps sur les deux rosiers de son jardin. Aimables et douces, les deux enfants avaient aussi bien d'autres qualités et elles s'aimaient si tendrement qu'elles s'étaient juré mutuellement de ne jamais se séparer tant qu'elles vivraient. Quand elles se promenaient dans les bois, tous les animaux sauvages venaient manger dans leurs mains, partageant ainsi leur cueillette de noisettes, de glands ou de châtaignes. Parfois, la nuit tombait sans que les fillettes aient eu le temps de s'en apercevoir. Elles se couchaient sur un lit de mousse et dormaient là jusqu'au matin, veillées par un chevreuil ou un cerf. Un beau matin, s'éveillant à l'aurore après l'une de ces nuits ainsi passées à la belle étoile, elles découvrirent près d'elles un enfant aux longues boucles blondes, qui les regardait silencieusement en souriant. Au bout de quelques minutes, il se leva et s'en alla. C'est alors que les fillettes s'aperçurent qu'elles avaient dormi au bord d'un précipice dans lequel elles auraient bien pu tomber si un ange gardien n'avait veillé sur elles.

Dans la petite maison au cœur de la forêt, les jours continuaient à s'écouler. Neige-Rose et Rouge-Rose se partageaient les tâches quotidiennes. L'été, Rose-Rouge ornait de napperons brodés tous les meubles de la maison et faisait pour sa mère de ravissants bouquets où elle plaçait toujours deux roses, fraîchement cueillies sur les deux rosiers du jardin. L'hiver, Rose-Neige préparait une vive flambée qui brillait comme de l'or dans la cheminée. Tandis qu'à l'extérieur, la neige tapissait l'herbe du jardin, la mère et ses enfants s'asseyaient au coin du feu et se racontaient des histoires de jadis et d'antan. Un soir qu'elles bavardaient ainsi, on frappa soudain à la porte : « Un voyageur sans doute, en quête d'un abri pour y passer la nuit », pensèrent-elles. Mais quand Rouge-Rose ouvrit la porte, elle eut la surprise de découvrir un ours à la fourrure sombre. Son premier réflexe fut d'aller se cacher derrière l'armoire, mais l'ours la rassura. Il n'était en vérité qu'un pauvre ours gelé, voulant se réchauffer et partager leur compagnie. Attendrie, la mère l'invita à s'allonger au coin du feu pour y faire sécher sa fourrure, qui devint bientôt douce et brillante. Les deux fillettes s'approchèrent à leur tour et bientôt, tous devinrent les meilleurs amis du monde.

Les enfants s'amusaient de voir l'ours si pataud. Elles le caressaient et lui chatouillaient les narines et les oreilles, et il s'en amusait, mais parfois, tout d'un coup, il s'interrompait, et leur disait :

Ton mystérieux

– Neige-Rose et Rouge-Rose, ne battez jamais le prince de vos songes.

Elle découvrit un ours.

Le lendemain matin, l'ours s'enfonça dans la forêt, laissant la marque de ses pattes sur le tapis immaculé. Mais à partir de ce jour là, chaque soir, il revint partager la veillée de ses nouvelles amies.

Au bout de quelques mois, les arbres reverdirent. Un beau matin, l'ours annonça à Rose-Neige qu'il devait partir. Comme elle s'en étonnait, l'ours prononça de mystérieuses paroles :

Ton mystérieux

– La neige a fondu, il est temps pour moi d'aller mettre mes trésors hors de portée des méchants nains qui vont quitter leurs cavernes.

Bien que l'idée de ce départ attrista fort la maisonnée, Neige-Rose se résigna à ouvrir la porte. Au moment où l'ours franchit le seuil, il se heurta à la serrure et égratigna sa fourrure. Un peu de sang coula et Rose-Neige, bien qu'elle n'en fut pas sûre, crut voir briller de l'or. Mais l'ours avait déjà disparu.

À quelque temps de là, les deux sœurs s'enfoncèrent dans la forêt pour y chercher du bois. Soudain, au milieu d'une clairière, près d'un grand arbre abattu, elles aperçurent un petit nain au visage ridé qui se débattait comme un beau diable, car il avait coincé sa longue barbe dans une fente du tronc. Aussitôt, il interpella les deux filles pour leur demander de l'aide. Comme tous leurs efforts restaient vains, il se fâcha, les traitant de dindes, d'oies stupides, de têtes de mules et d'autres noms du même genre. Devant son impatience, Rouge-Rose eut une idée. Elle sortit de la poche de son tablier une paire de petits ciseaux d'argent et coupa la barbe du nain. Enfin libre, ce dernier attrapa un gros sac d'or qu'il avait caché au milieu des racines de l'arbre, et le chargea sur son dos. Après quoi, sans même remercier les enfants, il s'en alla en ronchonnant et en marmonnant que c'était vraiment très bête d'avoir coupé une si belle barbe, et que celle qui l'avait fait n'était rien d'autre qu'une sotte.

Le nain avait coincé sa barbe dans une fente du tronc.

Quelques jours plus tard, Neige-Rose et Rouge-Rose s'approchaient d'une rivière pour aller à la pêche quand, soudain, elles aperçurent le nain. Une fois de plus, il semblait en fâcheuse posture, sautillant au bord de l'eau d'une très bizarre façon car sa barbe s'était emmêlée dans sa canne à pêche au moment même où un poisson deux fois plus gros que lui avait mordu à l'hameçon. Le poisson tirait si fort que le nain avait bien du mal à ne pas tomber dans l'eau. S'accrocher aux brindilles ne lui servait pas à grand chose tant le poisson semblait vigoureux. Les sœurs, une fois de plus, tentèrent de dégager le nain en tirant sur les poils de sa barbe. Comme tous leurs efforts restaient vains, elles eurent encore recours aux ciseaux d'argent pour couper la barbe du nain. En voyant cela, le nain se mit en colère une nouvelle fois, jurant qu'ainsi défiguré, il n'oserait jamais plus se présenter devant ses semblables. Il ramassa un sac de pierres précieuses qu'il avait dissimulé dans un terrier, puis il partit en marmonnant.

Quelques jours plus tard, la mère demanda à ses filles d'aller acheter de la laine et du fil à la ville voisine. En chemin, elles rencontrèrent un énorme rapace, qui planait au-dessus d'elles lentement et se posa non loin de là. Aussitôt, elles entendirent un cri terrible, et s'approchant, elles découvrirent entre les serres de l'oiseau le nain qu'elles commençaient à bien connaître. Avant que le rapace ne reprenne son vol, elles tirèrent de toutes leurs forces sur les épaules du petit homme et parvinrent à le libérer. Mais, pour les remercier... il les traita d'oies stupides et leur reprocha d'avoir tant tiré sur sa veste qu'elle était toute déchirée ! Après quoi, il ramassa un sac d'argent et gagna en marmonnant une caverne sur les rochers, tandis que les deux sœurs poursuivaient leur route. Sur le chemin du retour, elles croisèrent à nouveau le nain, qui pour une fois, n'était pas en fâcheuse posture. Profitant d'un rayon du soleil, il avait étalé ses trésors sur un lit de mousse et s'amusait des reflets de la lumière sur les pierres, l'or et les diamants. La présence des jeunes filles ne faisaient certes pas son affaire et... il allait se mettre en colère lorsque, soudain, l'ours sortit du fourré sans crier gare et se jeta sur lui. Le nain qui tentait vainement de se débattre ne tarda pas à implorer l'ours de lui laisser la vie sauve.

Le nain s'éloigna en marmonnant.

Pleurnicher

— Regardez-moi, pleurnichait il, je suis petit et bien trop maigrichon pour faire un mets de choix. Mangez donc plutôt ces deux-là, qui sont dodues comme des oies.

Mais l'ours n'écoutait rien de tout cela. Il fit taire le nain en le tuant d'un grand coup de patte et rappela les enfants qui s'enfuyaient.

Crier

— Neige-Rose, Rouge-Rose, attendez-moi !

Les petites reconnurent la voix de l'ours, leur ami, et elles s'arrêtèrent pour l'attendre. Quand il arriva près d'elles, sa fourrure tomba et apparut un beau jeune homme en habit brodé d'or. Il leur raconta son histoire.

— Je suis, dit-il, le fils d'un roi, victime de ce nain qui m'a jeté un sort après m'avoir volé mes trésors. C'est lui qui m'a transformé en ours. Sa mort m'a enfin libéré.

Le prince épousa Rouge-Rose et comme il avait un frère, il le présenta à Neige-Rose qui se maria avec lui. Et tous vécurent heureux, en compagnie de la vieille mère qui continuait à regarder pousser les deux rosiers qu'elle aimait tant.

Le Seigneur des montagnes

Adapté d'un conte français.

L'originalité de ce conte tient dans le fait que l'on y évoque une pratique ancestrale : la cueillette, le jour de la Saint-Jean, d'herbes bénéfiques. Le seigneur, ici, détient non seulement la richesse, mais aussi la sagesse de la nature.

À partir de
5 ans

7 min

Montagne
Ville
Palais

Sœurs
Père
Seigneur
Animaux

Dans un gros bourg, au flanc des montagnes, un riche marchand vivait heureux en compagnie de son épouse et de ses trois filles. Hélas, sa femme mourut et il devint si triste, que son commerce ne tarda pas à en pâtir. Un jour, comme il s'apprêtait à partir pour la ville avec son chargement de marchandises, il demanda à l'aînée de ses filles ce qu'elle souhaitait qu'il lui apporte pour lui faire plaisir.

Changer d'intonation à chaque réplique.

— Mon bon petit père, répondit-elle, rapporte-moi les plus beaux bas de soie que tu pourras trouver en ville.

Puis il interrogea la seconde, lui demandant ce qu'elle voulait.

— Une étole bleue comme la nuit, lui dit-elle.

Malgré les difficultés de son commerce, le père promit à ses enfants de tout faire pour combler leurs désirs. Puis il questionna la plus jeune à laquelle il voulait aussi faire plaisir. Mais elle ne voulait rien, sauf le bien-être de son père, et après lui avoir souhaité bonne route, elle lui dit :

— Si tu croises sur ton chemin le seigneur des montagnes, salue-le de ma part.

Intrigué par ces paroles, le marchand se mit en route. Au détour d'un chemin, il aperçut un beau jeune homme assis dans l'herbe. Il était si richement vêtu que le marchand s'étonna. Ils se saluèrent et commencèrent à bavarder.

— Dites-moi, ne seriez-vous pas le seigneur des montagnes ? demanda le marchand.

Surpris, le jeune homme acquiesça. Comme il s'étonnait d'être reconnu, le marchand lui rapporta les curieuses paroles de sa fille. En entendant cela, le seigneur des montagnes sortit un collier de sa poche et le donna au marchand en lui disant :

— Donne ce collier d'or à ta fille, et dis-lui que nous nous rencontrerons le soir de la Saint-Jean.

Les deux hommes alors se quittèrent et le marchand poursuivit sa route. Le collier brillait de mille feux.

Au soir de ce jour-là, le marchand parvint à la ville et le lendemain, il eut tôt fait de vendre la totalité de ses marchandises. Il acheta les présents promis à ses filles, fit quelques provisions et prit le chemin du retour. Arrivé au logis, il remit à la plus jeune de ses filles le présent du seigneur des montagnes. Devant la beauté du bijou, les deux aînées se prirent à jalouser leur sœur.

Plusieurs mois plus tard, au soir de la Saint-Jean, le seigneur des montagnes arriva, comme il l'avait promis, au domicile du marchand à qui il demanda la main de sa fille. Ce fut un grand et beau mariage et l'on dansa toute la nuit. Mais une fois de plus, les deux sœurs aînées se prirent à jalouser leur cadette.

Le prince et sa jeune épouse s'installèrent au cœur des montagnes, dans un palais superbe, perdu dans la forêt. Ils vivaient heureux, mais souvent le visage de la jeune femme s'assombrissait, car son père et ses sœurs lui manquaient. Le prince, dont le seul désir était de voir sa femme heureuse, lui suggéra de partir dès le lendemain en carrosse, pour aller rendre visite à sa famille. Mais avant que l'aube ne se lève, ils apprirent que le père de la jeune femme était atteint d'une grave maladie. Le seigneur des montagnes, qui partageait le chagrin de son épouse, lui tendit un sachet d'herbes en disant :

– Quand tu arriveras chez toi, prépare une potion avec ces herbes et fais-la boire à ton père. Ainsi, il recouvrera bientôt la santé.

La jeune femme embrassa son époux. Craignant qu'elle ne se perde en route, le seigneur des montagnes rassembla tous ses serviteurs, qui n'étaient pas des hommes, mais des ours, des loups, et bien d'autres animaux sauvages. À qui confierait-il sa femme ? À un ours, à un loup ? Il choisit le cerf et le pria d'escorter son épouse jusqu'au logis de son père. La jeune femme s'installa sur le dos de l'animal et se cramponna à ses bois. Le cerf courut à perdre haleine, jusqu'à ce qu'épuisé, il interrompe sa course folle pour se nourrir et se désaltérer. Il installa la princesse sur les branches d'un arbre pour qu'elle soit en sécurité et lui dit de ne bouger sous aucun prétexte. Puis il se mit en quête de nourriture.

À peine avait-il disparu, que l'un des ours du château s'approcha de l'arbre et invita la belle à descendre pour danser la gigue avec lui. Craignant que l'ours ne lui fasse du mal, la jeune femme refusa cette offre. Elle n'avait d'ailleurs pas le cœur à danser en pensant à son père malade. Quand le cerf revint, ils repartirent. Après des lieues et des lieues, l'animal dut s'arrêter à nouveau. Il déposa la princesse sur un rocher et lui demanda de l'attendre sans bouger pendant qu'il se désaltérait. Ainsi, elle serait en sécurité. Quand le cerf eut disparu dans le sous-bois, le loup du château se présenta, invitant la princesse à descendre pour se divertir en sa compagnie. La jeune femme faillit bien se laisser convaincre, mais le cerf revint fort à propos, et chassa le loup d'un violent coup de bois.

La jeune femme s'installa sur le dos du cerf.

Crier

— Prends garde aux pierres qui te feront chuter dans la montagne, hurla le loup en menaçant le cerf, puis il s'éloigna.

Le cerf aida la jeune femme à remonter sur son dos, et ils arrivèrent bientôt chez le marchand. Le pauvre homme fut heureux de revoir sa fille chérie et, grâce aux herbes du seigneur des montagnes, il retrouva vite la santé et le goût de la vie. Alors, la jeune femme raconta sa vie de châtelaine à ses sœurs, sans se rendre compte qu'elle excitait leur jalousie.

Dès que leur père repartit en ville pour y vendre sa cargaison de marchandises, les deux aînées enfermèrent leur sœur dans une chambre et se parèrent de ses bijoux. Le lendemain, le cerf appela vainement sa maîtresse, après quoi il se résigna à repartir tout seul vers le château. Un peu plus tard un merle survola la maison et frappa avec son bec à la fenêtre de la chambre de la princesse, qui le chargea d'un message.

Voix douce

— Bel oiseau, lui dit-elle, va prévenir mon époux. Dis-lui que je suis enfermée et que je ne pourrai partir que quand mon père rentrera pour me délivrer.

L'oiseau la réconforta, puis il s'envola par-delà les montagnes, afin de parler au seigneur. Dès qu'il eut vent de la nouvelle, celui-ci héla une souris et un lapin. Il rappela le cerf et leur ordonna à tous trois d'aller chercher sa femme.

Après un long voyage, les trois animaux parvinrent enfin à la maison du marchand. La nuit était déjà tombée. La souris se faufila dans le trou de la serrure et gagna la chambre où dormait la plus âgée des sœurs. Elle grimpa sur le fauteuil où celle-ci avait laissé sa robe et, fouillant dans l'une des poches, elle retira la clé de la chambre où la princesse était enfermée. Après quoi, elle fit entrer le lièvre qui courut délivrer la belle et l'accompagna dans le jardin où les attendait le cerf.

Le voyage du retour fut long, mais la joie était revenue dans le cœur de la princesse. Son époux fut si heureux de la retrouver, qu'il donna un bal magnifique. À la Saint-Jean, le marchand vint à son tour s'installer au château où il vécut heureux en compagnie de sa fille et du seigneur des montagnes. Quant aux deux méchantes sœurs, nul n'en entendit plus jamais parler.

au commencement étaient les animaux

Comment Napi créa l'homme et les animaux

Adapté d'un conte africain.

Dans la plupart des mythologies, après avoir créé l'univers, un créateur a façonné des personnages et leur a donné vie. Cela se retrouve en Grèce, en Irlande, en Espagne, en Lituanie, en Asie, en Océanie et en Amérique du Nord et du Sud.

L'homme est ainsi créé à partir de substances minérales, végétales, ou même à partir des quatre éléments. Il peut arriver que pour les animaux, le créateur procède de la même façon, mais il peut aussi s'agir d'une transformation de l'homme qui devient alors un animal ou d'une punition de l'homme qui, discourtois envers le créateur, est condamné à être un animal.

À partir de 6 ans　　4 min　　Afrique　　Dieu Animaux Homme

En ce temps-là, le soleil brillait haut et fort sur la terre d'Afrique. C'était une dure et longue tâche, qui se renouvelait chaque jour, de l'aube jusqu'au crépuscule. Aussi le soleil laissait-il au puissant Napi, son second, le soin de veiller aux autres affaires.

Un jour que Napi se reposait près d'une source, fumant sa bonne vieille pipe en bois, il ramassa un peu de terre argileuse. Elle était molle, bonne à pétrir. Cela l'amusa fort. Il lui vint à l'esprit qu'il pourrait peupler la terre d'êtres d'argile, modelés selon son bon plaisir. De boulettes de terre surgit une forme animale, puis une autre, et une autre encore. Il fabriqua ce jour-là autant d'animaux qu'il y en a encore aujourd'hui sur la terre. Puis il souffla sur chacun d'entre eux pour leur donner vie. Enfin, Napi désigna à chaque animal un endroit où aller vivre. Au bison, il montra la montagne. À l'antilope, les marécages, au chamois, le désert. Et ainsi jusqu'à ce que chacun eût un nom et un lieu où vivre.

Le dernier à naître de sa main fut l'homme, qu'il modela avec la dernière boulette d'argile.

Napi se reposait près d'une source.

Voix solennelle

— Va, mon fils. Tu seras l'homme et je veux que tu vives dans les bois, parmi le peuple des loups.

Il crut entendre un cri de colère, mais n'y prêta guère attention. C'est ainsi que le monde fut peuplé et Napi, fort satisfait de lui, s'affaira à d'autres tâches.

Mais un jour qu'il somnolait près de la source, fumant sa bonne vieille pipe en bois, il vit arriver la troupe de tous les animaux qu'il avait créés. Son œil s'arrondit de surprise.

Surprise

— Qu'y a-t-il, mes enfants ? La vie n'est-elle pas bonne avec vous ?

Le bison s'avança et grogna :

Grogner

— Grand et puissant Napi, je ne peux pas vivre dans la montagne ! Pentes et ravins y sont si nombreux que je peux à peine marcher et l'herbe y est si rare que j'ai toujours faim.

L'antilope s'avança :

Voix désolée

— Grand et puissant Napi, je ne peux pas vivre dans les maré-

155

cages ! Mes sabots si fins s'enfoncent dans la boue et l'eau y est si froide !

Puis ce fut le tour du chamois :

– Grand et puissant Napi, je ne peux pas vivre dans le désert. Je n'ai nul endroit où grimper, nul roc où aiguiser la corne de mes sabots !

Quant à l'homme, il paraissait très en colère et comptait sur ses dix doigts tous les griefs qu'il avait contre Napi. Et chacun de se plaindre. Napi écouta patiemment leurs lamentations toute la journée. Puis il dit :

– Chers enfants nés de l'argile et de ma main, je vais vous donner d'autres territoires, puisque tel est votre désir.

Il se tourna vers le bison :

– Toi, cher fils, tu vivras dans les grandes plaines.

Puis, s'adressant à l'antilope et au chamois :

– Toi, ma fille l'antilope, tu auras la savane pour demeure et toi, le chamois, tu iras dans les montagnes hautes.

Ainsi il indiqua à chacun où nager, où galoper, où brouter, où voler. L'ours avec le puma, la vigogne avec la chèvre, le loup avec le blaireau, le lièvre avec le chien. Tous eurent un nouveau territoire. Quand vint le tour de l'homme, Napi lui proposa plusieurs solutions, que l'homme refusa les unes après les autres, en bougonnant de plus belle.

– Quel curieux animal tu fais, mon fils ! Eh bien, tu iras où bon te semble !

Voilà pourquoi, si les animaux ont des territoires très différents, l'homme, cet animal toujours insatisfait, s'est répandu dans les plaines, dans les montagnes, dans les forêts, le long des fleuves et des mers, partout où il lui était possible d'aller. Parce que, orgueilleux comme personne, il lui était impossible d'être un simple animal parmi les autres.

Ce déluge qui noya la terre indienne

Adapté d'une légende des Indiens d'Amérique du Nord.

Le déluge, inondation d'une partie du monde ou du monde dans sa totalité, se retrouve dans de nombreuses mythologies, de l'Europe à l'Asie, de l'Océanie à tout le continent américain.

La version dans laquelle le déluge résulte de la fonte des neiges et des glaciers, après une longue période de froid est propre aux Indiens de l'Amérique du Nord et du Sud.

La fuite en bateau est le moyen le plus souvent utilisé pour échapper au déluge, mais on peut aussi se réfugier sur un arbre, une île ou une montagne, voire dans une caverne. Ramener de la terre du fond de l'eau est une solution originale et peu répandue.

À partir de
4 ans

5 min

Montagne

Écureuil
Ours
Caribou
Canard
Autres
animaux

C'était l'époque où, encore très jeune et inexpérimenté, le ciel entrait parfois dans une colère immense pour un oui ou pour un non, déversant sa neige sans se préoccuper d'autre chose, pour montrer au monde le poids de sa puissance.

Il neigeait donc depuis des jours et des jours, sur ce grand lac de montagne. Tout était recouvert d'un grand tapis blanc, épais comme un nuage. Il devenait de plus en plus difficile pour les animaux de trouver un refuge et tous se demandaient si le beau temps reviendrait un jour.

Cette nuit-là, l'écureuil fit un rêve étrange. Il vit l'ours entasser dans un grand sac tout ce qu'il trouvait sur son passage, baies sauvages, champignons, mousse, miel. Et le soleil brillait au-dessus de lui, brillait ! Quand il se réveilla, l'écureuil était persuadé d'une chose : c'était l'ours qui était le voleur du beau temps.

Il alla chercher le blaireau, l'élan, le renard et quelques autres de ses compères, et, sautant dans un canot, ils s'élancèrent sur le lac. Ils partirent vers la tanière de l'ours. Il suffisait de trouver le sac de l'ours, de l'ouvrir, et la chaleur reviendrait.

Chez l'ours, aucun bruit. Personne. Et dans un coin sombre, le sac ! Le fameux sac du rêve ! Ils se précipitèrent pour l'emporter. Il pesait un poids terrible ! Tout le monde tira, poussa, mais seul le grand caribou put le traîner jusqu'au canot. Il fallait maintenant songer à empêcher l'ours de les rattraper !

– Grignote la pagaie de l'ours ! ordonna l'écureuil à la souris.

Et le minuscule animal de ronger à qui mieux mieux le bois de la rame. Ce fut l'instant où l'ours déboucha de la forêt. Devant cette bande de fieffés voleurs, il grogna furieusement et, quand il les vit s'embarquer, avec son sac plein de beau temps, il sauta dans son canot, appuyant de toutes ses forces sur sa pagaie. Trop fort ! Le bois rongé céda et l'ours partit à la dérive.

L'écureuil, le caribou, la souris et les autres rirent de bon cœur. Ce voleur de beau temps n'avait que ce qu'il méritait ! Une

Le caribou traîna le sac.

fois de l'autre côté du lac, ils ouvrirent le sac. Le soleil s'en échappa aussitôt, et un ciel bleu, et une chaleur de printemps. Les animaux étaient enchantés !

Mais voici ce qui se passa : la neige fondit en un clin d'œil ! Les sources gonflèrent, les ruisseaux grondèrent, grossissant les rivières, et l'eau du lac se mit à monter, à monter, recouvrant les berges, les rochers, emportant tout sur son passage. Les animaux trouvèrent refuge sur la crête de la montagne, là où l'eau n'était pas encore montée. L'ours, qui avait réussi à s'enfuir, était au désespoir.

Pleurnicher

— Jamais je n'aurais dû voler le beau temps ! La terre a entièrement disparu ! pleurnichait-il.

Ton désespéré

— Et avec elle toute notre nourriture ! ajouta l'écureuil.

Car ils étaient sur un rocher nu. Les animaux songèrent qu'ils ne résisteraient pas longtemps à la faim.

Avec autorité

— Il faut ramener de la terre sur cette crête ! dit la loutre.

Et elle plongea dans les eaux, pour tenter de toucher le fond. Quand elle réapparut, tout le monde, à son pauvre sourire, devina qu'elle n'avait pas réussi. La carpe plongea à son tour, mais en vain. Puis le castor, le brochet, le ragondin. Personne n'y arriva. Enfin, le canard essaya. Le voyage lui parut sans fin. Il allait à droite, à gauche et appuyait furieusement sur ses palmes pour aller au plus profond. Il était au bord de l'épuisement quand il sentit quelque chose de ferme sous son bec. La terre ! Il avait réussi ! Il en prit une petite quantité sous ses pieds palmés et remonta à la surface.

Avec triomphe

— J'ai trouvé le chemin jusqu'au sol ! cria-t-il, triomphant.

Et peu à peu, descendant jusqu'au fond des eaux par la route que leur avait indiquée le canard, chaque animal aquatique ramena un peu du sol de la vallée.

C'est ainsi que la terre indienne échappa au grand déluge.

159

L'ours se contenta dès lors de miel, de baies et de champignons. Jamais plus il ne vola le beau temps. Et quand la neige tardait à partir, les animaux prenaient patience, laissant le soleil faire fondre doucement, très doucement l'épaisse couche blanche de l'hiver.

Le Coyote, le soleil et la lune

Adapté d'une légende des Indiens d'Amérique du Nord.

Les légendes expliquant l'origine de la lune et du soleil sont très nombreuses dans toutes les mythologies. La lune serait faite de lumière ; le soleil, de feu.

En Inde, on dit du soleil que c'est l'œil de Rama, qu'il s'est arraché après la mort de son frère.

On retrouve, en Sibérie, une légende qui se rapproche de celle contée ici : le soleil et la lune, lorsqu'ils ne brillent pas, sont gardés dans des boîtes, ou des coffres, que l'on ouvre chaque jour.

Le vol du soleil (ainsi que celui de la lune, de la lumière ou du feu), qui est gardé par un monstre ou une créature malfaisante, pour être ramené sur la Terre se retrouve en Finlande, chez les Indiens d'Amérique du Sud et chez les Inuit. Généralement, c'est un animal qui lance le soleil dans le ciel.

Dans la mythologie indienne, le coyote est perçu comme un animal malveillant, qui ne songe qu'à saboter les actions du créateur.

À partir de 5 ans

7 min

Prairie

Coyote
Aigle
Esprits
Soleil
Lune

161

À cette époque-là, quand le pays indien n'était peuplé que d'animaux sauvages, la Grande Nuit régnait. Il n'y avait ni lune, ni soleil, ni étoiles. Le monde était sombre, aussi sombre qu'une grotte sans fond. Les animaux n'y voyaient goutte. Seul l'aigle, avec son regard aigu, réussissait à percer quelque peu l'obscurité, et à se nourrir convenablement. Quant au coyote, réputé aujourd'hui grand chasseur, il n'était alors qu'un piètre animal, maigre, craintif, maladroit, incapable de manger à sa faim. Un sac d'os à la langue pendante, voilà ce qu'il était.

Un jour, l'aigle lui rendit visite. Bien qu'affamé comme jamais, le coyote ne manqua pas à son devoir d'hôte : il lui offrit les pattes d'une malheureuse sauterelle dont il avait fait son repas.

Voix désolée — Pardonne ce maigre festin, s'excusa-t-il, c'est là toute ma pitance, aujourd'hui.

L'aigle était généreux.

— J'ai besoin de ton aide pour chasser, lui dit-il. Ainsi, nous partagerons notre butin.

Le coyote sauta de joie. Chasser avec l'aigle, c'était la certitude de manger à sa faim. Il accepta avec empressement. Mais le rapace eut tôt fait de regretter son geste. Les jours suivants, il fut bien le seul à ramener du gibier et encore le coyote se précipitait-il dessus en bousculant son compagnon, pour déchirer à belles dents cette viande dont il avait été tant privé !

— J'ai besoin d'un aide, siffla l'aigle, pas d'un goinfre !

— Comment veux-tu que j'y voie, dans cette nuit sombre ? se plaignit le coyote. Tes yeux sont si perçants ! Et les miens sont aveugles comme ceux de la taupe !

L'aigle en convint.

— Tu as raison. Moi-même, j'ai parfois du mal à y voir.

Il se mit à songer.

— Un jour, mon père m'a raconté que, dans la clairière de la Grande Forêt, les Katchinas, ces mauvais esprits, gardent jalousement deux grandes lumières, qu'on appelle la Lune et le Soleil. Ramenons-les au pays indien ! Nous aurons ainsi une lumière éternelle !

Ils partirent. Le voyage était long. L'aigle planait, volait ; le coyote galopait. Un jour, ils rencontrèrent un fleuve. D'un coup d'ailes, l'aigle le franchit. Mais le coyote eut les pires difficultés : ni poisson, ni oiseau, il barbota longtemps dans l'eau tumultueuse, et s'il parvint à gagner l'autre rive, ce fut suffoquant et à demi noyé.

— Tu aurais pu me porter sur ton dos ! grogna-t-il, furieux.

L'aigle ricana.

— Fais-toi pousser des plumes, ô frère coyote. Peut-être te mouilleras-tu moins à l'avenir !

Le coyote faillit se mettre en colère, mais il songea qu'il n'était pas sage d'irriter un oiseau si puissant. Il se contenta de marmonner entre ses dents. Et le voyage continua. Bientôt, le paysage changea. Il y avait toujours des sapins, des rochers et des sources, mais une douce lumière commençait à poindre. Le gris et le noir se changèrent doucement en jaune, vert, rouge, bleu. Et les deux animaux commencèrent à voir de quelle couleur était le monde. Ils furent émerveillés.

Tout à coup, l'aigle se mit à décrire de grands cercles. Peu à peu, comme il le faisait lorsqu'il chassait, il descendit vers le sol pour se poser sur un grand roc surplombant une clairière. Le coyote l'y rejoignit, intrigué.

— Regarde, murmura l'aigle à son compagnon. C'est là qu'habitent les Katchinas !

Et il montra des êtres étranges, mi-hommes, mi-démons, à

Les Katchinas.

Grogner

Ton moqueur

Chuchoter

163

l'apparence terrifiante, qui dansaient au son des tambours. Le coyote se mit à trembler. Mais l'aigle, impassible, poursuivit :
– Tu vois, là-bas, au milieu des esprits ? Il y a deux coffres. Ils contiennent sûrement la Lune et le Soleil. Voilà comment les Katchinas les retiennent !
À cet instant, une des créatures souleva le couvercle d'un des coffres, et un jet puissant de lumière balaya la clairière.
– J'avais raison, dit l'aigle. Nous attendrons donc que les mauvais esprits s'endorment. Et arrête de claquer les dents, ô mon frère coyote, tu vas nous faire repérer, par Wakinu !
Un par un, les Katchinas s'endormirent. C'est alors que l'aigle, vif comme la foudre, fonça vers les deux trésors emprisonnés. Attrapant les coffres dans ses serres griffues, il s'envola vers l'ouest, en direction du pays indien. En bas, le coyote courait ventre à terre, terrorisé par les cris des Katchinas réveillés en sursaut, et qui lançaient des pierres dans le ciel. Ils parcoururent ainsi plaines et bois, ravins et collines, l'un volant, l'autre galopant. Quand il eut fini de trembler, le coyote songea : « À quoi peut bien ressembler le Soleil ? Et la Lune, quelle couleur a-t-elle ? » Interpellant l'aigle, il lui proposa de porter à son tour les deux coffres.
– Un animal tel que toi n'encombre pas son vol majestueux de lourds coffres, ô mon frère aigle. Laisse-moi faire.
L'oiseau, épuisé par sa course, se laissa faire. Il abandonna au coyote son butin pour planer à son aise, en lui recommandant de ne pas ouvrir les coffres. Mal lui en prit ! À peine le coyote eut-il les malles entre les pattes qu'il ouvrit la première. Une lumière chaude, merveilleuse, inonda l'animal. Mais si le Soleil éclaire, il brûle tout aussi bien. Le coyote fut saisi soudain de douleurs cuisantes, si vives qu'il rejeta le couvercle, laissant – catastrophe ! – le Soleil s'échapper. L'astre de feu s'envola dans les cieux et se planta au firmament. « Seule la

Le coyote laissa
le soleil s'échapper.

Lune peut monter aussi haut et ramener le Soleil », songea le coyote. Et il ouvrit le second coffre.

Ton suppliant

— Ramène-moi le Soleil, ô ma sœur Lune !

Mais la face rieuse et blême s'envola elle aussi dans le ciel, sans se soucier un instant d'écouter ce pauvre coyote. Elle rejoignit le Soleil et se cacha derrière lui.

L'aigle revint alors. Il était furieux !

En colère

— Sombre idiot ! Triple buse ! Au lieu d'une seule lumière éternelle, nous voilà condamnés à voir se succéder la Nuit et le Jour, jusqu'à la fin des temps !

Le coyote baissa la tête.

— Au moins sommes-nous sûrs que les Katchinas n'emprisonneront plus ni le Soleil ni la Lune, dit-il.

L'aigle pensa que, pour la première fois, le coyote n'avait pas tout à fait tort. Et il s'envola, laissant l'autre face aux deux coffres béants et vides.

C'est ainsi que naquit le premier jour du pays indien. Et nous qui vivons aujourd'hui, nous savons bien que la nuit est bonne. La lumière éternelle nous aurait brûlé les yeux et le sommeil. Dans sa stupidité, le coyote nous a donné le matin et l'aurore, le soir et son crépuscule. Il lui sera beaucoup pardonné pour cela, par le Grand Manitou !

Le Serpent
et l'Étoile Polaire

Adapté d'une légende indienne.

L'origine des planètes et celle des plus importantes constellations figure dans les mythologies. Elle donne souvent lieu à des interprétations différentes. Curieusement, l'origine de l'étoile Polaire apparaît très peu. Dans une légende que l'on retrouve en Islande, en Estonie, en Finlande et en Sibérie, le ciel serait supporté par l'étoile Polaire, autour de laquelle il tournerait.

À partir de
4 ans

4 min

Inde

Serpent
Étoile
Mère Terre

Qui oserait aujourd'hui se moquer du serpent à sonnette ? Chacun sait que son venin est terrible et que la moindre de ses morsures est mortelle. Pourtant, il n'en a pas toujours été ainsi.

Autrefois, il y a des lunes et des lunes, le serpent à sonnette n'était qu'un gros ver rampant, aussi ridicule qu'inoffensif ! Si bien que gens, bêtes, arbres, rochers, tous se moquaient de lui. Et les étoiles, surtout : il leur semblait insensé d'être aussi près du sol, et aussi loin des cieux. Pourquoi diable y avait-il de tels êtres grotesques, lorsqu'on pouvait, comme elles, briller si haut dans la nuit, scintillant au plus loin du firmament ?

L'une d'elles, en particulier, qu'on appelait l'étoile du berger, était impitoyable pour le pauvre serpent, qu'elle accablait sans cesse de ses railleries. Chaque nuit était un cauchemar pour l'animal.

Ton méprisant

– Tu devrais t'enfouir au plus profond de la terre, comme le misérable ver que tu es, laid serpentin !

Ou encore :

Ton moqueur

– Sans bras ni jambes, tu n'as ni queue ni tête, petit monstre !

Et cela n'en finissait plus. Le serpent subissait les pires moqueries qui soient. Un jour, Mère Terre eut pitié de lui. Elle se pencha sur lui :

– Je ne peux te donner ni pattes ni mains ni ailes. Mais voici deux crocs garnis de venin. Fais-en bon usage contre ceux qui te veulent du tort.

Croyez-vous que cela fît peur à l'étoile du berger ? Au contraire ! La taquine descendit même des cieux pour railler plus encore le serpent.

Ricaner

– Que voilà deux dents ridicules ! ricana-t-elle en s'approchant de lui jusqu'à le toucher.

Le serpent bondit et planta ses deux crocs dans la face rebondie de l'étoile. La morsure lui arracha un cri de douleur et, d'un bond, elle s'enfuit au firmament. Pas si ridicules que cela, les dents du serpent ! Et la souffrance fut si vive, le venin si terrible, qu'elle fut paralysée pour le restant de ses jours. Vous pouvez l'apercevoir encore aujourd'hui, absolument immobile, toujours à la même place, ne se souciant ni des autres étoiles ni du ciel qui, eux, continuent de tourner.

Mais le serpent n'eut pas la paix pour autant. Malgré ses crocs et son venin, les chasseurs tentaient de l'assommer à coups de bâton, de le transpercer de leurs lances. Il en mordit beaucoup et beaucoup moururent ; mais les hommes ne tirent jamais les leçons de leur malheur. Ils continuèrent à chasser le serpent. Mère Terre vint encore à son secours.

– Jamais tu ne trouveras la paix, ô serpent. Je vais écrire dans le ciel un message à l'intention des chasseurs. Ainsi, ils se méfieront de toi et te laisseront tranquille.

Et Mère Terre plaça d'autres astres, autour de l'étoile du berger, la première victime du serpent. Le tout formait une grande main, dans le ciel. Regardez bien, si la nuit est claire : l'un des doigts est plus court que les autres. C'est pour montrer que l'étoile a été mordue par le serpent à sonnette.

Les hommes surent alors combien était grande la puissance de l'animal. Désormais, ils se gardent bien de l'approcher de trop près. Car s'il a su mordre une étoile si lointaine, que peut le chasseur contre lui ?

Les chasseurs tentaient
de le tuer.

Le Feu des Indiens

Adapté d'une légende des Indiens d'Amérique du Nord.

Après leur création, l'homme et les animaux se sont très vite efforcés d'acquérir un environnement dans lequel ils pourraient vivre : ils ont eu besoin de la lumière et du feu. On retrouve ce thème en Asie, en Amérique et en Océanie, dans la mythologie grecque et en Finlande.

Le feu a plusieurs origines. Ce peut être un cadeau du créateur. Il peut avoir été trouvé dans le corps d'une personne, ou avoir été pris auprès d'un arbre, d'une pierre, ou d'une caverne qui en sont, alors, les dépositaires.

Le vol du feu par un animal se retrouve chez les Indiens des deux Amériques, en Afrique, en Nouvelle-Guinée et en Lituanie.

Après la lumière et le feu, les hommes ont cherché de la nourriture.

À partir de
4 ans

5 min

Prairie

Ours
Araignée
Arbres
Feu
Autres
animaux

Le soir, quand le soleil descend derrière les collines, la coutume veut que les anciens racontent les légendes du peuple indien. Guerriers, squaws et papooses s'empressent autour du conteur. Et dans la nuit qui s'avance, sa voix s'élève :

« Il y a longtemps, si longtemps que les animaux parlaient encore, était une vallée maudite. Il n'y avait ni automne, ni printemps, ni été. L'hiver s'était installé une fois pour toutes. Les animaux, l'herbe et les arbres, tous subissaient sa loi, faite de pluies et de vents, de glace et de neige. Une nuit plus noire que les autres, une terrible tempête s'abattit sur la vallée. Dévastant tout sur son passage, elle déracinait les arbres, arrachait les rochers, gonflait les rivières, bousculait les animaux qui fuyaient en hurlant leur terreur. Seul, au milieu des marécages, un érable résistait. Ne faisant aucun cas du sinistre tumulte, il chantait les beautés du printemps. La tempête, furieuse, lança sur l'érable ses vents les plus violents. L'arbre continua de chanter. Alors, elle jeta sur l'insolent une gerbe de foudre qui le calcina sur le champ.

– Chante-t-on le printemps quand je dévaste le monde ? rugit-elle, satisfaite.

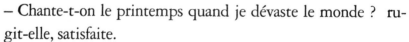

Mais, alors que la tempête jetait plus loin ses fureurs, on entendit une musique monter dans l'air : c'était le chant de l'érable que le feu de la foudre, charmé, avait préservé dans ses flammes vives. Et les langues rouges montant des racines brûlées disaient les beautés du printemps. Peu à peu, le chant s'amplifia, glissa sur l'écume des flots, et atteignit enfin une grotte où les animaux s'étaient réfugiés. L'entendant, ils osèrent sortir et, tremblant de peur et de froid, guidés par la mé-

Un érable chantait.

lodie, ils gagnèrent une falaise qui surplombait l'îlot. Au milieu gisait l'érable foudroyé, qui brûlait toujours.

S'exclamer

— C'est le feu qui chante ! s'exclama l'ours. Je le connais, il réchauffe tous ceux qui l'entourent.

Ton impatient

— Il nous le faut ! dit l'araignée. Je cours l'attraper !

Le corbeau l'arrêta.

Avec calme

— Ne sois pas ridicule ! Avec ton corps chétif et tes pattes difformes, comment t'y prendrais-tu ? J'irai, moi !

Et l'oiseau s'envola vers l'îlot. Mais on ne capture pas le feu aussi facilement ! Et le corbeau n'est pas connu pour sa ruse ! Attrapant de sa griffe un tison qui traînait, il se brûla si cruellement la patte et les ailes qu'il reprit bien vite le chemin des airs.

— Tu n'es qu'un maladroit ! lui dit le lézard. Et tes plumes brûlent trop bien. Moi, j'ai la peau sèche et rêche. Laissez-moi faire !

Mais on le vit revenir plus vite encore que le corbeau, la queue carbonisée. Les animaux commençaient à se demander s'ils pourraient jamais capturer le feu ! Alors, l'araignée fit entendre de nouveau sa petite voix :

Petite voix

— Je sais, moi, comment ramener le feu !

Cette fois, on ne se moqua plus d'elle. Ils la regardèrent partir vers l'îlot.

Le voyage fut long. La tempête avait semé tant et tant d'obstacles derrière elle ! L'araignée dut les franchir un par un, lentement, avec mille précautions. Enfin, elle parvint à l'îlot et s'approcha des braises encore fumantes. Doucement, elle se mit à tisser un fil solide et très long, puis l'enroula autour d'un tison, qu'elle choisit bien rouge. Grâce à quelques paroles magiques connues d'elle seule, elle réussit à empaqueter la braise sans que le fil brûlât. Jetant le paquet sur son épaule, elle reprit le chemin du retour. Son cœur était si léger à l'idée de rapporter le feu à ses compagnons, que le voyage, pourtant interminable, ne lui pesa pas. Quand elle atteignit la falaise, les animaux lui firent fête. Mais, si tous voulurent voir son butin, personne n'osa y toucher. Comment apprivoiser le feu, quand l'araignée déroulerait son fil ? La chouette, sage et prudente, s'approcha du tison :

— Le feu nous a chanté son amitié et nous donne une partie de lui-même. Il faut le nourrir, si nous voulons sa douce chaleur.

Les animaux réfléchirent. Que pouvait bien manger le feu ?

— Des noisettes ! lança l'écureuil.

— Du miel ! grogna l'ours.

— Du maïs ! caqueta la poule.

Ce fut le bouleau qui trouva la solution.

— Donnez mon écorce à notre ami, dit-il. Mon père me racontait souvent combien nous, les bouleaux, étions appréciés pour notre écorce, combien elle brûlait bien.

Alors le castor s'approcha de l'arbre et, d'un coup de dents, fit tomber un lambeau de sa robe blanche et noire, qu'il jeta sur la braise. Puis il agita sa queue plate au-dessus du tison, comme un éventail, et bientôt s'éleva une flamme chaude et belle.

Depuis ce jour-là, grâce à l'araignée, au castor et au bouleau, on nourrit ainsi le feu pour qu'il ne meure pas, ô mes frères. »

La voix du vieux conteur s'est tue. Les hommes, les femmes et les enfants sont silencieux, autour du grand feu. Ils écoutent les flammes chanter la mélodie que l'érable leur apprit, il y a bien longtemps, au milieu de l'îlot, quand la tempête soufflait sur la vallée maudite.

La chouette.

172

La Piste blanche

Adapté d'une légende des Indiens d'Amérique du Nord.

L'origine de la Voie lactée donne lieu à une dizaine d'interprétations différentes de par le monde. Parfois, c'est une route ou un pont pour les âmes (Indiens d'Amérique du Nord, Finlande), ou de la fumée (Afrique), ou du lait de femme (Sibérie, mythologie grecque), ou une rivière (Chine, Japon), ou encore, le chemin d'un oiseau migrateur.

À partir de 6 ans   3 min   Grand Nord   Ours

Au temps où les vastes plaines fourmillaient encore de bisons, où les forêts étaient immenses et les fleuves aussi poissonneux que la mer, eut lieu le combat entre l'ours noir Wakini et l'ours gris Wakinu. Nul ne sait vraiment ce qui se passa. Les anciens racontent qu'un jour, alors qu'il dégustait paisiblement du miel sauvage, Wakini se fit bousculer par un ouragan gris, qui tenta de lui voler son miel. L'ouragan, c'était Wakinu. Les deux ours s'affrontèrent dans un combat violent et Wakinu, le voleur, fut vaincu. Comme le voulait la coutume, il fut banni de la tribu. Voleur, il l'était ; et gourmand aussi. Mais quand il lui fallut quitter l'endroit où il avait passé sa vie, Wakinu baissa le front, comme un enfant. Sa tristesse faisait peine à voir. Et il quitta la vallée sans se retourner.

Les oiseaux se taisaient à son passage. Il marcha longtemps, au hasard des routes et des collines, sans savoir où il allait. Il lui importait peu de partir là ou ailleurs, maintenant qu'on l'avait chassé de chez lui. Wakinu marchait.

Il finit par atteindre la montagne blanche et froide, qu'on appelle le pays des neiges. Mais il ne voyait rien. Il marchait, les yeux brouillés par les larmes. Il ne remarqua ni la neige tombant à lourds flocons, ni l'épais tapis blanc recouvrant l'horizon, ni le froid qui glaçait le ciel et la terre. Wakinu marchait. Vit-il ces ténèbres terribles qui se posèrent, silencieuses, sur la terre ? Vit-il sa grise fourrure devenir de plus en plus blanche, alourdie par la neige qui tombait, qui tombait ? Wakinu marchait. Il s'enfonçait dans la nuit, dans la neige, dans l'oubli. Peut-être allait-il même disparaître tout à fait. Mais il leva la tête, soudain. Et ce fut alors qu'il aperçut la piste blanche. Elle brillait dans le ciel d'encre, là-bas, au bout du pays des neiges, et si fort que Wakinu en fut ébloui. Et lui qui ne cherchait plus rien, lui qui n'était que chagrin, il se sentit soudain aussi léger qu'une aile d'oiseau. Voilà : Wakinu courut vers la lueur éclatante, et il bondit sur la piste blanche. Bientôt, il grimpait vers le firmament, comme un nuage gris poussé par le vent. En bas, dans la plaine, les rares animaux qui ne dormaient pas encore purent voir ainsi le gros ours gris, Wakinu, galoper sur la piste blanche et Wakini, l'ours noir, le vit aussi, qui cria :

– Regardez tous ! C'est Wakinu ! Notre frère a trouvé le Pont

Wakinu marchait.

des Âmes, celui qui mène vers le territoire des chasses éternelles !

Wakinu n'est pas reparu. Les anciens racontent qu'il a trouvé
refuge là-haut, lui, le voleur de miel, et c'est peut-être bien
ainsi. Ce qu'ils disent aussi, c'est qu'en courant sur la piste blanche, il a laissé derrière lui la neige tomber de sa pelisse, comme
des milliards d'étoiles. Elle y est encore, aujourd'hui. Les visages
pâles, qui se trompent si souvent, l'appellent la Voie lactée.
Mensonges ! Le sage ours noir, Wakini, l'a dit : c'est le chemin
qui conduit au territoire des chasses éternelles, celui que chaque
Indien suit à la fin de sa vie. Le chemin de Wakinu, l'ours gris.

des souris et des hommes

L'Écureuil

Texte de Maurice Genevoix, extrait de Bestiaire enchanté, *(c) Madame Maurice Genevoix.*

Né en 1890 dans une île de la Loire, près de Nevers, Maurice Genevoix passe son enfance au contact de la nature. Ses études sont brillantes, mais elles sont interrompues par la guerre de 1914. Après la guerre, où il a été gravement blessé, Maurice Genevoix retourne chez lui, au bord de la Loire. Il commence à écrire, sur commande, ses observations sur la période de la guerre. Sous Verdun, Nuits de guerre, La Boue, Les Éparges, *recueillis ultérieurement sous le titre* Ceux de 14, *en disent toute l'horreur. Parallèlement, Maurice Genevoix écrit ses premiers romans, dont* Raboliot *(1925) qui obtient le prix Goncourt. Suivent* Le jardin dans l'île *(1936),* Marcheloup *(1934),* Agnès, la Loire et les garçons *(1965)…*

Rroû *(1930),* La Dernière Harde *(1938) sont les premières manifestations de la passion que l'écrivain portait aux bêtes, en attendant la publication de ses fameux bestiaires :* Tendre bestiaire *(1969),* Bestiaire enchanté *(1970) et* Bestiaire sans oubli *(1971). Ces trois derniers livres sont d'agréables et libres rêveries, à partir d'un animal qui donne le plus souvent à l'auteur une occasion de raconter des souvenirs, de moraliser simplement et d'enseigner une forme de sagesse apprise à voir se comporter le milieu naturel. Son bestiaire est à la fois traditionnel et très finement observé.*

Académicien, il reçut en 1970 le Grand Prix National des Lettres pour l'ensemble de son œuvre. Il est décédé en 1980.

À partir de
7 ans

8 min
+ 8 min

Forêt
Maison

Père
Fillette
Écureuil
Faisan

Quitte à paraître radoter, je raconterai une fois encore *mon* histoire de l'écureuil. Si je ne sais quel respect humain me conduisait à l'écarter, il crierait à la forfaiture et réclamerait ici sa place. Car c'est peut-être à lui, à notre rencontre d'un soir que je dois certaines clartés, et ainsi grâce à lui, à son intervention légère que j'écris aujourd'hui ce bestiaire.

Si l'on descend la Loire en partant de notre maison, à l'opposé du pont qui unit par-dessus ses eaux les clochers de Jargeau et de Saint-Denis, on entre tout de suite dans les bois : des acacias, quelques chênes, et des pins. Ces pins, leurs pignes attirent les écureuils. Au gré de nos promenades, nous entendons souvent, au-dessus de nos têtes, le bref grognement d'alerte d'un de ces elfes mi-partis roux et blancs. Il n'est alors que de lever les yeux pour le voir planer entre deux hautes branches, les pattes écartelées, la queue gonflée de toutes ses « plumes », je veux l'écrire, tant son bond a de grâce ailée.

Combien de fois aussi, le front aux vitres d'une fenêtre, ai-je suivi des yeux le manège de nos écureuils familiers ! Ce n'est pas la maison qui les appelle, mais les deux noyers de l'enclos. Depuis qu'ils fructifient, jamais nous n'avons pu y cueillir une seule noix mûre : ils nous devancent infailliblement. Et c'est chargés d'une grosse bogue verte qui distend à plein leurs bajoues que je les vois paraître à l'angle de la terrasse, trottiner sur le mur bas qui en retient le sol damé, plonger dans le saut-de-loup, reparaître aussitôt entre deux lattes du portillon, s'y enfiler comme une belette, et disparaître enfin dans les hautes herbes du talus. C'est là qu'ils ont leur nid, leur grenier, au creux d'un des hauts peupliers dont le pied baigne dans l'eau du fleuve, et dont la cime frémissante se balance à hauteur de nos toits sous la poussée des grands vents d'ouest.

Je pourrais dire à une seconde près le moment où ils vont revenir. Ils suivent toujours le même itinéraire, ponctuellement, aller et retour. À deux qu'ils sont, ils assurent une navette constante entre le verger et leur nid. Elle ne cessera que la cueillette achevée. Si d'aventure s'ouvre une des portes de la maison, si l'un de nous se montre sur le seuil, à peine tourneront-ils la tête ou, d'un léger tressaut, marqueront-ils que cette présence ne leur a pas échappé. Ils poursuivront leur course imperturbable. Ils savent depuis longtemps que le domaine leur appartient. Ils nous tolèrent magnanimement.

Tous les hôtes du jardin le savent, les merles de la haie, les fauvettes du talus, les mésanges picoreuses qui pirouettent dans le vieux sureau, les rossignols des buissons de lilas, la couleuvre du petit bois, les hérissons et le crapaud du potager. À la longue, j'en serais arrivé à croire que j'y étais pour quelque chose. Quelques faciles prouesses, à mes yeux même et d'abord surprenantes, en auraient, en avaient renforcé l'illusion. L'on s'en souvient peut-être : j'ouvrais hier les pages de ce bestiaire aux merles, à leur chant matinal, aux agapes des hérissons sur les dalles du vestibule ou le gravier de la terrasse. Y entreront demain la couleuvre et le crapaud. Il n'est que d'ouvrir la porte. Mais ce sont elles, les bêtes, qui entrent.

Parler ici de prouesses est absurde. C'est de bien autre chose qu'il s'agit. J'ai été vain, les premières fois, de prendre des faisans à la main. Je me serais crédité pour un peu d'un « pouvoir », pour parler comme les vieux sorciers que j'ai connus dans ma jeunesse. Il n'y faut qu'une technique facile. Souvent, venus des bois voisins où il arrive que tiraillent les fusils, des faisans s'abattent sur nos arbres. Ils y tiennent le perché la nuit. Certains deviennent des habitués. Au temps où, célibataire encore, je vivais seul avec ma vieille servante, une zone de calme et de silence environnait nos toits de tuiles. C'est alors que les bêtes sont venues. Pour parler cette fois comme d'autres sorciers d'aujourd'hui, je veux dire les sociologues, le menu peuplement sauvage était plus dense chez nous qu'ailleurs.

Mais les faisans et leur capture ? Toute l'astuce, et toute l'habileté, consistaient à les pousser doucement devant soi, sans les jeter en pleine panique, sans provoquer leur bruyant essor. Tant qu'ils piétaient dans les allées du bois, c'était aisé. La difficulté commençait à l'instant où ils en sortaient, l'espace libre du potager facilitant alors l'envol. Dès qu'ils avaient atteint la haie, c'était gagné.

C'est une haie de thuyas robustes, dont le croît a depuis longtemps enseveli sous son épaisse verdure, de part et d'autre, la clôture de grillage et les poteaux qui la soutiennent. Le faisan se coulait au pied, assuré en la traversant d'échapper à la lente poursuite. Mais il butait contre le grillage, s'affolait aussitôt, les ailes battantes, le longeait désespérément, avec de rapides coups de tête qui se heurtaient chaque fois aux mailles. Il n'était que de le suivre, courant ainsi, poussant ainsi toujours du même côté. Jamais il ne tentait de revenir sur son poursuivant et de s'envoler à son nez. L'instant arrivait fatalement où il atteignait un angle et, ainsi coincé sur deux flancs, s'affolait davantage, tourbillonnant des ailes et gloussant de détresse. C'était aussi l'instant de le saisir, soudain muet, ses paupières membraneuses battant de bas en haut, son bec ouvert cher-

Un faisan.

chant son souffle. Les paumes qui le serraient sentaient alors, du fond de son corps à ses plumes, monter, frapper les coups précipités de son cœur.

Comme mes amitiés hérissonnes, j'avais conté à ma femme, à mes filles, ces captures de faisans à la main. Alors encore elles m'avaient cru, mais comme on croit à une légende, venue du fond du temps et que le temps ne ressuscitera plus. Or, cette année, le cri rouillé d'un faisan dans le bois m'attira hors de la maison. Je le repérai vite, piétant vers le potager. Et le vieil instinct du chasseur, aussitôt reconnu, me serra un peu à la gorge.

Tout se déroula comme naguère : l'approche patiente, à pas coulés, la course de l'oiseau vers la haie, ses coups de tête le long du grillage, et ses claquements d'ailes éperdus lorsqu'il en atteignit l'angle. Un regain de souplesse, dans la chaleur de l'action, rendit à mon agenouillement, à la détente de mes mains la vivacité et la précision opportunes. Je reconnus contre mes paumes la violente chamade de son cœur, le renversai doucement, empoignai ses pattes jointes et le rapportai à la maison.

Quand j'arrivai, au bout de deux ou trois minutes, l'oiseau s'était presque calmé. Le bréchet haut, le col tordu en volute, il ne me quittait pas de l'œil, mais il ne se débattait plus. J'appelai ma femme, le lui montrai à bout de bras. Son étonnement me fit plaisir.

Avec étonnement

— Mais… c'est un faisan, dit-elle. Et il est vivant ! D'où vient-il ?

— D'où veux-tu ? De notre jardin.

Avec étonnement

— Est-ce possible ? Et… tu l'aurais pris ?

— À la main, oui ; comme je t'avais dit.

Elle s'approcha, lissa du bout des doigts deux grandes plumes un peu froissées.

— Et maintenant, qu'en vas-tu faire ?

– Ceci, dis-je.

Et j'ouvris la main. Le faisan s'envola en fusée vers les peupliers du talus, en atteignit les cimes, les contourna, l'aile bruyante et la queue onduleuse, et piqua vers le bois d'aval. Ma femme le suivit des yeux aussi longtemps qu'il fut visible. Quand elle se retourna vers moi, elle souriait. Je pus lire dans ses yeux ce qu'elle avait lu dans les miens. Une autre histoire avait passé, une autre de mes vieilles histoires à laquelle elle avait cru d'avance et qu'elle venait de reconnaître : celle d'une rencontre avec un écureuil des bois.

Fin de la première partie.

Résumé :
Le narrateur, avant d'aller se promener avec sa fille Sylvie, évoque les animaux qu'il peut apercevoir dans son jardin, ou les animaux des bois qu'il a réussi à approcher.

Seconde partie.

Et ici, à l'instant de tenir ma parole, de me redire une fois de plus comment une porte peut s'ouvrir, celle même qui « donne » sur ce bestiaire et peut-être en livre l'accès, je prie que l'on me suive dans une simplicité de cœur qui s'en remette au seul événement, tel qu'il fut et que je l'ai vécu. Une fois de plus, je ne ferai que remettre mes pas dans mes pas, sans tenter de rien expliquer, sans souci autre que d'être véridique et fidèle, émerveillé, je m'en souviens, mais je laisse à chacun sa foi.

– Allons nous promener, Sylvie. Maman veut bien.

– Bonne promenade. Faites attention.

C'est la recommandation habituelle. Du seuil, au bord du chemin de halage, elle nous fait un signe de la main. Nous le savons, Sylvie et moi : lorsque nous partons ainsi, c'est sa façon de rester avec nous.

– Où allons-nous, Papa ?

– Jusqu'au Mont.

C'est loin, beaucoup plus d'un kilomètre. Mais elle trotte bien pour ses cinq ans. Âge admirable, avide, comblé sans trêve à la mesure de son insatiabilité. Tout accède, tout imprègne, imprime sa marque ou son image. Jamais le monde ne sera plus riche, plus ressemblant à ce qu'il est. Que n'ai-je cinq ans sous mes cheveux gris ? Mais ma petite fille est là, et je les ai.

Avril bleuit dans un ciel plus profond. Quelques nuages blancs, gorgés de lumière, flottent très haut dans l'immensité bleue. Sous la grande sapinière qui touche presque à la ferme du Mont, les fougères neuves déroulent leurs crosses. Beaucoup déjà, de leurs palmes étales, recouvrent les fougères de l'hiver, toutes fanées, bruissantes sous les pas.

– Ta main, Sylvie. Fais bien attention !

Les mêmes mots pour une même tendresse. Car devant nous, à deux mètres peut-être, un froissement inquiétant a passé dans l'épaisseur des fougères mortes. C'est le temps où les serpents sortent de leur torpeur hivernale, où les vipères, au lieu de fuir, pointent leur tête plate, prêtes à frapper. Je regarde de tous mes yeux. Et aussitôt je l'aperçois, car il a bougé de nouveau.

Ce n'est qu'un petit écureuil, un enfant écureuil que notre approche vient de surprendre. Bien campé sur son arrière-train, sa queue en S soulevant sa plus haute volute juste au-dessus de sa tête, entre ses oreilles à aigrettes, il me regarde d'un œil attentif, intrigué, brillant de vie. Je fais doucement un pas vers lui. D'un vif petit saut en arrière il maintient la distance entre nous. Encore un pas. Et le même petit saut. La main de Sylvie presse la mienne. Elle souffle :

Chuchoter

– Ne bouge plus, Papa. Cette fois, il va se sauver.

Il est trop tard. Il s'est sauvé. En deux bonds festonnés, basculant l'arrière en avant, il a gagné l'un des pins de l'orée. Une flamme rousse a couru sur l'écorce écailleuse, disparu au revers de l'arbre. J'ai pensé aussitôt que cette disparition mettait un terme à notre rencontre, et que celle-ci laisserait dans ma mémoire le souvenir d'un incident gracieux, mais banal et vite oublié. La petite main s'est encore animée. Sylvie a murmuré :

– Regarde...

C'est à partir de ce moment que l'enchantement a commencé. Il faudrait, pour ne point le trahir, trouver des mots plus simples que les mots ordinaires, plus limpides et plus rigoureux. Un écureuil surpris qui saute au tronc d'un arbre grimpe très vite jusqu'aux branches élevées. Alors seulement, il risque un regard. Accroché au revers du tronc, toujours, il avance son museau pointu et, s'il repère l'intrus au pied de son haut perchoir, il grimpe plus haut encore, saute de l'arbre à l'arbre voisin et disparaît dans le lacis des cimes.

Or, celui-là pointait bien son nez, mais il restait à hauteur d'homme. Tout est parti de là, je crois, de ce premier consentement, ce premier refus de fuite. J'en eus conscience presque tout de suite, en proie d'emblée à une stupeur obstinément incrédule en même temps qu'à une foi fervente, aveugle, quoi qu'il pût advenir, assurée. J'en puis noter l'instant exact : non celui où ma paume, pour la première fois, l'effleura ; ni celui où je pus appuyer ma main sur son pelage bourru, presque froid ; mais celui où, l'ayant enfin saisi, je pus sentir le long frisson qui frémissait dans tous ses nerfs espacer progressivement ses ondes, se retirer enfin de tout son petit corps confiant, souple et léger, bientôt tiède dans la coupe de mes mains.

L'écureuil.

Nous sommes restés assis au pied du pin, Sylvie et moi. Je dirais « une bonne heure », s'il m'eût été possible de mesurer le temps. Il a joué, folâtré autour de nous, dans l'herbe. Des courants un peu aigres passaient parfois dans le soleil d'avril. Alors il se rapprochait, cherchant la chaleur de nos jambes. Il a trouvé, contre celles de Sylvie, la doublure soyeuse de son petit manteau, l'a modelée de la patte, de l'épaule et du flanc, s'y est lové en un cercle parfait, incontinent s'est endormi. Le soir venait. Il a fallu rentrer. Nous étions tristes, même ma petite fille : car elle croyait comme moi à une séparation sans retour.

Voix triste — Adieu, adieu, gentil écureuil !

Nous sommes partis. Et, dès nos premiers pas, des froissements d'herbes, derrière nous, nous ont fait tourner la tête. Il nous suivait.

Il a continué de nous suivre, toujours sautant par petits bonds courbes, d'arrière en avant ; s'arrêtant si nous nous arrêtions ; repartant quand nous repartions ; non obstiné, simplement résolu. Nous sommes passés près d'un bûcheron qui abattait dans une vente. Il a pu voir l'écureuil derrière nous. La même stupeur émerveillée a passé sur son rude visage. Appuyé des deux mains sur le manche de sa cognée, il regardait, regardait, et consentait à croire.

« Beaucoup plus d'un kilomètre », je l'ai dit. Ses petites mains que nous avions vues, tout à l'heure, rosir à contre-soleil, saignaient de menues écorchures. Il continuait, sur l'humus noir, sur les mousses, à travers les herbes folles, sur la bonne terre des bois et des chemins. Nous ne le vîmes désemparé que sur le gravier de la cour, sol ingrat, stérile, désolé. Je dus le prendre dans mes mains pour l'emporter dans la maison. Il fit honneur à la soucoupe de lait, aux cuisses de noix vélocement grignotées. Tout était simple, à mesure accepté. N'est-ce pas, Sylvie ? Il trempait ses pattes dans le lait, s'aspergeait d'éclaboussures blanches, postillonnait un feu d'artifice d'épluchures. Quelle partie !

Hélas ! Le débat qui suivit fut cruel. Chacun doit retrouver les siens. Comment ne l'aurions-nous rendu à la pineraie qui nous l'avait donné ? Ce fut moi qui l'y ramenai, seul. Je l'avais posé sur mon épaule et l'accotais de ma main levée, à peine. Lorsque mon pas bronchait sur une racine, il se cramponnait à mon nez, à mes sourcils. Je sens encore dès que j'y pense, un peu griffants, ses ongles de petit grimpeur. À un moment, il pirouetta, trouva la poche intérieure de ma veste, s'y coula, repoussa mes gênantes lunettes, se lova comme sur le manteau de Sylvie, s'endormit.

Je dus le réveiller lorsque j'atteignis les pins, le vieux pin même sur le tronc duquel ma main l'avait, pour la première fois, touché. La nuit tombait. Je me collai contre la rude écorce, le posai tout près de ma tête, me contraignis à rester immobile. Je le sentis passer sur mon corps, sur l'arbre, et de nouveau sur moi, nous confondant, nous unissant ensemble à la nuit. Les premières étoiles s'allumaient. Le murmure de la Loire glissait au pied du talus, se mêlait à la vague rumeur qui passait à la cime des arbres. Je ne pouvais me détacher, m'en aller. Quand je repris enfin le chemin de la maison, je pressentais qu'à partir de ce jour beaucoup de choses de ce monde ne seraient plus tout à fait comme avant.

Nanook, l'ours blanc

Adapté d'une légende inuit.

La naissance de jumeaux, chez les Inuit, était souvent considérée comme un mauvais présage.

À partir de 3 ans   6 min   Grand Nord   Jeune homme Ours

I l était une fois une femme esquimau qui avait donné naissance à des jumeaux. Mais au lieu de se réjouir, la jeune mère se lamentait :

Se lamenter

— Pauvres de nous, qu'allons-nous devenir ? Les jumeaux portent malheur, tout le monde le sait !

Ton rassurant

— Allons, disait son mari pour la réconforter, ce ne sont que des histoires de grands-mères ! Nos garçons sont forts, ils deviendront de solides gaillards comme leur père !

Pourtant, les deux bébés avaient quelque chose d'étrange : ils étaient poilus de la tête aux pieds ! À tel point que quand ils trottaient à quatre pattes au milieu des fourrures, dans l'igloo, on avait du mal à les voir ! Et plus les jours passaient, plus ils étaient velus.

Un matin, la jeune mère, désespérée, emporta ses petits à l'écart du village et les abandonna dans la neige.

– C'est la sagesse ! approuvèrent tous les anciens. Cela aurait dû être fait dès le premier jour !

Quelque temps après, toute la tribu plia bagage et s'en alla chasser plus loin, comme le font régulièrement les Esquimaux. Plus tard encore, une autre tribu vint s'installer à cet endroit…

Cependant, les bébés n'étaient pas morts. Leur force et leur épaisse fourrure les avaient protégés du froid.

L'un des petits dériva en mer sur un grand iceberg et devint Nanook, l'ours blanc ; l'autre s'en alla à travers les marais de la toundra et devint Nanook, l'ours noir.

Nanook,
l'ours blanc.

Un jour, bien plus tard, un jeune chasseur appelé Uluksak marchait sur la mer gelée, quand tout à coup un terrible craquement retentit. Et Uluksak vit avec horreur le banc de glace sur lequel il se tenait se séparer de la terre ferme, puis s'éloigner sur la mer…

Personne, de mémoire d'Esquimau, n'était jamais revenu après avoir été emporté par les glaces. Et tout seul sur son radeau de glace, Uluksak avait beau réfléchir, il ne voyait aucun moyen de s'en sortir….

Au bout de quelques jours, à moitié mort de froid et de faim, Uluksak se mit à manger ses mocassins en cuir. C'est alors qu'il aperçut un ours blanc qui nageait vers lui… « C'est fini ! songea-t-il. Cet animal féroce va me réduire en bouillie ! » Le jeune homme vit sa dernière heure venir quand la bête grimpa sur son morceau de banquise. Mais au lieu de se jeter sur lui, l'ours blanc s'assit et le regarda de ses petits yeux :

Doucement

— Ne crains rien ! dit-il tout doucement. Je suis un cousin des hommes, et je veux t'aider… Je vois que tu as faim : un poisson te nourrira mieux que ces mocassins !

Laissant Uluksak tout ébahi, l'ours plongea aussitôt pour pêcher un poisson.

Quand le jeune homme fut rassasié, l'ours blanc s'approcha encore de lui :

Doucement

— Je vois que tu as froid : laisse-moi te réchauffer, tu auras plus chaud contre moi que dans toutes les fourrures qui tapissent ton igloo !

Et l'ours serra Uluksak entre ses grosses pattes. D'abord terrorisé, le jeune homme s'habitua vite à la chaleur de l'animal, et s'endormit en toute confiance.

Pendant plusieurs jours, les deux amis partagèrent le petit iceberg. Peu à peu, Uluksak retrouvait ses forces, grâce aux soins du gros ours.

Uluksak retrouvait ses forces.

Un matin, le vent se leva et les poussa vers la banquise, là où s'était installée la tribu du chasseur. Uluksak était sauvé ! En retrouvant la terre ferme, il se serra une dernière fois contre son ami et lui dit :

— Si je raconte à ma famille qu'un ours blanc m'a sauvé la vie, personne ne me croira ! Donne-moi quelque chose de toi, pour leur prouver que je dis la vérité.

L'ours réfléchit un moment, puis s'assit sur son gros derrière. Attrapant une de ses pattes arrière, il arracha quelques longs poils d'une grosse touffe, et en fit une étrange tresse.

— Montre ceci à tes amis, dit-il à Uluksak. Jamais aucun être humain n'a vu une natte ainsi tressée : seul l'ours cousin de l'homme connaît son secret… Ils seront bien obligés de te croire ! Adieu !

Et sur ces mots, l'ours blanc plongea dans la mer et disparut.

Uluksak courut sur la banquise, vers le village esquimau. Tout le monde fut très heureux – et très surpris – de le revoir sain et sauf… mais personne ne voulut croire son histoire :

Ton moqueur

– La faim t'a donné des visions ! disait l'un.

Ton moqueur

– Se réchauffer dans les bras d'un ours ! Et pourquoi pas embrasser un phoque ? disait un autre…

Ton moqueur

– Ton esprit dérive comme un iceberg ! se moquait le troisième.

Avec autorité

– Eh bien, regardez ceci si vous ne me croyez pas ! répondit Uluksak.

Et il sortit le lacet de l'ours. En silence, chacun examina l'objet, chacun hocha la tête et le passa à son voisin :

– Ce n'est pas un homme qui a fait cela ! dirent les anciens pour finir.

– Non, dit Uluksak, c'est Nanook l'ours blanc, cousin de l'homme, qui l'a fait pour moi.

Et tous furent bien obligés de le croire…

Avec étonnement

– Tout de même ! Comment un ours blanc peut-il être cousin de l'homme ? demandèrent les anciens en secouant la tête.

Personne ne sut jamais la réponse à ce mystère, car l'histoire des deux jumeaux s'était effacée des mémoires. Pourtant, tous les Esquimaux, depuis ce jour, guettent à l'horizon de la banquise la silhouette de Nanook, l'ours blanc.

Comment se faire des amis

Adapté d'un conte letton.

Ce conte, intitulé par les folkloristes Les Animaux reconnaissants *est surtout répandu en Europe et en Asie. Dès le XIVe siècle, il apparaît dans un recueil de contes perses.*

À partir de
4 ans

7 min

Campagne
Château
Cachot

Jeune
homme
Animaux
Serpent
Seigneur

Un vieil homme et son fils vivaient dans une misérable chaumière, loin du village. Un jour, le père appela son fils :
– Mon garçon, voici cent roubles. Va nous acheter du blé au marché, car nous n'avons plus rien à manger.

Et voilà le jeune homme parti.

Sur sa route, il aperçut un paysan qui tapait à tour de bras sur son chien.

— Oh là, tout doux ! dit le garçon. Pourquoi frapper ce gros cabot ?

En colère — C'est un coquin ! dit l'autre tout en tapant.

Avec autorité — Arrête ! tiens, je te donne cent roubles si tu le laisses tranquille.

« Ce garçon est fou ! » pensa le paysan. Mais il lâcha son chien tout meurtri et tendit la main vers l'argent.

Le garçon rentra chez lui, sans sous et sans blé…

— Cent roubles, ce n'est pas assez, expliqua-t-il à son père qui s'étonnait. Il en faut bien plus pour acheter du blé !

Le lendemain, le père donna cent roubles de plus à son fils :

— Cette fois, rapporte du blé, car nous n'en aurons bientôt plus un grain !

Mais le garçon croisa en chemin un paysan qui maltraitait une souris :

— Misère de misère ! Que t'a donc fait la trotte-menu ?

Ton méprisant — Elle est affreuse !

Doucement — Allons, laisse-la vivre et je te donne ces cent roubles !

« Quel nigaud, celui-là ! » pensa le paysan, mais il tendit la main… et la souris fila se cacher.

Bientôt, le garçon fut de retour, poches vides et sans le moindre petit grain.

Voix désolée — Hélas, père, dit-il, deux cents roubles ne valent rien ! Donne-m'en cent de plus et j'y retournerai demain…

Le lendemain, le jeune homme croisa un paysan qui battait son chat à toute volée.

— Malheureux ! Pourquoi frapper ce grippeminaud ?

En colère — C'est un filou !

Doucement — Laisse-le aller, et les cent roubles que voici seront à toi…

193

« Drôle de gaillard ! » songea le paysan… mais il lâcha le matou et empocha les sous.

— Où est le blé ? s'étonna le père en voyant son fils revenir les mains vides.

— Les marchands me rient au nez ! se plaignit le garçon. Il faut encore cent roubles de plus pour acheter du blé.

Le père rassembla ses derniers sous et le garçon s'en alla, bien décidé, cette fois, à rapporter du blé.

Hélas, il tomba nez à nez avec un paysan qui bâtonnait un serpent.

— Hep là ! Pourquoi martyriser ce traîne-caillou ?

— Il est maudit !

— Balivernes ! Laisse-le filer, et mes cent roubles sont à toi dans l'instant !

« Quel pauvre idiot ! » se dit le paysan, mais il lâcha son bâton et s'empara de l'argent…

À nouveau, le garçon n'avait plus un sou, et cette fois, il devait dire la vérité à son père.

Cependant le serpent, au lieu de s'enfuir, sifflait doucement aux pieds de celui qui l'avait sauvé :

— Je veux te remercier, lui dit-il. Prends cet anneau magique et garde-le toujours à ton doigt. Fais-le tourner chaque fois que tu as besoin de quelque chose, et ton vœu sera exaucé.

Sur ces mots, le serpent s'éloigna entre les cailloux…

En voyant arriver son garçon, les mains vides, le père fut désespéré.

— Tu n'as toujours pas de blé ! Nous allons donc mourir de faim, gémit-il, car je n'ai plus un seul rouble à te donner…

— Ne t'inquiète pas, répondit son fils, tout joyeux, c'est l'affai-re d'un instant.

Il tourna la bague en faisant son vœu, puis se dirigea vers le grenier :

Crier

— Viens voir !

Le grenier à blé regorgeait de bons grains, lourds et dorés : de quoi nourrir une famille entière !

Ainsi le père et le fils eurent du pain et des galettes tout l'hiver, et oublièrent leurs soucis. Le garçon, fort raisonnable, n'utilisait sa bague magique que pour remplir son grenier et tout allait pour le mieux...

Un jour, après un bon déjeuner, le fils assis devant sa porte contemplait paisiblement la campagne alentour...

« Si les feuilles étaient en or et les fruits en diamant, comme cela serait beau ! » songeait-il. Et tout en rêvassant, il tourna machinalement la bague magique.

Aussitôt, les feuilles et les fruits devinrent d'or et de diamant !

C'était tellement beau que le garçon décida de les laisser ainsi.

Seulement, dans les jours suivants, le bruit de ce prodige se répandit dans le pays... Un châtelain et sa châtelaine vinrent en personne admirer les arbres d'or et de diamant.

Ton admiratif

— Magnifique ! Très intéressant ! s'exclama le seigneur. Dites-moi, jeune homme, consentiriez-vous à venir faire pousser de telles merveilles dans mon palais ?

— Bien volontiers ! répondit le garçon...

Le jour même, il se rendit au château et couvrit tous les arbres du jardin d'or et de diamant. Mais le châtelain avait remarqué la bague magique que le jeune homme tournait à son doigt, et il se mit à comploter avec sa châtelaine...

Chuchoter

— Ce garçon de rien du tout ne mérite pas un tel trésor ! Cette nuit, ma belle dame, tu lui voleras sa bague... Et à nous la richesse !

— Jeune homme, vous nous feriez honneur si vous dormiez cette nuit dans notre demeure ! proposa alors la belle châtelaine de sa voix la plus douce.

195

– Bien volontiers ! répondit encore le garçon…

Mais le serpent, de loin, devait protéger son sauveur, car cette nuit-là, au moment précis où la dame s'emparait de l'anneau, celui-ci perdit son pouvoir magique !

Le lendemain matin, les arbres du palais étaient couverts de vraies feuilles et de vrais fruits, et le châtelain avait beau tourner la bague en tous sens, rien n'y faisait…

En colère

– Qu'on jette cet imposteur en prison ! ordonna-t-il. Il sera pendu demain !

Le garçon comprit trop tard qu'il était tombé dans un piège. Au fond du cachot, il perdit tout espoir d'avoir la vie sauve, et se mit à ruminer de sombres pensées :

« J'aurais mieux fait d'acheter du blé avec les roubles de mon père, au lieu de sauver ces pauvres bêtes… Tout cela ne serait pas arrivé… »

Pourtant, pourtant… Qui entra en secret dans le château, ce soir-là ? Le chien, la souris et le chat !

– Moi, je creuse un trou dans le mur du cachot ! dit le chien.

– Nous, nous récupérons la bague magique et nous te rejoignons ! dirent le chat et la souris.

Aussitôt dit, aussitôt fait.

La châtelaine dormait à poings fermés, l'anneau sur la langue pour que personne ne puisse le lui voler…

Quand la souris fourra le bout de sa queue dans sa bouche, elle se réveilla en toussant à qui mieux mieux et cracha la bague !

La châtelaine dormait.

Alors le chat bondit, l'attrapa et, suivi par la souris, fila vers le cachot. Il se glissa par le trou que le chien avait creusé, et déposa la bague dans la main du garçon.

– Gros cabot ! Grippeminaud ! Trotte-menu ! s'écria celui-ci tout surpris de les revoir.

Vite, vite, il remit l'anneau à son doigt. La bague retrouva aussitôt ses pouvoirs magiques, et ce fut un jeu d'enfant pour le garçon que d'ouvrir les portes et de filer avec ses trois amis jusqu'à sa chaumière, où l'attendait son vieux père.

Ainsi dit-on depuis ce jour, dans ce pays : « Perds ton argent pour un ami, tu y gagneras ta vie ! »

Le Crocodile et l'Autruche

Texte d'Alphonse Allais, extrait de Le Bec en l'air.

Toute sa vie, Alphonse Allais (1855 – 1905) fut la fantaisie en personne. Après des études de pharmacie qu'il ne termina pas, il débuta au cabaret du Chat-Noir, dont il était un des fondateurs. Toute son œuvre, qui consiste principalement en recueils d'anecdotes, Vive la vie *(1892),* On n'est pas des bœufs *(1896), est marquée du goût de l'humour et de la mystification. L'humour qu'il cultivait repose sur la logique de l'absurde.*

À partir de 8 ans   3 min   Afrique Londres   Crocodile Autruche

Il y avait une fois un crocodile qui somnolait au bord d'une rivière. Vint à passer une autruche, une belle autruche, stupide de cerveau et fière des superbes plumes qu'arborait son derrière.

Quand elle aperçut le crocodile :

Avec insolence

— Te voilà, toi, grand vaurien ! dit-elle avec l'insolence des volatiles de sa caste.

Vexé de cette désobligeante interpellation et furieux d'être ainsi réveillé inutilement, le crocodile répondit sur le ton de l'aigreur :

Ton agacé

— D'abord, vous commencez à me raser, vous, avec vos façons de parler allig à tort et à travers : sachez que je ne suis pas un *grand vaurien,* mais un *grand saurien,* ce qui n'est fichtre pas la même chose.

Ton moqueur

— *Vaurien* ou *saurien,* peu importe. Vous n'en êtes pas moins un des plus vilains moineaux de toute la zone. Dieu ! que vous êtes laid mon pauvre ami !

Et, en faisant ces mauvais compliments au saurien (car le crocodile est bien un *saurien*), la ridicule autruche se tournait et se retournait pour faire admirer les magnifiques plumes de son postérieur.

À ce moment, un nuage de poussière apparut à l'horizon :

Ton ironique

— Alerte, alerte, fit le crocodile complaisant, voici venir des chasseurs d'autruche ! Filez, ma belle amie, ou gare les balles de ces messieurs ! Quant à moi, ma laideur me sauvegarde.

Avec fierté

— Le fait est, répond l'autruche, qu'on n'a aucun intérêt à vous tuer, vous, et à s'emparer de votre queue pour la mettre sur les chapeaux des belles dames anglaises, comme on fait de la mienne.

Au lieu de s'attarder à cette dernière insolence, l'autruche aurait mieux fait de filer, car au même instant, une balle venait la frapper en plein cœur.

Le crocodile eut, aussi, un grand tort, celui de se réjouir de ce résultat, car le bruit qu'il produisit, en se frottant les mains, fit se retourner un des chasseurs.

Une balle dans l'œil le foudroya.

Quelques mois après ces événements, dans un grand magasin de New Bond Street[1], une jeune femme, d'une rare élégance, extrayait de son portefeuille, des billets pour payer des plumes d'autruche qu'elle venait d'acquérir.

Or, ce portefeuille était fabriqué avec la peau de notre feu crocodile, et les riches plumes ne provenaient point d'un autre croupion que celui de notre regrettée autruche.

MORALITÉ

Soyez vilain ou soyez beau,
Pour la santé, c'est kif-kif bourricot.

---

1 – Rue des magasins élégants de Londres.

Un mouton en ville

Texte de Jean-Luc Coudray, extrait de Le mouton Marcel, *(c) Éditions Milan, 1989.*

À partir de
9 ans

15 min

Ville
Campagne

Moutons
Agents
Chien
Dame
Chat

Le mouton Marcel est en ville.

Le mouton Marcel avance à trente-trois kilomètres à l'heure sur la file de droite, doublé continuellement.

Pour son anniversaire, le mouton Marcel a quitté la campagne (trop d'herbe, trop de vent), pour la ville (beaucoup de choses à voir).

Dès les premières minutes, le mouton Marcel brûle un feu rouge et s'engage dans un sens interdit, toujours à la vitesse de trente-trois kilomètres à l'heure. Un agent le siffle.

Avec autorité

— Votre carte d'identité, s'il vous plaît.

Par bonheur, le mouton Marcel possède une carte d'identité.

Avec autorité

— Votre permis de conduire, s'il vous plaît.

Le mouton Marcel n'a pas son permis.

— Mais je suis à pied, dit le mouton Marcel.

— À trente-trois kilomètres à l'heure ? demande l'agent.

— C'est parce que je suis un mouton.

Ton menaçant

— Ce n'est pas inscrit sur vos papiers.

— Si, dit Marcel. À « signes particuliers », il y a inscrit « mouton ».

Avec autorité

— C'est OK, dit l'agent. Mais si vous êtes à pied, il faut rester sur le trottoir.

— Mais je vais plus vite qu'un vélo, dit le mouton Marcel.

Avec autorité

— Sûrement pas dans les descentes, termine l'agent.

Le mouton Marcel monte sur le trottoir et trottine entre les passants, toujours à la vitesse de trente-trois kilomètres à l'heure. Un autre agent de police le siffle.

Avec autorité

— Où allez-vous ? lui demande l'agent.

— Je visite la ville, dit Marcel.

Avec autorité

— Vous devez être tenu en laisse, lui dit l'agent.

— Mais je suis seul, dit le mouton Marcel.

Avec autorité

— Ça ne change rien, dit l'agent. Seuls les animaux en laisse sont autorisés en ville. Il vous faudra d'ailleurs également une muselière.

— Mais comment vais-je brouter ? demande le mouton Marcel.

Avec autorité

— Il est interdit de brouter en ville.

— Mais je suis un mouton libre, dit Marcel.

Surprise

— Vous êtes un mouton ? s'exclame l'agent. Je vous avais pris pour un caniche. Je n'aurais pas fait tant d'histoires !

— Les moutons ne ressemblent pas à des caniches ! dit Marcel.

— Peut-être, répond l'agent, mais les caniches ressemblent à des moutons.

L'agent retourne à la circulation et le mouton Marcel reprend sa promenade, mais seulement à trente et un kilomètres à l'heure, parce qu'il a beaucoup parlé et qu'il est un peu essoufflé.

Au bout d'un court instant, le mouton Marcel entend le coup de sifflet d'un agent de police.

— Je suis désolé d'interrompre votre promenade, lui dit l'agent, mais je suis obligé de vous signaler que vous devez déposer vos crottes dans le caniveau.

Surprise

— Dans le caniveau ! s'exclame le mouton Marcel, mais ce n'est pas propre !

— Peut-être, répond l'agent, mais sur le trottoir, c'est sale.

— Bien, je le saurai, dit Marcel.

— Ce n'est pas tout, dit l'agent. Vous êtes sur un trottoir et vous avancez à la vitesse d'un vélo.

— Sûrement pas dans les montées, dit le mouton Marcel.

— C'est possible, dit l'agent, mais vous êtes dans une descente.

— Quelle est la vitesse limitée sur trottoir ? demande le mouton Marcel.

— Il n'y en a pas, dit l'agent. Mais il ne faut gêner personne. Alors ne dépassez pas les huit kilomètres à l'heure.

— Merci, monsieur l'agent, dit le mouton Marcel.

Il repart à huit kilomètres à l'heure, ce qui tombe bien, après tout, car il a encore beaucoup parlé et commence à être réellement essoufflé.

Au bout d'un moment, il aperçoit l'entrée d'un jardin zoologique.

« C'est une bonne idée, se dit le mouton Marcel, j'aime bien les éléphants et les girafes. Je vais le visiter. »

Il demande un ticket, mais la caissière lui refuse l'entrée.

Avec autorité

— Les animaux sont interdits au zoo, lui dit-elle.

Le mouton Marcel ne dit rien et s'en va. Un peu plus loin, il voit un jardin public.

« La porte est ouverte, se dit-il, et il y a beaucoup d'herbe. Je vais pouvoir manger un peu. »

Il s'installe sur le gazon et commence à brouter.

« Elle est bien meilleure qu'à la campagne, se dit le mouton Marcel. Il doit pleuvoir plus souvent en ville ».

Puis, il entend un coup de sifflet. Il lève la tête et voit un garde qui s'approche à grands pas d'un monsieur qui lit tranquillement son journal sur un banc.

— C'est à vous, ce mouton ? lui demande le garde.

— Il n'est pas à moi, répond le monsieur.

— Il n'y a personne à part vous, dit le garde. D'où voulez-vous donc qu'il vienne ?

— Je suis désolé, lui dit le monsieur, mais ce mouton ne m'appartient pas.

— Je vous le confisque, répond le garde.

Le mouton Marcel, qui n'avait pas bougé, voit le garde commencer à poser le pied sur la pelouse interdite.

Le garde court à la vitesse de vingt-cinq kilomètres à l'heure avec des pointes à trente-huit kilomètres à l'heure, alors que le mouton Marcel court à trente-trois kilomètres à l'heure avec des pointes à quarante-cinq kilomètres à l'heure. Le mouton Marcel prend cent cinquante mètres d'avance, mais tombe dans les bras d'un autre garde.

Il commence à brouter.

Crier — Je l'ai ! dit le garde numéro deux.

— J'ai mes papiers sur moi, dit Marcel.

— Alors pourquoi couriez-vous ? dit le garde numéro un.

— Vous m'avez fait peur, dit Marcel.

Avec autorité — C'est parce que vous n'aviez pas la conscience tranquille, dit le garde numéro deux.

— D'où venez-vous ? demande le garde numéro un.

— De la campagne, répond le mouton Marcel.

— Je vais vous dresser un procès-verbal pour avoir marché sur une pelouse interdite, dit le garde numéro deux. Comme vous avez deux fois plus de pattes qu'un homme, vous paierez deux fois plus cher.

— Excusez-moi, messieurs, mais ce mouton est à moi, dit un monsieur qui passait par là et qui avait écouté la conversation.

— Parfait, dit le garde numéro il ne savait plus combien, c'est vous alors qui paierez l'amende. Vous nous devez cent francs.

Le monsieur paye et s'en va avec le mouton Marcel sous le bras.

— Je vous remercie, lui dit Marcel.

Avec étonnement — Je ne vois pas pourquoi, dit le monsieur. Je vous ai acheté pour cent francs.

Protester — Mais je ne suis pas à vendre ! dit le mouton Marcel.

Mais il a beau se remuer dans tous les sens, le monsieur l'entraîne vers sa voiture, l'enferme et démarre.

On entend le coup de sifflet d'un agent de police. Le monsieur s'arrête et l'agent de police s'adresse au mouton Marcel :

Avec autorité — Vous n'avez pas votre ceinture de sécurité, lui dit-il.

— Vous voyez bien que ce n'est qu'un mouton, dit le monsieur.

Avec autorité — Dans ce cas, c'est à vous de payer l'amende, dit l'agent de police.

Le monsieur paye et fait descendre le mouton Marcel, qui commence à lui coûter beaucoup trop cher.

Marcel en profite pour s'en aller assez vite et se trouve nez à nez avec un chien.

— Bonjour, dit Marcel.

— Vous êtes de quelle race ? lui dit le chien.

— Mouton.

— Je ne connaissais pas cette race de chien.

— Je ne suis pas un chien.

— Mouton, c'est une race de quoi, alors ? demande le chien.

— De mouton, répond le mouton Marcel.

Le monsieur s'en va avec le mouton Marcel.

205

Ils repartent chacun de leur côté.

Comme la lumière décline, Marcel s'inquiète de savoir où il va passer la nuit. Il commence à bêler jusqu'à ce qu'un agent de police s'arrête.

Imiter le mouton

— Pourquoi bêlez-vous ? lui demande l'agent de police.

— Parce que je ne sais pas où je vais passer la nuit, lui dit Marcel.

— D'où venez-vous ?

— De la campagne.

Ton impatient

— Je vous demanderai d'être un peu plus précis, lui dit l'agent.

— Je viens d'un troupeau de trois cent trente et un moutons, lui dit Marcel.

— Quel est votre emploi du temps ? lui demande l'agent.

— Le matin, nous nous levons à cinq heures pour brouter. Nous mangeons jusqu'à midi, l'heure du repas, où nous avons droit à du repos. En échange de l'herbe, les brebis donnent du lait, de la laine et des petits. Nous autres, les moutons, nous ne donnons que de la laine. Le soir, le chien du berger vient nous mordre les mollets pour nous donner envie de rentrer à la bergerie. Le matin, dès cinq heures, nous avons faim et nous retournons brouter.

— Bien, dit l'agent. Je vais vous indiquer une adresse où passer la nuit. Allez au 19, rue Albert, il s'y trouve des gens qui aiment bien les moutons.

— Merci, dit Marcel.

Après avoir demandé son chemin, Marcel sonne au 19 de la rue Albert. Une dame ouvre.

— Qu'est-ce que c'est ? demande-t-elle.

— Je suis un mouton, dit Marcel.

— C'est pour quoi faire ? demande la dame.

— J'aimerais passer la nuit chez vous, dit Marcel.

— Mais ce mouton est un amour ! dit la dame qui le laisse

entrer. Prenez les patins, lui dit-elle, lui en présentant quatre. Puis, elle ajoute :

— Je vais vous montrer votre chambre.

Ils montent au premier où les attend une jolie chambrette avec une moquette bleue.

— Vous avez un pot de chambre dans le placard, dit la dame qui rajoute :

— Désirez-vous vous laver les mains ?

— Je n'ai pas de mains, dit Marcel.

— Comme vous voudrez, dit la dame.

Le mouton Marcel se glisse dans les draps (sensation inconnue jusqu'ici) et s'endort.

Le matin il est réveillé par le chat :

— Qui vous a autorisé à dormir ici ? lui demande le chat.

— La maîtresse de maison, répond Marcel.

— Je suis le seul maître ici, dit le chat.

Ton moqueur — Ça m'étonnerait, dit Marcel.

Avec assurance — Je suis pourtant le seul à être servi, dit le chat.

— Moi aussi, j'ai été servi, dit Marcel.

Ton mielleux — Peut-être, dit le chat, mais le mouton est un animal inférieur.

— Pouvez-vous vous expliquer ? demande le mouton Marcel.

— Facile, dit le chat. Un chat est plus souple. Il court plus vite, saute plus haut. Il a des griffes. Il sait faire peur aux chiens. Il ronronne. Il mange de la viande et non de l'herbe. Il peut attraper des souris. Il grimpe aux arbres. Il est capable de marcher en équilibre sur une corde. Un mouton ne peut rien faire de tout cela. Il ne sait qu'avoir peur, obéir et brouter.

— C'est vrai, dit le mouton Marcel, mais un mouton, c'est mignon.

— Un chat aussi, dit le chat.

— C'est vrai, mais un mouton, c'est doux.

— Un chat aussi.

— D'accord, mais un mouton ça donne de la laine.

— Oui, dit le chat, mais il ne le fait pas exprès.

— Exact, dit Marcel, mais fais-tu exprès d'être plus souple et plus rapide que moi ?

— Non, dit le chat.

— Alors, nous sommes quittes, termine le mouton Marcel.

Il descend dans la cuisine où il rencontre la dame qui fait chauffer le lait.

— Bonjour, dit-elle, que prendrez-vous pour déjeuner ?

— De l'herbe, dit Marcel.

— Allez déjeuner dans le jardin, dit la dame.

Dans le jardin de la maison, l'herbe est bien grasse. Le mouton Marcel commence à l'arracher avec sa langue. Au bout d'une demi-heure, la dame ouvre la porte :

— Avez-vous terminé ? demande-t-elle.

— J'en ai encore pour trois heures, répond Marcel.

Il broute jusqu'à midi bien sonné et rentre à l'ombre.

— C'est dimanche, je vous ramène à la campagne, dit la dame.

Ils montent en voiture et partent à soixante à l'heure en direction de la nationale 112.

— Où est votre troupeau ? demande la dame.

— À dix kilomètres.

— Ce n'est pas loin.

— Je suis venu à pied.

— Vous n'avez pas de pieds, lui fait remarquer la dame.

Ils prennent la nationale 112 et grimpent la première montagne.

— Avez-vous peur des loups ? demande la dame.

— Il n'y en a plus depuis longtemps, répond Marcel.

— Alors pourquoi restez-vous en troupeau ?

— On ne sait jamais.

— Donc, vous avez peur des loups.

— Non, puisque nous sommes un troupeau.

Ils passent un premier col.

— Vous croyez que le troupeau vous protège des loups ? demande la dame.

— Non, répond Marcel, mais on a plus de chances ainsi que le loup choisisse les autres.

Ils passent un deuxième col et arrivent en vue d'un important troupeau.

— C'est là, dit le mouton Marcel.

La dame arrête la voiture. Marcel défait sa ceinture de sécurité et descend. Le chien du troupeau arrive en courant. Il titille les mollets du mouton Marcel pour le ramener au troupeau.

— Ce chien est méchant, dit la dame.

— Non, il travaille, dit Marcel.

Il dit au revoir à la dame et rejoint le troupeau.

La dame ramène le mouton Marcel.

Les moutons broutent et ne lui posent aucune question.

— Je suis là, leur dit Marcel.

— Nous avons vu, disent les moutons.

— Vous ne me demandez pas ce que j'ai fait ? demande Marcel.

— On ne parle pas la bouche pleine, disent les moutons.

— Vous pourriez vous arrêter un moment de manger, dit Marcel.

— Ce serait perdre du temps, or, le temps c'est de l'herbe, disent les moutons.

— Vous êtes suffisamment nourris ainsi, dit Marcel.

— Nous devons aussi nourrir notre laine, disent les moutons.

— Vous n'êtes pas curieux de ma sortie ? demande Marcel.

— La curiosité est un vilain défaut, disent les moutons.

— Vous êtes tout de même contents de mon retour ? dit Marcel.

– Les moutons sont toujours contents, répondent les moutons.

– Vous ne vous êtes pas inquiétés de mon absence ?

– Nous ne passons pas notre temps à nous compter, disent les moutons.

– Savez-vous qu'en ville, il est interdit de poser ses crottes sur le trottoir ?

– À la campagne aussi, disent les moutons.

– Mais, à la campagne, il n'y pas de trottoir.

– C'est pourquoi on ne s'aperçoit pas que c'est interdit, disent les moutons.

– Savez-vous qu'un vélo en descente va plus vite qu'un mouton ? leur demande Marcel.

– C'est vrai sur route, mais pas sur pré, répondent les moutons.

– Vous avez l'air de tout savoir, leur reproche Marcel.

– C'est parce que nous sommes nombreux, expliquent les moutons.

– Vous ne savez pas à quoi ressemble une foule de gens dans une rue, dit le mouton Marcel.

– On dirait des moutons, disent les moutons.

– Est-ce que vous savez que l'entrée des zoos est interdite aux animaux ?

– La sortie aussi, répondent les moutons.

– Est-ce que vous savez qu'il existe en ville des jardins où l'herbe est bien meilleure qu'ici ?

– C'est impossible, disent les moutons.

– Vous vous trompez, dit Marcel.

– C'est impossible, disent encore les moutons.

– Pourquoi ?

– Parce que trois cents moutons qui se trompent tous à la fois serait un événement tellement extraordinaire qu'il est impossible, disent les moutons.

– Il est impossible de rien vous apprendre.

– C'est très difficile, disent les moutons.

– Vous ne voulez donc pas que je vous raconte mon histoire ?

– Nous sommes occupés, disent les moutons.

– Vous êtes tous des imbéciles, leur lance Marcel.

– Sûrement pas tous, répondent les moutons.

– Bon, dit Marcel.

Il ne dit plus rien et broute comme les autres. Après tout, il est un mouton et l'herbe est bonne.

Renart et le puits

Texte publié dans le magazine Wakou, *n° 26 (mai 1991).*

Adapté du Roman de Renart.

Depuis la plus haute antiquité, les conteurs populaires et les fabulistes mettent en scène des animaux auxquels ils prêtent des sentiments et des activités humaines. Les poètes du Moyen Âge ont créé un cycle d'histoires dont les héros sont le loup (Isengrin), le chat (Tibert), le coq (Chantecler) et surtout, le goupil. Dans un poème en latin, au XIIᵉ siècle, cet animal porte le nom de Reinardus. Francisé sous la forme « Renard », ce terme a complètement effacé le mot goupil.

Le Roman de Renart *est constitué de plusieurs « branches » ayant des auteurs différents. Nous connaissons seulement le nom de l'un d'entre eux : Pierre de Saint-Cloud. Au XIIIᵉ siècle, les histoires de Renart ne visent qu'à distraire. Peu à peu, une intention satirique s'y fait jour : les animaux parodient les personnages des chansons de geste ; les allusions critiques à la noblesse et au clergé foisonnent.*

À partir de
3 ans

3 min

Abbaye

Renard
Loup
Moines

Renart vient de faire un bon repas. Il a dévoré trois grosses poules bien dodues. Mais maintenant, il a très soif... Alors il cherche de l'eau pour se désaltérer. Il entre dans une abbaye, sans faire de bruit : il ne faut pas réveiller les moines qui vivent là ! Il s'approche du puits et se penche. Un seau vide, posé sur la margelle, est accroché à une chaîne qui passe sur une poulie et pend dans le puits. Au fond du puits, un second seau, attaché au bout de la chaîne, flotte sur l'eau... De l'eau ! Assoiffé, Renart n'hésite pas une seconde. Il monte dans le seau, et, aussitôt, il tombe avec, au fond du puits. Plouf ! Et l'autre seau, lui, remonte jusqu'en haut ! Mais voilà Renart prisonnier du puits. Impossible d'en sortir... si quelqu'un ne vient pas le tirer de là. Alors Renart appelle... Justement, par le plus grand des hasards, messire Loup, affamé, rôdait non loin de l'abbaye. Attiré par les cris, il s'approche et se penche au-dessus du puits.

Un seau vide est posé sur la margelle.

En voyant Renart, Ysengrin, le loup, s'étonne.

Surprise
— Que fais-tu donc là-dedans ?

Voix forte
— Je me régale de grosses poules dodues. Viens vite, il en reste encore pour toi !

Ysengrin a si faim qu'il ne prend même pas le temps de réfléchir : il grimpe dans le seau et se laisse descendre. Il se lèche les babines à l'idée du bon repas qui l'attend, lorsqu'il croise Renart, qui remonte, assis dans l'autre seau.

Ricaner
— Ah, ah, ah ! ricane l'animal rusé. À ton tour d'attendre qu'un nigaud te sorte de là !

Dès que son seau arrive en haut du puits, Renart bondit et se sauve sans demander son reste.

Ysengrin, assis dans l'eau, fort dépité, comprend trop tard qu'une fois de plus Renart s'est joué de lui. Et il passe la nuit au fond du puits, en maudissant son cousin.

Au matin, les moines viennent chercher de l'eau. Ils attachent la chaîne au dos de l'âne, qui se met à tirer, à tirer. Mais, dans le seau qui sort du puits, il n'y a pas que de l'eau. Quelle surprise ! Un loup ! Ysengrin tente de s'enfuir, mais les moines lui barrent le passage et lui donnent une bonne correction. Quand Ysengrin parvient enfin à s'échapper, il se jure bien que, la prochaine fois, il se vengera !

Le Rossignol
et l'Empereur

Adapté du conte d'Andersen.

Hans Christian Andersen est né au Danemark en 1805. Il a écrit des récits de voyage, des poèmes, des pièces de théâtre et des romans. Mais son œuvre essentielle, qui lui valut une renommée mondiale, est constituée par ses Contes.

S'inspirant de récits populaires, empruntant ses personnages et ses intrigues à la légende, à l'histoire, à la vie quotidienne ou à sa propre vie, il a écrit plus de cent cinquante contes, dont les premiers ont été publiés en 1835. Destinés aux enfants, ils s'adressent aussi aux adultes par leur imagination poétique et par le sens moral ou philosophique caché derrière l'anecdote. Ces contes ont été publiés en quelque quatre-vingts langues.

Andersen est mort à Copenhague en 1875.

Le Rossignol renvoie à un épisode romanesque qui a marqué la vie du poète et qui se situe en 1843. La grande cantatrice suédoise Jenny Lind, qui n'avait pas encore atteint le sommet de la célébrité, a fait un séjour à Copenhague et a chanté devant le roi Christian VIII, sur qui elle a fait une si profonde impression, qu'il lui a offert une parure de diamants et l'a décorée. Hans Christian Andersen s'était vivement épris d'elle et tous deux se sont vus assez souvent, avant que Jenny Lind ne soit contrainte de quitter le pays, pour satisfaire aux exigences de son programme artis-tique. Andersen a toutefois déploré que ses compatriotes n'aient pas fêté la grande artiste avec toute la ferveur qui aurait dû s'imposer. « Quel déchaînement d'enthousiasme à Copenhague ! Que beaucoup de snobs se soient précipi-tés au spectacle à la mode, celui des Italiens, au lieu de venir l'entendre, est bien le signe de la faiblesse humaine ; les amateurs avisés qui sont venus écouter celle qui n'avait pas encore connu la gloire ont véritablement manifesté leur fervent enthousiasme. » *Dans le conte d'Andersen, le savant bijou confectionné par les hommes, c'est l'opéra des Italiens. Le rossignol qui lance son chant fabuleux depuis les plus profonds taillis, c'est Jenny Lind. Elle incarne sans doute l'art le plus authentique.*

Le Rossignol *a été mis en musique par Igor Stravinsky en 1914.*

À partir de
5 ans

8 min
+ 7 min

Chine

Empereur
Chancelier
Rossignol
La Mort

Il y a très longtemps, le palais de l'empereur de Chine était le plus beau du monde. Il était tout en porcelaine fine, et rempli d'objets rares et précieux, mais son jardin, surtout, était extraordinaire. À la moindre brise, il retentissait des minuscules clochettes que l'on avait accrochées aux plus belles fleurs, pour que personne n'oublie de les admirer... Le jardinier lui-même ne savait pas exactement où s'arrêtait le jardin, tant il était vaste. Toutefois, en marchant longtemps vers le soleil couchant, on pouvait arriver à une grande et belle forêt, et au bout de la forêt, on rencontrait la mer bleue... Les bateaux qui naviguaient sur cette mer ne manquaient jamais de s'approcher le plus possible du rivage, et de la forêt. Car dans ses grands arbres vivait un rossignol dont le chant envoûtait tout le monde, du plus grand seigneur au plus modeste pêcheur...

Longtemps après l'avoir entendu, chacun l'emportait dans son cœur comme un trésor, un petit morceau de merveille à garder toute la vie.

Du monde entier, des voyageurs venaient visiter le palais de l'empereur et son jardin, et poussaient des « Oh ! » et des « Ah ! » admiratifs. Mais quand on leur faisait entendre le chant du rossignol, ils se taisaient et pleuraient de joie. Rentrés chez eux, les voyageurs écrivaient des livres sur leur voyage. Ils parlaient du palais merveilleux, du jardin extraordinaire, et toujours, ils finissaient par : « … mais tout cela n'est rien auprès du rossignol de la forêt, au fond du jardin, près de la mer bleue… »
L'un de ces livres parvint jusqu'à la cour de l'empereur de Chine. Il le lisait, se délectant des descriptions admiratives de son palais, de son jardin, quand il vit : «… mais tout cela n'est rien auprès du rossignol de la forêt, au fond du jardin, près de la mer bleue… »

Surprise

— Comment ! Mais quel rossignol ? s'exclama l'empereur. Chancelier, qu'est-ce là que j'apprends par un livre ? Il y a dans ma forêt un rossignol plus merveilleux que mon palais, et je ne le connais pas !

Le chancelier était un homme si distingué, que si quelqu'un d'un rang inférieur osait lui parler, il répondait seulement « P.p.p. », ce qui ne veut rien dire. Il s'inclina jusqu'à terre devant l'empereur :

— Ting-Tu ! je ne le connais pas non plus, Majesté. Il n'est jamais venu à la Cour.

Avec autorité

— Je veux qu'il y vienne dès ce soir, et qu'il chante pour moi !

— Pou-You, je le chercherai, Majesté.

Il n'y avait pas de temps à perdre… Le chancelier prit sa robe à deux mains et se mit à courir dans les couloirs et les escaliers en porcelaine du palais, demandant à chacun :

— Connaissez-vous le rossignol de la mer bleue ?

L'empereur de Chine.

217

— Je n'ai pas l'honneur, répondaient les grands seigneurs, les dames de la cour, les chevaliers, les prétendants nobles et tous les importants...

— P.p.p.-pas du tout, répondaient les servantes, les valets, les majordomes, les huissiers, les secoueurs de tapis, les repasseuses de rubans, les tisseuses de robes, les faiseurs de nattes, les masseurs de mollets, les cireurs de souliers, les épousseteurs de chapeaux, les accrocheurs de clochettes, les rapetasseurs de tapisseries, les brodeuses, les porteurs d'eau et tous les moins que rien...

Alors le chancelier lissa sa robe, remit sa natte bien en place et se présenta à nouveau devant l'empereur :

— Li-Ping, Majesté, je pense que cette histoire de rossignol est une faribole inventée par des étrangers, car personne ici ne le connaît !

En colère

— Impossible ! s'emporta l'empereur. Ce livre m'a été envoyé par l'empereur du Japon, qui ne plaisante jamais ! Cherchez encore, chancelier, je le veux ici ce soir, sinon, toute la Cour sera bâtonnée sur le ventre !

— Tsing-Pe ! fit le chancelier, et il s'élança à nouveau à travers le palais.

Cette fois, tout le monde cherchait, car il est très désagréable d'être bâtonné sur le ventre... Enfin, dans la cuisine, le chancelier demanda à une petite fille pauvre, apprentie coupeuse de nouilles, si elle connaissait le rossignol.

Voix douce

— Si je le connais ! s'exclama-t-elle, tout sourire. Chaque soir, j'entends son chant merveilleux en allant porter quelques restes de nouilles à ma mère, près de la mer bleue.

Ton joyeux

— You-Pi ! Petite apprentie coupeuse de nouilles, déclara le chancelier, tu pourras voir l'empereur manger et tu seras nommée cuisinière du palais si tu me conduis tout de suite auprès du rossignol !

Peu après, le chancelier, avec la moitié de la cour sur ses talons, traversait le jardin. En chemin, ils entendirent un grand :

Imiter la vache

— MEUHHH !

— Magnifique, c'est lui ! s'exclama un mandarin. Quelle puissance dans sa voix ! Mais ne l'ai-je pas déjà entendu ?

— Ce n'est qu'une vache qui meugle, dit la petite fille. Nous sommes encore loin.

Un peu plus tard, s'élevèrent des :

Imiter le crapaud

— Coâââ, coâââ, coâââ ! Coâââ, coâââ, coâââ !

— Écoutez-le, on dirait des cloches ! s'extasia le bonze bouddhiste.

Voix douce

— Ce sont seulement des crapauds, dit la petite fille. Mais nous allons bientôt arriver.

Soudain, comme un ruisseau coulant du haut des arbres, retentit le chant du rossignol.

Voix douce

— Il est là, regardez ! dit la petite fille.

Et tous ces grands personnages se tordirent le cou pour apercevoir à travers le feuillage un petit oiseau tout gris.

Avec étonnement

— Ah, c'est lui ? dit le chancelier, déçu. Il n'est pas bien joli !

— Petit rossignol des bois, cria la fillette, notre gracieux empereur aimerait que tu chantes pour lui.

Ton joyeux

— Avec joie ! répondit le rossignol.

Et il chanta.

Ton admiratif

— Quel délice ! conclut le chancelier, c'est comme des clochettes de verre ! Assurément, il aura beaucoup de succès à la cour ! Cher rossignol, ajouta-t-il, j'ai l'honneur de vous convier ce soir au palais, où vous charmerez notre Majesté Impériale par votre chant.

— Mon chant est bien plus beau lorsqu'on l'écoute dans la verdure, dit le rossignol. Mais puisque mon empereur le désire…

Ainsi, le soir même, on installa le rossignol sur un perchoir d'or spécialement aménagé pour lui dans la grande salle des

On installa le rossignol sur un perchoir d'or.

219

fêtes du palais. L'empereur sur son trône, la cour en habit de cérémonie, et même la petite fille (désormais cuisinière en titre) postée discrètement dans un coin, tous regardaient l'oiseau gris.

Alors le rossignol chanta. C'était si beau, si doux, si merveilleux que des larmes d'émotion coulèrent sur les joues de sa Majesté Impériale. Et le rossignol, ému à son tour par ces larmes, chanta encore, de tout son cœur, tirant de son gosier des sons magiques.

Tous étaient sous le charme. L'empereur, enchanté, voulut décorer le rossignol de l'ordre de la pantoufle d'or.

– J'ai vu des larmes briller dans les yeux de mon empereur, répondit l'oiseau, c'est mon plus beau cadeau et je n'en veux pas d'autre…

À partir de cet instant, le rossignol devint la coqueluche de la Cour, et même de la ville. Les nobles dames se versaient à chaque instant de l'eau dans la bouche, afin d'avoir en parlant le gosier plein de glouglous rossignolesques ; quand deux personnes se rencontraient, l'une disait « rossi… », l'autre répondait « …gnol », et elles se comprenaient ; les petites gens baptisaient leurs enfants « Rossignol » ; les brodeuses brodaient des rossignols sur les robes de Cour, bref, la Chine entière rossignolait à qui mieux mieux…

L'oiseau, quant à lui, avait été enfermé dans une belle cage en or. Il pouvait sortir deux fois par jour et une fois la nuit, attaché par un fil de soie et surveillé par douze domestiques. De sorte que ces sorties-là ne l'amusaient pas du tout. Son seul plaisir était de chanter pour l'empereur, de temps en temps.

Fin de la première partie.

220

Résumé :

L'empereur de Chine a été charmé par le chant d'un rossignol qui vivait dans une forêt, au bord de la mer. Pour que l'empereur puisse l'écouter plus souvent, on a installé l'oiseau au palais, dans une cage en or.

Seconde partie.

Un jour, on apporta à l'empereur un grand paquet, sur lequel était écrit « Rossignol ».

À l'intérieur se trouvait une boîte richement ornée, et dans la boîte, l'empereur découvrit un rossignol mécanique, couvert de diamants, de rubis et de saphirs. Quand on remontait l'automate, il chantait comme le vrai rossignol, se balançait en rythme et battait de la queue.

Le rossignol mécanique.

– Magnifique ! s'exclama l'empereur.

– Fou-Li, très décoratif ! renchérit le chancelier.

– Ravissant ! Merveilleux ! Extraordinaire ! s'extasièrent tous les gens de la cour.

– Pling ! Faisons-les chanter ensemble ! suggéra le chancelier.

Mais ça n'alla pas. Le vrai rossignol improvisait son chant, qui s'accommodait mal des trilles à trois temps en forme de valse que chantait l'autre…

– Au moins, ce nouveau rossignol chante en rythme ! approuva le maître de musique du palais. Si votre Majesté Impériale me permet, ça c'est de la musique !

Aussi, l'automate chanta seul.

Trente-trois fois, il répéta son petit air de valse, très joli et très savant, et toute la Cour l'écoutait et le regardait, en admiration.

– Écoutons à nouveau le vrai rossignol ! demanda l'empereur.

C'est alors que l'on s'aperçut qu'il avait disparu. Une fenêtre était ouverte, et l'oiseau s'était envolé vers sa forêt près de la mer bleue.

Avec reproche   – Oh ! Pi-Yu, mais quel ingrat ! s'indigna le chancelier.

221

L'empereur leva un sourcil, ce qui est signe de grande contrariété, et sans mot dire il se retourna vers l'automate.

– Le plus bel oiseau nous reste, Majesté ! s'empressa le maître de musique.

En colère

– Piu-Fi ! Que ce grossier rossignol de la forêt soit désormais hors-la-loi ! décréta le chancelier.

Et l'on refit chanter le bel automate.

À la quarante-deuxième fois, les courtisans connaissaient l'air presque par cœur.

Le maître de musique leur expliqua en long et en large le rythme subtil de la valse, le crescendo et le decrescendo, les pianissimo et les fortissimo, les blanches et les noires, les croches et les silences, le mécanisme du remontoir, les rouages internes de l'oiseau, l'art de l'incrustation des pierres précieuses dans l'or fin, le jeu des ressorts dans le balancement de la queue, et même l'âme de l'oiseau qui, dit-il, réside en cette résonance miraculeuse du son passant dans la tête creuse de l'automate avant de sortir par le petit bec.

Avec fierté

– Une merveille ! conclut-il avec un petit salut modeste, comme si c'était lui qui l'avait faite.

Il proposa à l'empereur de présenter ce bijou musical au peuple, le dimanche suivant.

Ainsi, le peuple l'entendit, et à travers tout le pays le rossignol mécanique fut la nouvelle coqueluche. Bientôt on ne trouva plus un seul chinois qui ne connût par cœur la valse de l'automate. Seuls les pêcheurs habitués de la mer bleue, et la petite cuisinière du palais, disaient pour eux-mêmes : « Cela ne vaut pas notre rossignol… »

Un an passa.

Quand l'automate chantait, l'empereur et sa cour pouvaient murmurer l'air avec lui, et ils n'en étaient que plus ravis.

Mais un soir, alors que l'oiseau, posé près du lit impérial, chantait pour la six mille sept cent quatre-vingt-douzième fois, l'empereur entendit soudain un COUAC ! puis un BRRR-ROUIC ! puis TCHACATCHACATCHAC ! et plus un son ne sortit de l'automate...

L'empereur fit venir le chancelier, qui lui-même appela le docteur, qui appela le maître de musique, qui convoqua l'horloger. Pendant que l'empereur faisait les cent pas dans sa chambre, ces hommes de science tentaient de soigner le rossignol cassé.

Au bout d'un long moment, ils se présentèrent devant l'empereur, la mine grave. Le chancelier prit la parole :

Voix désolée

– Hoo-Li, hélas, votre Majesté Impériale, votre rossignol est réparé, mais il gardera de cette épreuve une grande fragilité. Désormais, il ne pourra jouer qu'une fois par an.

L'empereur leva un sourcil, ce qui est signe de grand chagrin, et sans un mot il se remit au lit.

Cinq ans passèrent. L'empereur, malade, ne quittait plus son lit.

Déjà, on parlait d'un successeur, mais les gens de la ville, quand ils croisaient le chancelier, ne pouvaient s'empêcher de lui demander :

– Comment va notre cher empereur ?

Ton grave

– P.p.p., répondait gravement le chancelier.

L'empereur allait si mal que dans le palais, tout le monde s'agitait en vue de la succession.

Tandis que dans les salons les courtisans échangeaient leurs impressions, le pauvre grand homme était tout seul, respirant faiblement dans le silence de sa chambre. Près du lit, sur une petite table, était posé le rossignol mécanique. Le clair de lune passait par la fenêtre ouverte.

Alors, la Mort entra dans la pièce, et de sa voix rauque elle murmura à l'empereur toutes ses mauvaises actions passées...

La Mort entra dans la pièce.

223

Crier

— Assez ! cria l'empereur. J'ai été aussi bon que mauvais, comme les autres ! Chante, mon oiseau, fais taire cette sombre musique !

Mais l'oiseau mécanique restait aussi immobile et silencieux qu'un bibelot.

La mort poursuivit son réquisitoire.

Voix suppliante

— Chante, mon oiseau, je t'en supplie ! gémit l'empereur. Je meurs si tu ne fais taire cette sinistre bavarde !

C'est alors que, près de la fenêtre, s'éleva un chant très doux et très beau.

C'était le rossignol de la forêt près de la mer bleue, le vrai rossignol. Il avait dans son cœur entendu l'appel de l'empereur, et il avait volé jusqu'à sa chambre pour le sauver.

Tandis que son chant merveilleux retentissait, la Mort ne disait plus rien. Prise sous le charme, elle rêvait de son royaume, et bientôt elle se leva et disparut pour rentrer chez elle…

Avec gaieté

— Je te reconnais, mon bel oiseau ! dit alors l'empereur. Je t'ai mis hors-la-loi, je t'ai remplacé par une machine, et pourtant tu es venu me sauver… Comment te remercier ?

— Ne me remercie pas. Un jour j'ai vu des larmes dans tes yeux, ce sera toujours ma plus belle récompense. Dors maintenant, je vais chanter pour toi…

Quand l'empereur s'éveilla, au matin, il était guéri, et le rossignol chantait encore.

Voix suppliante

— Je t'en prie, reste toujours auprès de moi ! dit l'empereur.

— Non, dit le rossignol, je suis fait pour vivre en liberté, dans la forêt près de la mer bleue. Mais je viendrai te voir aussi souvent que tu le désireras, et je te donnerai des nouvelles de ton peuple que tu ne vois jamais, si tu me promets quelque chose…

Ton joyeux

— Tout ce que tu voudras ! dit l'empereur.

– Ne dis à personne que tu as un petit oiseau qui te dit tout !
dit le rossignol en prenant son envol.

Ton joyeux

– Promis ! cria l'empereur.

L'oiseau parti, l'empereur revêtit lui-même son grand costume
impérial et sortit de sa chambre. Il marcha jusqu'au grand
salon, où il trouva tous ses courtisans en pleins conciliabules à
propos de la succession du trône.

Un grand silence se fit quand l'empereur apparut.

– Bonjour ! dit-il simplement, en s'asseyant sur son trône.

Sur ce, voyant la mine stupéfaite de tous ces messieurs-dames,
il leva un sourcil, ce qui est signe de grand amusement.

L'Âne de combat

Adapté d'un conte marocain.

Ce conte utilise deux thèmes de la tradition orale :

— la duperie autour de la vente d'un âne : il arrive que l'on maquille des bêtes de somme pour donner l'impression qu'elles sont plus jeunes ou plus expérimentées. Ici, on attribue à l'âne une combativité qu'il n'a pas ;

— l'animal inconnu qui fait la fortune de son propriétaire, qui le vend très cher. Un animal des plus ordinaires peut apparaître fabuleux, ou parce qu'il est dans un pays peuplé de simples d'esprit, ou parce qu'il se trouve dans un pays exotique, qui n'a jamais rencontré cet animal, comme ici.

À partir de
4 ans

7 min

Ville
Palais

Charbonnier
Âne
Roi
Ennemis

Il était une fois un vieux charbonnier qui vivait tout seul avec son âne, dans la montagne. Il coupait du bois, puis il le brûlait tout doucement pour en faire du bon charbon ; quand il en avait assez pour charger son âne, il partait à la ville, vendait son charbon et rentrait dans sa montagne pour recommencer…

C'était un très dur métier ! Et le temps passant, un jour, le charbonnier se trouva bien trop vieux pour continuer…

« À quoi bon garder mon âne ? se dit-il. Mieux vaut le vendre, j'en tirerai bien quelques sous… »

Le lendemain matin, l'homme se mit en route pour conduire une dernière fois son âne à la ville.

Mais deux jours plus tard, quand ils arrivèrent au marché, ils virent qu'on y vendait des ânes pimpants, des mulets à pompons et clochettes, et même des chevaux, tous plus beaux les uns que les autres, et par dizaines !

Le charbonnier regarda son âne : il était tout aussi vieux que son maître, plutôt maigrichon, le poil pelé par endroits, les oreilles de travers et la patte mal assurée…

– Allons voir ailleurs, conclut le charbonnier. Ici, personne ne voudra de toi !

Ainsi les deux vieux marchèrent à nouveau pendant deux jours, à travers la plaine, droit devant eux. Au matin du troisième jour, ils franchirent la porte d'une forteresse grande comme une ville…

L'âne se mit à braire.

Comme c'était étrange ! En les voyant, les gens s'écartaient avec des cris de frayeur.

« Ils n'ont donc jamais vu un âne ! » se dit le charbonnier, fort surpris… et cela lui donna une idée.

L'âne, énervé par cette agitation, se mit à braire de toute sa voix :

Imiter l'âne

– Hiiii-haaaannn hi-han hi-han hi-han hi-han hi-han hi-han hi-han hi-han hi-han hi-han hi-han hi-han hi-han hi-han hi-han hiiii-haaannn !

Surprise

– Ooohhh ! firent les gens. Mais qu'est-ce donc que cette bête ?

– C'est mon âne ! répondit le charbonnier. Une bête vaillante et formidable, une force de la nature, un animal qui m'a aidé à vaincre tous les ennemis que j'ai eus dans ma vie... c'est mon âne de combat !

Surprise

— Aaahhh ? Ooohhh ! firent les gens, impressionnés.

Voix désolée

— Hélas, reprit le charbonnier... Hélas ! je suis vieux aujourd'hui, et je n'ai plus d'ennemis, plus de combats, plus de guerre. Mon âne, lui, est encore jeune et brave, mais sa seule mission est de porter mes hardes... N'est-ce pas dommage ?

Voix désolée

— Dommage... Oui, oui, c'est dommage ! dirent les gens.

Et quelques-uns d'entre eux s'en allèrent bien vite rapporter au roi l'arrivée de cet âne extraordinaire...

Peu après, le charbonnier, invité au palais, prenait le thé avec le roi :

— Valeureux vieil homme, on dit que tu possèdes un âne de combat qui a mis en déroute tous tes ennemis, qui a gagné toutes les guerres avec toi... Est-ce vrai ?

— C'est la vérité vraie, Seigneur, répondit l'homme tout en goûtant un délicieux gâteau de fleurs d'oranger.

— Dans ce cas, que veux-tu pour me céder ton âne ?

Voix désolée

— Hélas... Je suis si vieux ! soupira le charbonnier. Cet âne est le compagnon de ma vie...

Et il avala un petit loukoum à la pistache sans dire un mot de plus.

— Cent pièces d'or ? suggéra le roi.

Voix désolée

— Hélas, pour mon seul ami ! s'exclama le vieux entre deux bouchées au miel.

— Deux cents ?

Gémir

— Pauvre de moi ! gémit le rusé vieillard... Et hop ! il croqua un petit gâteau à la rose.

— Cinq cents ?

Gémir

— Misère de misère !

Tant et si bien qu'à la fin, le roi proposa au charbonnier le poids de son âne en or.

– D'accord, dit le charbonnier, en avalant un dernier biscuit d'amande, mais comment rentrerai-je chez moi, sans mon âne ?

– Eh bien, en chameau ! dit le roi.

Et c'est ainsi que, le lendemain matin, le vieil homme reprenait la route vers sa montagne, à califourchon sur un magnifique chameau, deux énormes sacs d'or lui servant de coussins !

Pendant ce temps, l'âne de combat, logé dans l'écurie royale, était brossé et pomponné de la tête aux sabots.

À partir de ce jour, il eut chaque matin et chaque soir triple ration de picotin, brosses de soies, huiles parfumées et autres gâteries de roi, si bien qu'il se sentit bientôt plus vaillant qu'un poulain !

De temps en temps, malgré tout, il songeait avec quelque regret à sa montagne et à son vieux maître. Alors, il se mettait à braire en leur honneur :

Imiter l'âne

– Hiiii-haaaannn hi-han hi-han hi-han hi-han hi-han hi-han hi-han hi-han hi-han hi-han hi-han hi-han hi-han hi-han hi-han hi-han hiiii-haaannn !

Ton admiratif

– Oh-oh, disaient les gens de la ville, notre âne de combat s'entraîne !

Et chacun se sentait en sécurité.

Un jour, les sentinelles annoncèrent que l'armée du roi voisin s'approchait de la forteresse. Le roi rassura la population :

Voix forte

– Nos soldats veillent et notre âne est là ! N'ayez crainte, l'ennemi ne nous vaincra pas !

Aussitôt, on fit ouvrir la porte de la ville, et on poussa l'âne dehors, à l'assaut de l'ennemi. L'animal était si content de retrouver la liberté qu'il se mit à braire de toutes ses forces :

Imiter l'âne

– Hiiii-haaaannn hi-han hi-han hi-han hi-han hi-han hi-han hi-han hi-han hi-han hi-han hi-han hi-han hi-han hi-han hi-han hi-han hiiii-haaannn !

Puis il se roula dans l'herbe verte en agitant les pattes et en

Le vieil homme
rentra chez lui.

229

grognant. Les ennemis n'avaient jamais vu d'âne de leur vie, et ils furent terrorisés par cette créature extraordinaire, qui faisait un bruit de tonnerre et semblait rire d'eux en se roulant par terre ! Mais soudain, l'âne se dressa sur ses pattes, l'oreille en avant, le naseau palpitant : il avait vu les chameaux du camp ennemi, et il se précipita sur eux en poussant à nouveau d'énormes Hiiii-haaaannn ! Cette fois, ce fut la débandade : les soldats s'enfuirent avec des cris d'épouvante en abandonnant leurs chameaux, tandis que l'âne, affolé par ce désordre, se mettait à braire de plus belle :

Imiter l'âne

– Hiiii-haaaannn hi-han hi-han hi-han hi-han hi-han hi-han hi-han hi-han hi-han hi-han hi-han hi-han hi-han hi-han hi-han hi-han hiiii-haaaannn !

Crier

– Hourra ! Hourra ! Hourra ! crièrent les gens de la ville du haut des remparts. Notre âne a chassé l'ennemi !

À partir de ce jour, l'âne devint le héros de la ville. Il eut droit à tous les honneurs, et surtout, tous les jours, à sortir des remparts pour brouter l'herbe des prés, qui est bien meilleure que le royal picotin. Tout ce qu'on lui demandait, c'était de braire de toutes ses forces une fois de temps en temps, histoire d'intimider les étrangers…

Pendant ce temps, dans sa montagne, le vieux charbonnier vivait fort heureux, grâce à son or. De temps en temps, en tendant l'oreille, il entendait l'appel lointain de son âne :

Imiter l'âne

– Hiiii-haaaannn hi-han hi-han hi-han hi-han hi-han hi-han hi-han hi-han hi-han hi-han hi-han hi-han hi-han hi-han hi-han hi-han hiiii-haaaannn…

Et il souriait malicieusement.

La Baleine du corbeau

Adapté d'un conte des Indiens d'Amérique.

Ce conte fait partie de ce que l'on appelle, dans la tradition orale, les « absorptions extraordinaires » : un animal ou un humain est avalé sans être tué. Le motif le plus connu est celui du poisson avalant un homme : c'est Jonas dans la baleine.

On retrouve ce thème en Irlande, au Canada, en Italie, en Inde, en Océanie, chez les Indiens d'Amérique du Nord, chez les Hébreux et à Babylone.

Variantes :

– un serpent avale un canoë et ses occupants ;

– un homme construit un bateau et vogue à l'intérieur du ventre d'un géant ;

– des hommes jouent aux cartes dans le ventre d'un animal.

Le thème du corbeau dans le ventre d'une baleine ne se retrouve que chez les Inuit.

À partir de 5 ans

5 min

Plage
Ventre
d'une
baleine

Corbeau
Baleine
Indiens

Il était une fois un corbeau gourmand. Il avait goûté dans sa vie toutes sortes de mets délicieux : épluchures de poires, souriceau farci, cerises de mai, pommes sur leur arbre, miettes de clafoutis, crapauds et grenouilles, petits poissons d'argent, gelée de poulet rôti, salade de moucherons, tête de mouton sur son rocher moussu, et bien d'autres.

Une chose lui restait inconnue, un de ces plats sublimes que le vrai gourmet se doit de goûter, ne fut-ce qu'une fois dans sa vie : notre corbeau n'avait jamais mangé de chair de baleine. Et pour cause ! Comment un oiseau aurait-il pu attraper ce gigantesque cétacé ?

Un jour, cependant, le corbeau décida qu'il devait à tout prix y arriver. « Je vais en prendre une avec mon lasso, puis je la tuerai ! » se promit-il. Il alla donc se poser au bord de la mer, muni d'une longue corde, et attendit sa proie...

Vers midi, une baleine bleue fit son apparition. Longue comme un paquebot, majestueuse, elle lançait des jets d'eau vers le ciel à chaque respiration.

– À nous deux ! s'écria le corbeau.

Il fit tourner son lasso un moment, puis il le lança bien fort et le cercle alla s'enfiler sur la tête de la baleine. Mais quand la baleine sentit le lasso, elle donna un coup de tête en arrière et hop ! le corbeau qui s'accrochait à l'autre bout de la corde fut tout simplement propulsé droit dans sa gueule. La baleine fit gloups ! et avala tout rond le corbeau et son lasso.

– Brrr, il fait drôlement noir ici ! dit l'oiseau.

Il volait de-ci, de-là dans les entrailles de la baleine, et se cognait contre les parois. À un moment, il se posa sur une sorte de gros caillou, tout palpitant et chaud...

– Croâ, croâ, qu'est-ce que c'est que ça ?

Il se mit à becqueter ce caillou mou.

– Ouille ! protesta la baleine. Ne touche pas à mon cœur !

– Ton cœur ? Mmm, un morceau de choix ! s'exclama le gourmand.

Et il becqueta tant et tant que la baleine sentit sa fin venir.

Il attendit sa proie.

Frissonner

Imiter le corbeau

Protester

Elle alla s'échouer, ventre en l'air, sur la plage, et poussa son dernier soupir :

Soupirer — Aaaaaah.

Avec triomphe — Hé, hé ! je t'ai eue ! triompha le corbeau.

Et à ce moment-là, il s'aperçut qu'il était bel et bien enfermé…

Crier — Croâ, croâ, sortez-moi de là ! se mit-il à crier.

Ce corbeau avait décidément de la chance. Des enfants avaient vu la baleine s'échouer. Vite, ils appelèrent leurs parents, et les Indiens arrivèrent sur la plage avec des harpons et des couteaux. Ils se mirent à découper la chair de la baleine… Le corbeau ne criait plus. Il attendait. Bientôt, les harpons ouvrirent le ventre de la baleine, et les Indiens stupéfaits virent un oiseau tout noir en sortir sous leur nez. Le corbeau alla se poser sur un arbre, tout près, et observa la scène :

— Croâ, croâ, rouspétait-il tout bas. Ils ne sont pas gênés, ceux-là ! C'est quand même moi qui l'ai tuée, cette baleine !

Ce corbeau avait de la suite dans les idées, et son idée, c'était de manger la baleine ! Alors, il quitta son arbre et, avec des herbes sèches se fit une perruque de sorcier ; il prit aussi une brindille en guise de bâton de pouvoir. Sautillant et croâssant à qui mieux mieux, il se posa à l'entrée d'un teepee, dans le village :

Voix solennelle — Crrroâ ! Je suis le sorcier noir ! dit-il à un Indien qui était là. Le grand esprit m'a chargé de vous avertir : la mort de l'eau est sur vous…

— La mort de l'eau ? demanda l'Indien, inquiet.

Voix solennelle — Crrroâ ! La baleine a jeté sur vous son souffle mortel. Si vous restez ici, vous mourrez tous, du premier au dernier !

L'Indien était devenu tout pâle…

Voix solennelle — Croooâ ! Partez sur vos bateaux, poursuivit le corbeau en

Le corbeau se déguisa en sorcier.

233

secouant ses grandes ailes noires. Et ne revenez jamais, sinon...
Sur ces mots, le corbeau agita son bâton de pouvoir, comme pour chasser la mort... L'Indien ne se le fit pas dire deux fois. Il fila vers la plage prévenir les autres et, quelques minutes plus tard, des dizaines de canots s'éloignaient sur la mer. Seuls restaient sur la plage la baleine morte et le corbeau.

Dès que les bateaux eurent disparu à l'horizon, l'oiseau jeta sa perruque et son bâton, et se percha sur le ventre de sa proie :

Chantonner

– Croâ, croâ, tout ça c'est pour moi ! chanta-t-il tout content.
Et sur ces mots, il se mit à table.

Tête de loup
à la sauce matou

Adapté d'un conte roumain.

Où les loups, malgré leur force, se révèlent être d'une grande bêtise ; et où les chats, bien que de petite taille, se montrent bien malins. Ne dit-on pas d'eux qu'ils sont des créatures diaboliques ?

À partir de
5 ans

7 min

Forêt

Chat
Agneau
Loups
Ours

Il était une fois un petit vieux et sa petite vieille qui habitaient au beau milieu de la forêt. Un chat partageait leur logis, ainsi qu'un agneau qui broutait l'herbe aux alentours. Tout allait pour le mieux, quand un jour, le matou fit une bêtise.

En léchant en cachette un peu de crème fraîche, il bouscula le pot qui tomba… et se cassa à grand fracas. La vieille avait bon caractère, mais cette fois elle se mit en colère :

En colère

— Il faut chasser ce chat de chez nous, cria-t-elle dans les oreilles du vieux. Il ne sert à rien, il mange la crème et il nous casse tout !

Le chat, entendant ces propos, fila dehors retrouver l'agneau :

Avec affolement

— Agneau, agneau ! Il faut vite nous sauver dans la forêt ! Le vieux et la vieille ont décidé de nous tuer ! J'ai tout entendu !

— Mais-mais-mêêêêê ! bêla l'agneau tout ému. Mais je ne peux pas sortir d'ici, moi. Mon enclos est fermé !

— Attends, je t'ouvre ! dit le chat.

Il leva le loquet de sa patte, et hop !, il poussa la porte. Le chat et l'agneau s'éloignèrent tout doucement de la maisonnette, puis ils coururent très vite et très loin. Ils couraient encore quand soudain, au détour d'un buisson, ils tombèrent nez à nez avec une grosse tête de loup, posée par terre… Les deux compères, d'abord épouvantés, virent bientôt que la tête n'avait ni corps, ni cou.

— Emportons-la, dit le chat. On ne sait jamais, ça peut servir.

— Si tu le dis ! acquiesça l'agneau.

Un peu plus tard, ils cherchaient un coin pour dormir quand ils aperçurent une lumière : au milieu d'une clairière, douze loups s'étaient réunis autour d'un feu. Le chat et l'agneau, d'abord terrorisés, chuchotèrent un moment, puis s'approchèrent du feu :

Il trouvèrent une tête de loup.

— Bonsoir, loups !

Les loups n'en crurent pas leurs oreilles et leurs yeux.

— Bonsoir chat, bonsoir agneau ! finirent-ils par répondre.

Et ils se mirent tous à se lécher les babines, car les loups sont ainsi faits qu'ils ne peuvent pas s'en empêcher.

Le chat s'assit près du feu, faisant mine de ne rien voir :

236

Voix forte

— Holà, mon compère, dit-il très fort à l'agneau, apporte ici notre gibier de tout à l'heure, nous allons régaler nos amis !

L'agneau avait compris : il s'en fut dans les buissons, et revint un instant plus tard avec la tête de loup. Les loups faillirent en avaler leurs langues de stupeur ! Un silence de mort tomba sur l'assemblée, quand on entendit le chat protester :

— Ah non, non, pas celle-ci ! Elle est minuscule ! Va en chercher une plus grosse, je te prie !

L'agneau, docilement, remporta la chose, disparut dans les buissons, gratta un moment puis revint avec la même tête de loup. Le chat la regarda avec dédain :

Avec dédain

— Mais non ! Apporte la plus grosse, voyons ! Nos amis loups ont faim !

L'agneau reprit la tête et fit encore semblant d'aller en chercher une autre.

Voix enjouée

— Fort bien, celle-ci me semble raisonnable ! dit alors le chat. Fais-la vite rôtir, j'ai hâte de passer à table !

Les loups ne se léchaient plus du tout les babines. Ils se voyaient déjà décapités par l'agneau et le chat, ils imaginaient leur tête tournant sur une broche… Leurs poils se dressaient d'épouvante, mais ils n'osaient bouger et s'efforçaient de faire bonne figure… Quatre d'entre eux se levèrent, pattes tremblantes :

Voix tremblante

— Camarades, le bois commence à manquer pour notre feu. Si vous le permettez, nous allons en chercher un peu…

Voix enjouée

— Bonne idée ! dit le chat. Surtout, revenez vite !

Mais à peine les loups eurent-ils gagné l'obscurité de la forêt, qu'ils se mirent à courir à toutes pattes. Voyant qu'ils tardaient à revenir, quatre autres loups proposèrent de partir à leur recherche.

Voix forte

— Allez-y, dit le chat, et ramenez-les vite !

Évidemment, au bout d'un long moment personne n'était revenu. Alors, les quatre derniers loups se levèrent à leur tour pour aller s'enquérir de leurs camarades.

Ton menaçant

— D'accord, dit le chat, mais gare à vous si vous ne revenez pas !
Et les quatre derniers loups détalèrent à toute allure. Très loin du feu, ils rejoignirent les autres loups. Un ours qui passait par là les trouva encore tout essoufflés, effrayés et penauds.

Avec étonnement

— Qu'est-ce qui vous arrive ? s'étonna-t-il. Vous avez rencontré des chasseurs ?

— Pire ! dit l'un des loups. Nous avons failli être tous massacrés par un chat et un agneau.

L'ours crut qu'il n'avait pas bien entendu... Mais quand les loups lui eurent raconté leur aventure, il se mit à rire de bon cœur :

— Un chat et un agneau, manger des loups ! Mais vous n'êtes pas des souris, mes amis ! Il fallait les dévorer tout crus, un point c'est tout. Allons-y ensemble, je vais vous montrer, moi...

C'est ainsi que les douze loups repartirent vers la clairière, avec l'ours.

Quand ils les virent arriver, le chat et l'agneau, qui se chauffaient tranquillement près du feu, tout contents de leur ruse, eurent très peur. Le chat bondit dans un arbre, mais l'agneau, lui, ne savait pas grimper ! Il ne put que s'accrocher vaille que vaille à une petite branche basse, et il resta pendu dans cette mauvaise position...

En arrivant dans la clairière, l'ours fut très déçu de ne trouver personne, tandis que les loups, secrètement, étaient plutôt soulagés. Tous s'assirent près du feu pour décider de la suite...

L'agneau resta pendu.

Cependant, l'agneau avait des fourmis dans les pattes et n'en pouvait plus.

— Adieu, chat, murmura-t-il, je sens que je vais tomber !

— Tiens bon, tiens bon ! ils vont partir ! dit le chat.

238

Mais à ce moment-là, la petite branche cassa, et l'agneau tomba pile sur la grosse tête de l'ours. Alors, le chat se mit à crier :

Crier

— Tiens bon, agneau, tue-le, nous le mangerons pour dîner !

L'ours crut sa dernière heure venue. Il secoua sa tête si fort que l'agneau valsa dans un buisson, tandis que le gros animal fuyait en grognant de terreur dans la forêt. Les loups, eux, étaient déjà partis : ils avaient filé dès que l'agneau était apparu !

Quand le calme fut revenu, le chat et l'agneau décidèrent de rentrer dans leur chaumière :

Ton excédé

— Assez d'aventures ! dit le chat, je veux mon coussin.

Ton impatient

— Et moi mon enclos d'herbe verte ! dit l'agneau.

En les voyant arriver, au petit matin, le petit vieux et sa petite vieille leur firent fête. Ils avaient oublié le pot cassé, et regrettaient fort leurs compagnons…

Ainsi la vie reprit son cours normal, dans la petite chaumière au milieu de la forêt, et tout alla pour le mieux.

Les Frères de Mowgl

Texte de Rudyard Kipling, extrait de Le Livre *de la Jungle, traduit de l'angla*
par Louis Fabulet et Robert d'Humières, (c) Mercure de France pour la traductio
française.

Le romancier et poète anglais Rudyard Kipling est né en Inde en 1865. Issu d'un
milieu anglo-indien très cultivé, il est mis en pension en Angleterre dès l'âge de 7
ans. Dix ans plus tard, il retourne en Inde où il publie ses premiers poèmes sati-
riques et où il fait ses débuts dans le journalisme. Son habileté dans le récit lui vaut
une renommée immédiate. Il voyage beaucoup (Chine, Japon, Australie) et s'installe
en Amérique le temps d'écrire ses chefs d'œuvres, les premier et second Livres de la
Jungle, *en 1894 et 1895, où il crée le mythe de l'enfant sauvage, nourri et ins-*
truit par des animaux pleins de sagesse dont il a appris le langage. Il est de retour
en Angleterre dès 1896 et se consacre à l'écriture. Il a reçu le Prix Nobel de littéra-
ture en 1907. Il est mort à Londres en 1936.

À partir de
8 ans

9 min
+ 11 min

Jungle

Garçon
Loups
Chacal
Tigre
Panthère

Chil Milan conduit les pas de la nuit
Que Mang le Vampire délivre –
Dorment les troupeaux dans l'étable clos :
La terre à nous – l'ombre la livre !
C'est l'heure du soir, orgueil et pouvoir
À la serre, le croc et l'ongle.
Nous entendez-vous ? Bonne chasse à tous
Qui gardez la Loi de la Jungle !

Chanson de nuit dans la Jungle

Il était sept heures, par un soir très chaud, sur les collines de Seeonee. Père Loup s'éveilla de son somme journalier, se gratta, bâilla et détendit ses pattes l'une après l'autre pour dissiper la sensation de paresse qui en raidissait encore les extrémités. Mère Louve était étendue, son gros nez gris tombé parmi ses quatre petits qui se culbutaient en criant, et la lune luisait par l'ouverture de la caverne où ils vivaient tous.

– Augrh ! dit Père Loup, il est temps de se remettre en chasse.

Et il allait s'élancer vers le fond de la vallée, quand une petite ombre à queue touffue barra l'ouverture et jappa :

Voix pointue

– Bonne chance, ô chef des loups ! Bonne chance et fortes dents blanches aux nobles enfants. Puissent-ils n'oublier jamais en ce monde ceux qui ont faim !

C'était le chacal – Tabaqui le Lèche-Plat – et les loups de l'Inde méprisent Tabaqui parce qu'il rôde partout faisant du grabuge, colportant des histoires et mangeant des chiffons et des morceaux de cuir dans les tas d'ordures aux portes des villages. Mais ils ont peur de lui aussi, parce que Tabaqui, plus que tout autre dans la jungle, est sujet à la rage ; alors, il oublie qu'il ait jamais eu peur et il court à travers la forêt, mordant tout ce qu'il trouve sur sa route. Le tigre même se sauve et se cache lorsque le petit Tabaqui devient enragé, car la rage est la chose la plus honteuse qui puisse surprendre un animal sauvage. Nous l'appelons hydrophobie, mais eux l'appellent dewanee – la folie – et ils courent.

Tabaqui, le chacal.

— Entre alors, et cherche, dit Père Loup avec raideur ; mais il n'y a rien à manger ici.

— Pour un loup, non, certes dit Tabaqui ; mais pour moi, mince personnage, un os sec est un festin. Que sommes-nous, nous autres *Gidur-log* (le peuple chacal), pour faire la petite bouche ?

Il obliqua vers le fond de la caverne, y trouva un os de chevreuil où restait quelque viande, s'assit et en fit craquer le bout avec délices.

Ton admiratif

— Merci pour ce bon repas ! dit-il en se léchant les babines. Qu'ils sont beaux, les nobles enfants ! Quels grands yeux ! Et si jeunes, pourtant ! Je devrais me rappeler, en effet, que les enfants des rois sont maîtres dès le berceau.

Or, Tabaqui le savait aussi bien que personne, il n'y a rien de plus fâcheux que de louer des enfants à leur nez ; il prit plaisir à voir que Mère et Père Loup semblaient gênés.

Tabaqui resta un moment au repos sur son séant, tout réjoui du mal qu'il venait de faire ; puis il reprit malignement :

Avec malice

— Shere Khan, le Grand, a changé de terrain de chasse. Il va chasser, à la prochaine lune, m'a-t-il dit, sur ces collines-ci.

Shere Khan était le tigre qui habitait près de la rivière, la Waingunga, à vingt milles plus loin.

— Il n'en a pas le droit, commença Père Loup avec colère. De par la Loi de la Jungle, il n'a pas le droit de changer ses battues sans dûment avertir. Il effraiera tout le gibier à dix milles à la ronde, et moi… moi j'ai à tuer pour deux ces temps-ci.

— Sa mère ne l'a pas appelé Lungri (le Boiteux) pour rien, dit Mère Louve tranquillement : il est boiteux d'un pied depuis sa naissance ; c'est pourquoi il n'a jamais pu tuer que des bestiaux. À présent, les villageois de la Waingunga sont irrités contre lui, et il vient irriter les nôtres. Ils fouilleront la jungle à sa recherche… il sera loin, mais, nous et nos enfants, il nous faudra courir quand on allumera l'herbe. Vraiment, nous sommes très reconnaissants à Shere Khan !

— Lui parlerai-je de votre gratitude ? dit Tabaqui.

— Ouste ! jappa brusquement Père Loup. Va-t'en chasser avec ton maître. Tu as fait assez de mal pour une nuit.

— Je m'en vais, dit Tabaqui tranquillement. Vous pouvez entendre Shere Khan, en bas, dans les fourrés. J'aurais pu me dispenser du message.

Père Loup écouta.

En bas, dans la vallée qui descendait vers une petite rivière, il entendit la plainte dure, irritée, hargneuse et chantante d'un tigre qui n'a rien pris et auquel il importe peu que toute la jungle le sache.

— L'imbécile ! dit Père Loup, commencer un travail de nuit par un vacarme pareil ! Pense-t-il que nos chevreuils sont comme ses veaux gras de la Waingunga ?

— Chut ! Ce n'est ni bœuf ni chevreuil qu'il chasse cette nuit, dit Mère Louve, c'est l'homme.

La plainte s'était changée en une sorte de ronron bourdonnant qui semblait venir de chaque point de l'espace. C'est le bruit qui égare les bûcherons et les nomades à la belle étoile, et les fait courir quelquefois dans la gueule même du tigre.

Avec colère

En colère

En colère

Chuchoter

243

Surprise

— L'homme ! dit Père Loup, en montrant toutes ses dents blanches.

Ton agacé

— Faugh ! N'y a-t-il pas assez d'insectes et de grenouilles dans les citernes, qu'il lui faille manger l'homme, et sur notre terrain encore ?

La Loi de la Jungle, qui n'ordonne rien sans raison, défend à toute bête de manger l'homme, sauf lorsqu'elle tue pour montrer à ses enfants comment on tue, auquel cas elle doit chasser hors des réserves de son clan ou de sa tribu. La raison vraie en est que meurtre d'homme signifie, tôt ou tard, invasion d'hommes blancs armés de fusils et montés sur des éléphants, et d'hommes bruns, par centaines, munis de gongs, de fusées et de torches. Alors tout le monde souffre dans la jungle... La raison que les bêtes se donnent entre elles, c'est que, l'homme étant le plus faible et le plus désarmé des vivants, il est indigne d'un chasseur d'y toucher. Ils disent aussi — et c'est vrai — que les mangeurs d'hommes deviennent galeux et qu'ils perdent leurs dents.

Le ronron grandit et se résolut dans le « Aaarh ! » à pleine gorge du tigre qui charge.

Alors, on entendit un hurlement — un hurlement bizarre, indigne d'un tigre — poussé par Shere Khan.

— Il a manqué son coup, dit Mère Louve. Qu'est-ce que c'est ?

Père Loup sortit à quelques pas de l'entrée ; il entendit Shere Khan grommeler sauvagement tout en se démenant dans la brousse.

En grondant

— L'imbécile a eu l'esprit de sauter sur un feu de bûcherons et s'est brûlé les pieds ! gronda Père Loup. Tabaqui est avec lui.

Voix étouffée

— Quelque chose monte la colline, dit Mère Louve en dressant une oreille. Tiens-toi prêt.

Il y eut un petit froissement de buisson dans le fourré. Père

Loup, ses hanches sous lui, se ramassa, prêt à sauter. Alors, si vous aviez été là, vous auriez vu la chose la plus étonnante du monde : le loup arrêté à mi-bond. Il prit son élan avant de savoir ce qu'il visait, puis tenta de se retenir. Il en résulta un saut de quatre ou cinq pieds droit en l'air, et il retomba presque au même point du sol qu'il avait quitté.

Surprise

– Un homme ! hargna-t-il. Un petit d'homme. Regarde !

En effet, devant lui, s'appuyant à une branche basse, se tenait un bébé brun tout nu, qui pouvait à peine marcher, le plus doux et potelé petit atome qui fût jamais venu la nuit à la caverne d'un loup. Il leva les yeux pour regarder Père Loup en face et se mit à rire.

Avec étonnement

– Est-ce un petit d'homme ? dit Mère Louve. Je n'en ai jamais vu. Apporte-le ici.

Un loup, accoutumé à transporter ses propres petits, peut très bien, s'il est nécessaire, prendre dans sa gueule un œuf sans le briser. Quoique les mâchoires du Père Loup se fussent refermées complètement sur le dos de l'enfant, pas une dent n'égratigna la peau lorsqu'il le déposa au milieu de ses petits.

Voix douce

– Qu'il est mignon ! Qu'il est nu !… Et qu'il est brave ! dit avec douceur Mère Louve.

Le bébé se poussait, entre les petits, contre la chaleur du flanc tiède.

Voix douce

– Ah ! Ah ! Il prend son repas avec les autres. Ainsi, c'est un petit d'homme. A-t-il jamais existé une louve qui pût se vanter d'un petit d'homme parmi ses enfants ?

– J'ai parfois ouï parler de semblable chose, mais pas dans notre clan ni de mon temps, dit Père Loup. Il n'a pas un poil, et je pourrais le tuer en le touchant du pied. Mais, voyez, il me regarde et n'a pas peur !

Le clair de lune s'éteignit à la bouche de la caverne, car la grosse tête carrée et les fortes épaules de Shere Khan en bloquaient

Le petit d'homme parmi les loups.

l'ouverture et tentaient d'y pénétrer. Tabaqui, derrière lui, piaulait :

Crier

— Monseigneur, Monseigneur, il est entré ici !

— Shere Khan nous fait grand honneur — dit Père Loup, les yeux mauvais.

— Que veut Shere Khan ?

En grondant

— Ma proie. Un petit d'homme a pris ce chemin. Ses parents se sont enfuis. Donnez-le moi !

Fin de la première partie.

Résumé :

Père et Mère Loup, dans la jungle, entendent des pleurs. Ils découvrent un petit d'homme, tout seul. Père Loup veut l'emmener chez lui, lorsque survient Shere Khan, le tigre, qui le réclame. Il veut en faire sa proie.

Seconde partie.

Shere Khan avait sauté sur le feu d'un campement de bûcherons, comme l'avait dit Père Loup, et la brûlure de ses pattes le rendait furieux. Mais Père Loup savait l'ouverture de la caverne trop étroite pour un tigre. Même où il se tenait, les épaules et les pattes de Shere Khan étaient resserrées par le manque de place, comme les membres d'un homme qui tenterait de combattre dans un baril.

— Les loups sont un peuple libre, dit Père Loup. Ils ne prennent d'ordres que du Conseil supérieur du Clan, et non point d'aucun tueur de bœufs plus ou moins rayé. Le petit d'homme est à nous… pour le tuer s'il nous plaît.

Ton menaçant

— S'il vous plaît ! … Quel langage est-ce là ? Par le taureau que j'ai tué, dois-je attendre, le nez dans votre repaire de chiens, lorsqu'il s'agit de mon dû le plus strict ? C'est moi, Shere Khan, qui parle.

Le rugissement du tigre emplit la caverne de son tonnerre. Mère Louve secoua les petits de son flanc et s'élança, ses yeux, comme deux lunes vertes dans les ténèbres, fixés sur les yeux flambants de Shere Khan.

— Et c'est moi, Raksha (le Démon), qui vais te répondre. Le petit d'homme est mien, Lungri, le mien, à moi ! Il ne sera point tué. Il vivra pour courir avec le Clan, et pour chasser avec le Clan ; et, prends-y garde, chasseur de petits tout nus, mangeur de grenouilles, tueur de poissons ! Il te fera la chasse, à toi !... Maintenant, sors d'ici, ou, par le Sambhur que j'ai tué – car moi je ne me nourris pas de bétail mort de faim –, tu retourneras à ta mère, tête brûlée de Jungle, plus boiteux que jamais tu ne vins au monde. Va-t'en !

Père Loup leva les yeux, stupéfait. Il ne se souvenait plus assez des jours où il avait conquis Mère Louve, en loyal combat contre cinq autres loups, au temps où, dans les expéditions du Clan, ce n'était pas par pure politesse qu'on la nommait le Démon. Shere Khan aurait pu tenir tête à Père Loup, mais il ne pouvait s'attaquer à Mère Louve, car il savait que, dans la position où il se trouvait, elle gardait tout l'avantage du terrain et qu'elle combattrait à mort. Aussi se recula-t-il hors de l'ouverture en grondant ; et, quand il fut à l'air libre, il cria :

— Chaque chien aboie dans sa propre cour. Nous verrons ce que dira le Clan, comment il prendra cet élevage de petit d'homme. Le petit est à moi, et sous ma dent il faudra bien qu'à la fin il tombe, ô voleurs à queues touffues !

Mère Louve se laissa retomber, pantelante, parmi les petits, et Père Loup lui dit gravement :

— Shere Khan a raison. Le petit doit être montré au Clan. Veux-tu encore le garder, mère ?

Elle haletait :

— Si je veux le garder !... Il est venu tout nu, la nuit, seul et mourant de faim, et il n'avait même pas peur. Regarde, il a déjà poussé un de nos bébés de côté. Et ce boucher boiteux l'aurait tué et se serait sauvé ensuite vers la Waingunga, tandis que les villageois d'ici seraient accourus, à travers nos reposées, faire une battue pour en tirer vengeance !... Si je le garde ? Assurément, je le garde. Couche-toi là, petite Grenouille... Ô toi, Mowgli, car Mowgli la Grenouille je veux t'appeler, le temps viendra où tu feras la chasse à Shere Khan comme il t'a fait la chasse à toi !

– Mais que dira notre Clan ? dit Père Loup.

La loi de la Jungle établit très clairement que chaque loup peut, lorsqu'il se marie, se retirer du Clan auquel il appartient ; mais, aussitôt ses petits assez âgés pour se tenir sur leurs pattes, il doit les amener au Conseil du Clan, qui se réunit généralement une fois par mois à la pleine lune, afin que les autres loups puissent reconnaître leur identité. Après cet examen, les petits sont libres de courir où il leur plaît, et, jusqu'à ce qu'ils aient tué leur premier daim, il n'est pas d'excuse valable pour le loup adulte et du même Clan qui tuerait l'un deux. Comme châtiment, c'est la mort pour le meurtrier où qu'on le trouve, et, si vous réfléchissez une minute, vous verrez qu'il en doit être ainsi.

Père Loup attendit jusqu'à ce que ses petits pussent un peu courir, et alors, la nuit de l'assemblée, il les emmena avec Mowgli et Mère Louve au Rocher du Conseil – un sommet de colline couvert de pierres et de galets, où pouvaient s'isoler une centaine de loups. Akela, le grand loup gris solitaire, que sa vigueur et sa finesse avaient mis à la tête du Clan, était étendu de toute sa longueur sur sa pierre ; un peu plus bas que lui se tenaient assis plus de quarante loups de toutes tailles et de toutes robes, depuis les vétérans, couleur de blaireau, qui pouvaient, à eux seuls, se tirer d'affaire avec un daim, jusqu'aux jeunes loups noirs de trois ans, qui s'en croyaient capables. Le Solitaire était à leur tête depuis un an maintenant. Au temps de sa jeunesse, il était tombé deux fois dans un piège à loups, et une autre fois on l'avait assommé et laissé pour mort ; aussi connaissait-il les us et coutumes des hommes.

On causait fort peu sur la roche. Les petits se culbutaient l'un l'autre au centre du cercle où siégeaient leurs mères et leurs pères, et, de temps en temps, un loup plus âgé se dirigeait tranquillement vers un petit, le regardait avec attention, et regagnait sa place à pas silencieux. Parfois une mère poussait son petit en plein clair de lune pour être sûre qu'il n'avait point passé inaperçu. Akela, de son côté, criait :

Crier

— Vous connaissez la Loi, vous connaissez la Loi.

Regardez bien, ô loups !

Et les mères reprenaient le cri :

Crier

— Regardez, regardez bien, ô loups !

À la fin (et Mère Louve sentit se hérisser les poils de son cou lorsque arriva ce moment), Père Loup poussa « Mowgli la Grenouille », comme ils l'appelaient, au milieu du cercle, où il resta par terre à rire et à jouer avec les cailloux qui scintillaient dans le clair de lune.

Akela ne leva pas sa tête d'entre ses pattes mais continua le cri monotone :

Crier

— Regardez bien ! …

Un rugissement sourd partit de derrière les rochers – c'était la voix de Shere Khan :

Ton menaçant

— Le petit est mien. Donnez-le moi. Le Peuple Libre, qu'a-t-il à faire d'un petit d'homme ?

Akela ne remua même pas les oreilles ; il dit simplement :

— Regardez bien, ô loups ! Le Peuple Libre, qu'a-t-il à faire des ordres de quiconque, hormis de ceux du Peuple Libre ?…

Regardez bien !

Mowgli jouait
avec des cailloux.

249

Il y eut un chœur de sourds grognements, et un jeune loup de quatre ans, tourné vers Akela, répéta la question de Shere Khan :

– Le Peuple Libre, qu'a-t-il à faire d'un petit d'homme ?

Or, la Loi de la Jungle, en cas de dispute sur les droits d'un petit à l'acceptation du Clan, exige que deux membres au moins du Clan, qui ne soient ni son père ni sa mère, prennent la parole en sa faveur.

– Qui parle pour celui-ci ? dit Akela. Du Peuple Libre, qui parle ?

Il n'y eut pas de réponse, et Mère Louve s'apprêtait pour ce qui serait son dernier combat, elle le savait bien, s'il fallait en venir à combattre. Alors, le seul étranger qui soit admis au Conseil du Clan – Baloo, l'ours brun endormi, qui enseigne aux petits la Loi de la Jungle, le vieux Baloo, qui peut aller et venir partout où il lui plaît, parce qu'il mange uniquement des noix, des racines et du miel – se leva sur son séant et grogna.

Grogner

– Le petit d'homme… le petit d'homme ?… dit-il. C'est moi qui parle pour le petit d'homme. Il n'y a pas de mal dans un petit d'homme. Je n'ai pas le droit de la parole, mais je dis la vérité. Laissez-le courir avec le Clan, et qu'on l'enrôle parmi les autres. C'est moi-même qui lui donnerai des leçons.

– Nous avons encore besoin de quelqu'un d'autre, dit Akela. Baloo a parlé, et c'est lui qui enseigne nos petits. Qui parle avec Baloo ?

Une ombre tomba au milieu du cercle. C'était Bagheera, la panthère noire. Sa robe est tout entière noire comme l'encre, mais les marques de la panthère y affleurent, sous certains jours, comme font les reflets de la moire. Chacun connaissait Bagheera, et personne ne se souciait d'aller à l'encontre de ses desseins, car Tabaqui est moins rusé, le buffle sauvage moins téméraire, et moins redoutable l'éléphant blessé. Mais sa voix était plus suave que le miel agreste, qui tombe goutte à goutte des arbres, et sa peau plus douce que le duvet.

Voix douce

— Ô Akela, et vous, Peuple Libre, ronronna sa voix persuasive, je n'ai nul droit dans votre assemblée. Mais la Loi de la Jungle dit que, s'il s'élève un doute dans une affaire, en dehors d'une question de meurtre, à propos d'un nouveau petit, la vie de ce petit peut être rachetée moyennant un prix. Et la Loi ne dit pas qui a droit ou non de payer ce prix. Ai-je raison ?

— Très bien ! très bien, firent les jeunes loups, qui ont toujours faim. Écoutons Bagheera. Le petit peut être racheté. C'est la Loi.

Voix douce

— Sachant que je n'ai nul droit de parler ici, je demande votre assentiment.

Crier

— Parle donc, crièrent vingt voix.

Voix douce

— Tuer un petit nu est une honte. En outre, il pourra nous aider à chasser mieux quand il sera d'âge. Baloo a parlé en sa faveur. Maintenant, aux paroles de Baloo, j'ajouterai l'offre d'un taureau, d'un taureau gras, fraîchement tué à un demi-mille d'ici à peine, si vous acceptez le petit d'homme conformément à la Loi. Y a-t-il une difficulté ?

Il s'éleva une clameur de voix mêlées, parlant ensemble.

Imiter plusieurs voix

— Qu'importe ! Il mourra sous les pluies de l'hiver ; il sera grillé par le soleil… Quel mal peut nous faire une grenouille nue ?… Qu'il coure avec le Clan !… Où est le taureau, Bagheera ?… Nous acceptons.

Et alors revint l'aboiement profond d'Akela.

Crier

— Regardez bien… regardez bien, ô loups !

Mowgli continuait à s'intéresser aux cailloux ; il ne daigna prêter aucune attention aux loups qui vinrent un à un l'examiner.

À la fin, ils descendirent tous la colline, à la recherche du taureau mort, et seuls restèrent Akela, Bagheera, Baloo et les loups de Mowgli.

Shere Khan rugissait encore dans la nuit, car il était fort en colère que Mowgli ne lui eût pas été livré.

Voix douce — Oui, tu peux rugir, dit Bagheera dans ses moustaches ; car le temps viendra où cette petite chose nue te fera rugir sur un autre ton, ou je ne sais rien de l'homme.

— Nous avons bien fait, dit Akela : les hommes et leurs petits sont gens très avisés. Le moment venu, il pourra se rendre utile.

Voix douce — C'est vrai, dit Bagheera ; le moment venu, qui sait ? on aura besoin de lui : car personne ne peut compter mener le Clan toujours !

Akela ne répondit rien. Il pensait au temps qui vient pour chaque chef de Clan, où sa force l'abandonne et où, plus affaibli de jour en jour, il est tué à la fin par les loups et remplacé par un nouveau chef, tué plus tard à son tour.

— Emmenez-le, dit-il à Père Loup, et dressez-le comme il sied à un membre du Peuple Libre.

Et c'est ainsi que Mowgli entra dans le Clan des Loups de Seeonee, au prix d'un taureau et pour une bonne parole de Baloo.

Jean aux Oiseaux

Texte de Geneviève Huriet, publié dans le magazine Toboggan, *n° 107 (octobre 1989).*

À partir de
4 ans

6 min

Forêt
Ville
Palais
Cachot

Garçon
Roi
Oiseaux
Cordonnier

Il y a bien longtemps, une vieille femme vivait pauvrement avec son petit-fils Jean dans une chaumière, près de la forêt. Avec les herbes et les baies, elle préparait des tisanes, des huiles et des pommades : on l'appelait la Mamie aux Herbes, et on lui achetait ses remèdes. Le petit Jean l'aidait de son mieux. Calme et patient, il aimait surtout les oiseaux, qu'il réussissait à apprivoiser. D'où son surnom : Jean aux Oiseaux.

Le garçon allait sur ses douze ans quand, un lendemain d'orage, il trouva dans un fourré un oiseau extraordinaire : le bec rose corail, une aigrette bleue sur la tête et une queue multicolore en forme de lyre. Boueux, transi, l'animal semblait mort. Jean le soigna et réussit à le guérir.

— Regarde, Mamie, mon oiseau a une bague d'or à la patte !

— Alors, c'est qu'il vient des volières du roi, mon Jean.

— Eh bien, je vais le ramener ! Il fait beau, j'y serai en quatre jours.

Avec des brins d'osier, le garçon fabriqua une cage légère. La grand-mère lui donna des provisions, lui recommanda la prudence et le laissa partir.

Quatre jours plus tard, il arrivait à la ville. Que de monde ! Que de bruit ! Tout intimidé, Jean entra dans la première boutique venue, celle d'un cordonnier.

— S'il vous plaît, où est le palais du roi ? J'ai à lui parler.

— Le roi ne parle pas aux galopins de ton âge ! ricana le cordonnier.

Mais sa femme était curieuse :

— C'est important ?

— Je lui rapporte un bel oiseau échappé des ses volières : voyez.

Avec confiance, il leur montrait la cage. L'homme et la femme se regardèrent.

— Le roi sera bien content ! dit la femme toute doucereuse. Mais il faudrait te débarbouiller un peu ! Pose ta cage et viens avec moi !

Jean obéit. Et la femme, ouvrant une petite porte, le poussa d'un coup dans un cagibi qu'elle ferma à double tour.

Jean partit avec l'oiseau.

Ton mielleux

Chuchoter

– Vite, dit-elle à son mari. Prends la cage, allons au palais. À nous la récompense !

Or le roi était un brave homme de roi, qui parlait volontiers avec ses sujets. Il fit entrer le couple très intimidé et leur dit :

Ton grave

– C'est donc vous, mes amis, qui avez retrouvé mon oiseau préféré ?

– Oui, Sire, c'est nous !

À ces mots, l'oiseau merveilleux se mit à siffler avec fureur, et du jardin montèrent des milliers de sifflements indignés.

– Il est farouche : avez-vous eu du mal à le saisir ?

– Bien du mal, Sire. Mais le voici sain et sauf !

Les sifflets redoublèrent. Un gros corbeau vint se percher sur

Imiter le corbeau

la fenêtre en criant « Koâ ? koâ ? koâ ? », d'un air si moqueur que la femme en rougit. Le mari, mal à l'aise, s'épongea le front. Le roi eut pitié de leur embarras :

– Allez, dit-il. On vous donnera un goûter et une bourse pour votre peine.

Puis, sur son violon, il joua un air gai pour fêter le retour de l'oiseau.

Soulagés, le cordonnier et sa femme se gavèrent de pâté, de brioches et de confitures. Puis, une lourde bourse à la main, ils se hâtèrent vers la sortie du palais pour rentrer chez eux, compter leur fortune… et se débarrasser de Jean. Or, à peine avaient-ils posé le pied sur la place, que des milliers d'oiseaux arrivèrent de toutes parts. Rouges-gorges, loriots, bergeronnettes, pies, corbeaux et merles pépiaient avec véhémence. Le peuple, intrigué, accourut à son tour, et le roi, son violon sous le bras, ouvrit sa fenêtre :

Surprise

– Que se passe-t-il donc ? dit-il.

Déjà les oiseaux s'étaient rués en escadrilles serrées sur le couple menteur qu'ils piquaient du bec avec fureur. Bientôt la femme n'y tint plus :

255

— Mon mari, gémit-elle, dis-leur la vérité !

— Je n'ai rien fait, c'est elle ! cria l'homme.

Les oiseaux se turent : dans le grand silence, le couple avoua tout et fut aussitôt chassé du royaume. Et les gardes du roi se hâtèrent d'aller délivrer Jean aux Oiseaux.

Le pauvre Jean, qui se morfondait dans le noir, se trouva d'un seul coup en pleine lumière et au centre d'une grande agitation. Les chevaux piaffaient, la foule criait « Bravo !», et par-dessus tout cela, tournoyaient d'immenses vols d'oiseaux.

Mais, qu'était devenu l'oiseau son ami ? Il le réclamait à tous avec angoisse, jusqu'à ce qu'une grosse voix lui réponde :

— Il est dans mes volières, viens le voir.

Et c'est ainsi que, sa main dans la main du roi, Jean aux Oiseaux entra dans le palais, suivi de toute la cour.

Il y eut grande fête ce soir-là : vêtu de neuf, l'oiseau merveilleux perché sur son épaule, Jean était bien heureux. La nuit était tombée, mais les oiseaux chantaient encore et, avec leur chant, la paix et la joie se répandaient sur toute la ville : ce soir-là, il n'y eut ni disputes, ni méchancetés, et tous en gardèrent un souvenir ébloui.

Dès le lendemain, Jean voulut repartir :

— Ma Mamie aux Herbes va s'inquiéter !

— Va, dit le roi. J'ai nommé ta Mamie « Grande Tisanière du Royaume » : deux fois par an, elle apportera au palais tous ses remèdes, et c'est toi qui la conduiras. L'oiseau et moi, nous t'attendrons.

Et il offrit au garçon le plus joli des attelages : un âne gris tirant une charrette d'un vert vif !

Ainsi, la Mamie aux Herbes et son petit-fils connurent enfin l'aisance. Le roi devint l'ami de tous les oiseaux, et ses volières furent fermées pour toujours.

La Mule du pape

Texte d'Alphonse Daudet, extrait des Lettres de mon moulin.

Ces lettres sont parues de 1866 à 1869 dans les journaux L'Événement *et* Le Figaro *avant d'être réunies en volume sous le titre* Lettres de mon moulin, impressions et souvenirs *(1869). Pour un public parisien avide d'exotisme, chacune de ces lettres fictives évoque un aspect de la vie provençale, en un merveilleux mélange d'humour, d'émotion, de sympathie pour les humbles, les animaux et les plantes :* La Mule du pape, Le Curé de Cucugnan, Le Secret de Maître Cornille, Le Sous-Préfet aux champs…

Né à Nîmes en 1840, Alphonse Daudet se lança dès 1858 dans la vie littéraire parisienne, avec un recueil de vers, Les Amoureuses. *Malgré les succès et une brillante vie mondaine, il n'oublia jamais sa Provence natale et la mit souvent en scène dans ses nouvelles, ses romans et au théâtre (*L'Arlésienne, *1871, musique de Georges Bizet). Atteint à partir de 1880 d'une maladie de la moelle épinière, il mourut en 1897.*

À partir de
7 ans

10 min
+ 10 min

Avignon

Mule
Pape
Garçon

De tous les jolis dictons, proverbes ou adages, dont nos paysans de Provence passementent leurs discours, je n'en sais pas un plus pittoresque ni plus singulier que celui-ci. À quinze lieues autour de mon moulin, quand on parle d'un homme rancunier, vindicatif, on dit : « Cet homme-là ! méfiez-vous !... il est comme la mule du pape, qui garde sept ans son coup de pied. »

J'ai cherché bien longtemps d'où ce proverbe pouvait venir, ce que c'était que cette mule papale et ce coup de pied gardé pendant sept ans. Personne ici n'a pu me renseigner à ce sujet, pas même Francet Mamaï, mon joueur de fifre, qui connaît pourtant son légendaire provençal sur le bout du doigt. Francet pense comme moi qu'il y a là-dessous quelque ancienne chronique du pays d'Avignon ; mais il n'en a jamais entendu parler autrement que par le proverbe.

Francet Mamaï.

– Vous ne trouverez cela qu'à la bibliothèque des Cigales, m'a dit le vieux fifre en riant.

L'idée m'a paru bonne, et comme la bibliothèque des Cigales est à ma porte, je suis allé m'y enfermer pendant huit jours.

C'est une bibliothèque merveilleuse, admirablement montée, ouverte aux poètes jour et nuit, et desservie par de petits bibliothécaires à cymbales qui vous font de la musique tout le temps. J'ai passé là quelques journées délicieuses, et, après une semaine de recherches – sur le dos –, j'ai fini par découvrir ce que je voulais, c'est-à-dire l'histoire de ma mule et de ce fameux coup de pied gardé pendant sept ans. Le conte en est joli quoique un peu naïf, et je vais essayer de vous le dire tel que je l'ai lu hier matin dans un manuscrit couleur du temps, qui sentait bon la lavande sèche et avait de grands fils de la Vierge pour signets.

Qui n'a pas vu Avignon du temps des papes n'a rien vu. Pour la gaieté, la vie, l'animation, le train des fêtes, jamais une ville pareille. C'étaient, du matin au soir, des processions, des pèlerinages, les rues jonchées de fleurs, tapissées de hautes lices, des arrivages de cardinaux par le Rhône, bannières au vent, galères pavoisées, les soldats du pape qui chantaient du latin sur les places, les crécelles des frères quêteurs ; puis, du haut en bas des maisons qui se pressaient en bourdonnant autour du grand palais papal comme des abeilles autour de leur ruche, c'était encore le tic-tac des métiers à dentelles, le va-et-vient des navettes tissant l'or des chasubles, les petits marteaux des ciseleurs de burettes, les tables d'harmonie qu'on ajustait chez les luthiers, les cantiques des ourdisseuses ; par là-dessus le bruit des cloches, et toujours quelques tambourins qu'on entendait ronfler, là-bas, du côté du pont. Car chez nous, quand le peuple est content, il faut qu'il danse, il faut qu'il danse ; et, comme en ce temps-là les rues de la ville étaient trop étroites pour la farandole, fifres et tambourins se postaient sur le pont d'Avignon, au vent frais du Rhône, et jour et nuit l'on y dansait, l'on y dansait... Ah ! l'heureux temps ! l'heureuse ville ! des hallebardes qui ne coupaient pas ; des prisons d'État où l'on mettait le vin à rafraîchir. Jamais de disette ; jamais de guerre... Voilà comment les papes du Comtat savaient gouverner leur peuple ; voilà pourquoi leur peuple les a tant regrettés !...

Il y en a un surtout, un bon vieux, qu'on appelait Boniface... Oh ! celui-là, que de larmes on a versées en Avignon, quand il est mort ! C'était un prince si aimable, si avenant ! Il vous riait si bien du haut de sa mule ! Et quand vous passiez près de lui — fussiez-vous un pauvre petit tireur de garance ou le grand

viguier de la ville – il vous donnait sa bénédiction si poliment ! Un vrai pape d'Yvetot, mais d'un Yvetot de Provence,
avec quelque chose de fin dans le rire, un brin de marjolaine à
sa barrette, et pas la moindre Jeanneton… La seule Jeanneton
qu'on lui ait jamais connue, à ce bon père, c'était sa vigne –
une petite vigne qu'il avait plantée lui-même, à trois lieues
d'Avignon, dans les myrtes de Château-Neuf.

Tous les dimanches, en sortant de vêpres, le digne homme
allait lui faire sa cour, et quand il était là-haut, assis au bon
soleil, sa mule près de lui, ses cardinaux tout autour étendus
aux pieds des souches, alors il faisait déboucher un flacon de
vin du cru – ce beau vin, couleur de rubis, qui s'est appelé
depuis le château-neuf-des-papes – et il le dégustait par petits
coups, en regardant sa vigne d'un air attendri. Puis, le flacon
vidé, le jour tombant, il rentrait joyeusement à la ville, suivi
de tout son chapitre ; et, lorsqu'il passait sur le pont d'Avignon, au milieu des tambours et des farandoles, sa mule, mise
en train par la musique, prenait un petit amble sautillant, tandis que lui-même il marquait le pas de la danse avec sa barrette, ce qui scandalisait fort ses cardinaux, mais faisait dire à
tout le peuple : « Ah ! le bon prince ! Ah ! le brave pape ! »

Après sa vigne de Château-Neuf, ce que le pape aimait le plus
au monde, c'était sa mule. Le bonhomme en raffolait, de cette
bête-là. Tous les soirs, avant de se coucher, il allait voir si son
écurie était bien fermée, si rien ne manquait dans sa mangeoire, et jamais il ne se serait levé de table sans faire préparer sous
ses yeux un grand bol de vin à la française, avec beaucoup de
sucre et d'aromates, qu'il allait lui porter lui-même, malgré les
observations de ses cardinaux… Il faut dire aussi que la bête en
valait la peine. C'était une belle mule noire mouchetée de
rouge, le pied sûr, le poil luisant, la croupe large et pleine, portant fièrement sa petite tête sèche toute harnachée de pom-

pons, de nœuds, de grelots d'argent, de bouffettes ; avec cela, douce comme un ange, l'œil naïf, et deux longues oreilles toujours en branle, qui lui donnaient l'air bon enfant. Tout Avignon la respectait, et, quand elle allait dans les rues, il n'y avait pas de bonnes manières qu'on ne lui fît ; car chacun savait que c'était le meilleur moyen d'être bien en cour, et qu'avec son air innocent, la mule du pape en avait mené plus d'un à la fortune, à preuve Tistet Védène et sa prodigieuse aventure.

La mule du pape.

Ce Tistet Védène était, dans le principe, un effronté galopin, que son père, Guy Védène, le sculpteur d'or, avait été obligé de chasser de chez lui, parce qu'il ne voulait rien faire et débauchait les apprentis. Pendant six mois, on le vit traîner sa jaquette dans tous les ruisseaux d'Avignon, mais principalement du côté de la maison papale ; car le drôle avait depuis longtemps son idée sur la mule du pape, et vous allez voir que c'était quelque chose de malin… Un jour que Sa Sainteté se promenait toute seule sous les remparts avec sa bête, voilà mon Tistet qui l'aborde, et lui dit en joignant les mains d'un air d'admiration :

Ton admiratif

— Ah ! mon Dieu ! grand Saint-Père, quelle brave mule vous avez là !… Laissez un peu que je la regarde… Ah ! mon pape, la belle mule ! … L'empereur d'Allemagne n'en a pas une pareille.

Et il la caressait, et il lui parlait doucement comme à une demoiselle.

Doucement

— Venez çà, mon bijou, mon trésor, ma perle fine…

Et le bon pape, tout ému, se disait en lui-même :

Avec émotion

— Quel bon petit garçonnet !… Comme il est gentil avec ma mule !

Et puis le lendemain savez-vous ce qui arriva ? Tistet Védène troqua sa vieille jaquette jaune contre une belle aube en dentelles, un camail de soie violette, des souliers à boucles, et il

261

entra dans la maîtrise du pape, où jamais avant lui on n'avait reçu que des fils de nobles et des neveux de cardinaux... Voilà ce que c'est que l'intrigue !... Mais Tistet ne s'en tint pas là.

Une fois au service du pape, le drôle continua le jeu qui lui avait si bien réussi. Insolent avec tout le monde, il n'avait d'attentions ni de prévenances que pour la mule, et toujours on le rencontrait par les cours du palais avec une poignée d'avoine ou une bottelée de sainfoin, dont il secouait gentiment les grappes roses en regardant le balcon du Saint-Père, d'un air de dire : « Hein !... pour qui ça ? ... » Tant et tant qu'à la fin le bon pape, qui se sentait devenir vieux, en arriva à lui laisser le soin de veiller sur l'écurie et de porter à la mule son bol de vin à la française ; ce qui ne faisait pas rire les cardinaux.

Ni la mule non plus, cela ne la faisait pas rire... Maintenant, à l'heure de son vin, elle voyait toujours arriver chez elle cinq ou six petits clercs de maîtrise qui se fourraient vite dans la paille avec leurs camails et leurs dentelles ; puis, au bout d'un moment, une bonne odeur chaude de caramel et d'aromates emplissait l'écurie, et Tistet Védène apparaissait portant avec précaution le bol de vin à la française. Alors le martyre de la pauvre bête commençait.

Ce vin parfumé qu'elle aimait tant, qui lui tenait chaud, qui lui mettait des ailes, on avait la cruauté de le lui apporter, là, dans sa mangeoire, de le lui faire respirer ; puis, quand elle en avait les narines pleines, passe, je t'ai vu ! la belle liqueur de flamme rose s'en allait toute dans le gosier de ces garnements... Et encore, s'ils n'avaient fait que lui voler son vin ; mais c'étaient comme des diables, tous ces petits clercs, quand ils avaient bu !... L'un lui tirait les oreilles, l'autre la queue ; Quiquet lui montait sur le dos, Béluguet lui essayait sa barrette, et pas un de ces galopins ne songeait que d'un coup de reins ou d'une ruade, la brave bête aurait pu les envoyer tous dans l'étoile polaire, et même plus loin… Mais non ! On n'est pas pour rien la mule du pape, la mule des bénédictions et des indulgences… Les enfants avaient beau faire, elle ne se fâchait pas ; et ce n'était qu'à Tistet Védène qu'elle en voulait… Celui-là, par exemple, quand elle le sentait derrière elle, son sabot la démangeait, et vraiment il y avait bien de quoi. Ce vaurien de Tistet lui jouait de si vilains tours ! Il avait de si cruelles inventions après boire !…

Fin de la première partie.

Résumé :
En Avignon, du temps des papes, Boniface est un pape très aimé de ses sujets. Il a deux « passions », sa vigne et sa mule.
Tistet Védène est un méchant garnement qui ne rêve que d'une chose : embêter cette mule qui est l'objet de tant de soins. Pour ce faire, il réussit à entrer au service du pape et il feint d'adorer la mule…

Seconde partie.
Est-ce qu'un jour il ne s'avisa pas de la faire monter avec lui au clocheton de la maîtrise, là-haut, tout là-haut, à la pointe du palais !… Et ce que je vous dis là n'est pas un conte, deux cent mille Provençaux l'ont vu. Vous figurez-vous la terreur de cette malheureuse mule, lorsque, après avoir tourné pendant une heure à l'aveuglette dans un escalier en colimaçon et grimpé je ne sais combien de marches, elle se trouva tout à coup sur une plate-forme éblouissante de lumière, et qu'à mille pieds au-dessous d'elle elle aperçut tout un Avignon fantastique, les baraques du marché pas plus grosses que des noisettes, les soldats du pape devant leur caserne comme des fourmis rouges, et là-bas, sur un fil d'argent, un petit pont microscopique où l'on dansait, où l'on dansait ?… Ah ! pauvre bête ! quelle panique ! Du cri qu'elle en poussa, toutes les vitres du palais tremblèrent.

La mule poussa un grand cri.

Avec affolement

– Qu'est-ce qu'il y a ? qu'est-ce qu'on lui fait ? s'écria le bon pape en se précipitant sur son balcon.

Tistet Védène était déjà dans la cour, faisant mine de pleurer et de s'arracher les cheveux :

– Ah ! grand Saint-Père, ce qu'il y a ! Il y a que votre mule est montée dans le clocheton…

– Toute seule ? ? ?

– Oui, grand Saint-Père, toute seule… Tenez ! regardez-la, là-haut… Voyez-vous le bout de ses oreilles qui passe ?… On dirait deux hirondelles…

– Miséricorde ! fit le pauvre pape en levant les yeux… Mais elle est donc devenue folle ! Mais elle va se tuer… Veux-tu bien descendre, malheureuse !…

Pécaïre ! elle n'aurait pas mieux demandé, elle, que de descendre… mais par où ? L'escalier, il n'y fallait pas songer : ça se monte encore ces choses-là ; mais, à la descente, il y aurait de quoi se rompre cent fois les jambes…

Et la pauvre mule se désolait, et, tout en rôdant sur la plate-forme avec ses gros yeux pleins de vertige, elle pensait à Tistet Védène :

– Ah ! bandit, si j'en réchappe… quel coup de sabot demain matin !

Cette idée de coup de sabot lui redonnait un peu de cœur au ventre ; sans cela elle n'aurait pas pu se tenir…

Enfin on parvint à la tirer de là-haut ; mais ce fut toute une affaire. Il fallut la descendre avec un cric, des cordes, une civière. Et vous pensez quelle humiliation pour la mule d'un pape de se voir pendue à cette hauteur, nageant des pattes dans le vide comme un hanneton au bout d'un fil. Et tout Avignon qui la regardait !

La malheureuse bête n'en dormit pas de la nuit. Il lui semblait toujours qu'elle tournait sur cette maudite plate-forme, avec

Il fallut la descendre avec des cordes.

264

les rires de la ville au-dessous, puis elle pensait à cet infâme Tistet Védène et au joli coup de sabot qu'elle allait lui détacher le lendemain matin. Ah ! mes amis, quel coup de sabot ! De Pampérigouste on en verrait la fumée... Or, pendant qu'on lui préparait cette belle réception à l'écurie, savez-vous ce que faisait Tistet Védène ? Il descendait le Rhône en chantant sur une galère papale et s'en allait à la cour de Naples avec la troupe de jeunes nobles que la ville envoyait tous les ans près de la reine Jeanne pour s'exercer à la diplomatie et aux belles manières. Tistet n'était pas noble ; mais le pape tenait à le récompenser des soins qu'il avait donnés à sa bête, et principalement de l'activité qu'il venait de déployer pendant la journée du sauvetage.

C'est la mule qui fut désappointée le lendemain !

– Ah ! le bandit ! il s'est douté de quelque chose !... pensaitelle en secouant ses grelots avec fureur... Mais c'est égal, va, mauvais ! tu le retrouveras au retour, ton coup de sabot..., je te le garde !

Et elle le lui garda.

Après le départ de Tistet, la mule du pape retrouva son train de vie tranquille et ses allures d'autrefois. Plus de Quiquet, plus de Béluguet à l'écurie. Les beaux jours du vin à la française étaient revenus, et avec eux la bonne humeur, les longues siestes, et le petit pas de gavotte quand elle passait sur le pont d'Avignon. Pourtant, depuis son aventure, on lui marquait toujours un peu de froideur dans la ville. Il y avait des chuchotements sur sa route ; les vieilles gens hochaient la tête, les enfants riaient en se montrant le clocheton. Le bon pape luimême n'avait plus autant de confiance en son amie, et, lorsqu'il se laissait aller à faire un petit somme sur son dos, le dimanche, en revenant de la vigne, il gardait toujours cette arrière-pensée : « Si j'allais me réveiller là-haut, sur la plate-forme ! » La mule voyait cela et elle en souffrait, sans rien dire ; seulement, quand on prononçait le nom de Tistet Védène devant elle, ses longues oreilles frémissaient, et elle aiguisait avec un petit rire le fer de ses sabots sur le pavé.

Sept ans se passèrent ainsi ; puis, au bout de ces sept années, Tistet Védène revint de la cour de Naples. Son temps n'était pas encore fini là-bas ; mais il avait appris que le premier moutardier du pape venait de mourir subitement en Avignon, et, comme la place lui semblait bonne, il était arrivé en grande hâte pour se mettre sur les rangs.

Quand cet intrigant de Védène entra dans la salle du palais, le Saint-Père eut peine à le reconnaître, tant il avait grandi et pris du corps. Il faut dire aussi que le bon pape s'était fait vieux de son côté, et qu'il n'y voyait pas bien sans besicles.

Tistet ne s'intimida pas.

Surprise

— Comment ! grand Saint-Père, vous ne me reconnaissez plus ?... C'est moi, Tistet Védène !...

En hésitant

— Védène ?...

— Mais oui, vous savez bien…, celui qui portait le vin français à votre mule.

— Ah ! oui… oui… Je me rappelle… Un bon petit garçonnet, ce Tistet Védène !... Et maintenant, qu'est-ce qu'il veut de nous ?

— Oh ! peu de chose, grand Saint-Père… Je venais vous demander… À propos, est-ce que vous l'avez toujours, votre mule ? Et elle va bien ?... Ah ! tant mieux !... Je venais vous demander la place du premier moutardier qui vient de mourir.

Surprise

— Premier moutardier, toi !... Mais tu es trop jeune. Quel âge as-tu donc ?

Ton admiratif

— Vingt ans deux mois, illustre pontife, juste cinq ans de plus que votre mule… Ah ! palme de Dieu, la brave bête !... Si vous saviez comme je l'aimais, cette mule-là !... comme je me

266

suis langui d'elle en Italie !... Est-ce que vous ne me la laisse-rez pas voir ?

Avec émotion

– Si, mon enfant, tu la verras, fit le bon pape tout ému... Et puisque tu l'aimes tant, cette brave bête, je ne veux plus que tu vives loin d'elle. Dès ce jour, je t'attache à ma personne en qualité de premier moutardier... Mes cardinaux crieront, mais tant pis ! j'y suis habitué... Viens nous trouver demain, à la sortie des vêpres, nous te remettrons les insignes de ton grade en présence de notre chapitre, et puis... je te mènerai voir la mule, et tu viendras à la vigne avec nous deux... Hé ! hé ! Allons, va...

Si Tistet Védène était content en sortant de la grande salle, avec quelle impatience il attendit la cérémonie du lendemain, je n'ai pas besoin de vous le dire. Pourtant il y avait dans le palais quelqu'un de plus heureux encore et de plus impatient que lui : c'était la mule. Depuis le retour de Védène jusqu'aux vêpres du jour suivant, la terrible bête ne cessa de se bourrer d'avoine et de tirer au mur avec ses sabots de derrière. Elle aussi se préparait pour la cérémonie...

Et donc, le lendemain, lorsque vêpres furent dites, Tistet Védène fit son entrée dans la cour du palais papal. Tout le haut clergé était là, les cardinaux en robes rouges, l'avocat du diable en velours noir, les abbés du couvent avec leurs petites mitres, les marguilliers de Saint-Agrico, les camails violets de la maîtrise, le bas clergé aussi, les soldats du pape en grand uniforme, les trois confréries de pénitents, les ermites du mont Ventoux avec leurs mines farouches et le petit clerc qui va der-rière en portant la clochette, les frères flagellants nus jusqu'à la ceinture, les sacristains fleuris en robes de juges, tous, tous, jusqu'aux donneurs d'eau bénite, et celui qui allume, et celui qui éteint..., il n'y en avait pas un qui manquât... Ah ! c'était une belle ordination ! Des cloches, des pétards, du soleil, de la musique, et toujours ces enragés de tambourins qui menaient la danse, là-bas, sur le pont d'Avignon.

Quand Védène parut au milieu de l'assemblée, sa prestance et sa belle mine y firent courir un murmure d'admiration. C'était un magnifique Provençal, mais des blonds, avec des grands cheveux frisés et une petite barbe follette qui semblait prise aux copeaux de fin métal tombés du burin de son père, le sculpteur d'or. Le bruit courait que dans cette barbe blonde les doigts de la reine Jeanne avaient quelquefois joué ; le sire de Védène avait bien, en effet, l'air glorieux et le regard distrait des hommes que les reines ont aimés... Ce jour-là, pour faire honneur à sa nation, il avait remplacé ses vêtements napolitains par une jaquette bordée de rose à la provençale, et sur son chaperon tremblait une grande plume d'ibis de Camargue.

Sitôt entré, le premier moutardier salua d'un air galant et se dirigea vers le haut perron, où le pape l'attendait pour lui remettre les insignes de son grade : la cuiller de buis jaune et l'habit de safran. La mule était au bas de l'escalier, tout harnachée et prête à partir pour la vigne...

Quand il passa près d'elle, Tistet Védène eut un bon sourire et s'arrêta pour lui donner deux ou trois petites tapes amicales sur le dos, en regardant du coin de l'œil si le pape le voyait. La position était bonne... La mule prit son élan :

— Tiens ! attrape, bandit ! Voilà sept ans que je te le garde !

Et elle vous lui détacha un coup de sabot si terrible, si terrible, que de Pampérigouste même on en vit la fumée, un tourbillon de fumée blonde où voltigeait une plume d'ibis ; tout ce qui restait de l'infortuné Tistet Védène !...

Les coups de pied de mule ne sont pas aussi foudroyants d'ordinaire ; mais celle-ci était une mule papale ; et puis, pensez donc ! elle le lui gardait depuis sept ans...

Il n'y a pas de plus bel exemple de rancune ecclésiastique.

Vindicative

Pilote, chien pionnier

Adapté d'une légende canadienne.

Le Canada est un immense pays qui s'étend au nord du continent américain, de l'océan Pacifique à l'océan Atlantique. De nombreux immigrants sont venus s'y installer.

La colonisation du pays, découvert par Jacques Cartier en 1534 et alors appelé Nouvelle-France, ne débuta que sous Henri IV, avec Samuel de Champlain qui, en fondant la ville de Québec (1608), stimula la venue de colons français.

La ville de Montréal fut fondée en 1642 par Paul de Chomedey de Maisonneuve.

À partir de
6 ans

6 min

Canada

Colons
Indiens
Chiens

Il y a de cela trois cents ans, des colons français prirent possession de l'île de Montréal, sur le fleuve Saint-Laurent, avec la ferme intention d'y rester pour toujours. En posant leurs bagages, ils étaient heureux : ils avaient quitté leur pays et traversé l'océan avec toute leur famille pour trouver une vie meilleure, et enfin, le sort leur avait souri en les conduisant dans cet endroit magnifique... Pour ces gens, habitués aux terres morcelées de champs et parsemées de fermes et de villages de la France, ce vaste territoire de forêts et de prairies sauvages semblait inhabité.

Mais il ne l'était pas. Car si les Français avaient trouvé cet endroit à leur goût, les Indiens Iroquois, bien avant eux, avaient choisi d'y vivre... Ils campaient et chassaient dans ces parages depuis des générations, et ils ne voyaient pas pourquoi ils auraient dû céder leur place à des étrangers.

Un Iroquois.

Quelques semaines après leur arrivée, les colons, ne se doutant de rien, avaient déjà construit des maisons de bois, un petit hôpital et même une chapelle, le tout protégé par une solide palissade... Mais un jour, alors que la plupart des hommes étaient à la rivière, occupés à défricher et à couper du bois, un cri de guerre strident interrompit leur bavardage. C'étaient les Iroquois, qui, après un temps d'observation, s'étaient décidés à éliminer les intrus. Aussitôt, les hommes coururent à toute vitesse se mettre à l'abri dans le fort. Hélas, aucun d'entre eux ne put l'atteindre. Les plus chanceux furent tués d'une flèche... Personne ne sut ce que devinrent ceux qui étaient tombés vivants entre les mains des Iroquois.

Les survivants restèrent malgré tout dans leur nouveau domaine. D'autres immigrants français vinrent même les y rejoindre. Ils abattaient des arbres, construisaient des maisons, labouraient la terre... Mais désormais, il fallait être constamment sur ses gardes. Celui qui était assez fou pour s'éloigner seul était généralement retrouvé mort un peu plus tard. Des outils, des matériaux ou du bétail disparaissaient tous les jours, comme volés par des fantômes. Les Iroquois harcelaient, pillaient et tuaient tant et tant, qu'à la fin, les colons envisagèrent d'abandonner l'île de Montréal.

Paul de Chomedey, l'un des premiers arrivés, ne pouvait admettre cette idée :

– Si nous partons, nos camarades seront morts pour rien ! Nous devons rester et nous défendre !

– Oui, mais comment faire ?

Paul de Chomedey avait une idée :

– Il nous faut des chiens ! De bons chiens que l'on pourrait dresser à reconnaître les Iroquois : ils sentiraient leur odeur de loin et pourraient nous prévenir quand ils attaquent ! Je vais écrire à Paris, pour qu'ils nous en envoient par le prochain bateau...

Aussitôt dit, aussitôt fait.

La lettre de Chomedey n'arriva à Paris qu'un bon mois plus tard. L'agent de la compagnie maritime Nord-Amérique, à qui elle s'adressait, la mit de côté sous une pile de papiers plus urgents, en soupirant :

Soupirer

– On verra cette histoire de chiens plus tard, j'ai d'autres chats à fouetter !

Heureusement, quelques jours avant le départ du bateau, il se souvint de la lettre. Alors, au lieu de faire prendre des chiens de race dans un élevage, il fit ramasser en catastrophe quelques dizaines de chiens errants, dans les rues de Paris, et tout le lot, dûment muselé, fut embarqué pour la traversée de l'océan...

Ainsi, après trois mois d'attente, Paul de Chomedey vit débarquer à Montréal une douzaine de pauvres cabots, pelés, teigneux, couverts de puces ou de tiques et rendus à moitié fous par leur long voyage. Les autres étaient morts en route.

La plupart de ces survivants étaient trop faibles, trop sauvages ou trop bêtes pour être dressés. Déçu et furieux, Paul de Chomedey remarqua cependant dans le lot une chienne qui parais-

271

sait intelligente et brave. Un seul chien ! Au lieu des quarante qu'il avait demandés… Un seul chien, oui, mais quel chien ! Après quelques semaines, la chienne, nommée Pilote, fut capable de flairer la présence d'un Iroquois à plusieurs kilomètres à la ronde. Elle ne confondait jamais leurs traces avec celles de Français ou d'Indiens amis ; d'un coup d'œil, elle pouvait deviner un Iroquois dissimulé, là où un homme n'aurait vu qu'un buisson ou une touffe d'herbes. Aussitôt, elle donnait l'alerte par ses aboiements.

Pilote.

Les Iroquois trouvèrent bientôt que les colons résistaient mieux… En quelques années, Pilote eut plusieurs portées de chiots, et ils apprirent avec elle à protéger le fort. Les attaques des Iroquois se firent de plus en plus rares.

Dans le même temps, de nouveaux immigrants arrivèrent, de nouvelles maisons furent construites, de nouveaux terrains défrichés pour les cultures : la petite colonie de Montréal s'agrandissait. Grâce à Pilote, puis grâce à leur nombre sans cesse croissant, les hommes blancs devinrent les plus forts.

Aujourd'hui, Montréal est une grande et belle ville, qui s'étend très loin autour de la petite île sur le fleuve Saint-Laurent. Mais ses habitants n'ont jamais oublié que c'est à une brave chienne des rues qu'ils doivent d'avoir survécu dans ce pays. Sur la Place d'Armes, au cœur de la ville, les premiers colons ont leur statue, et Pilote est avec eux.

Quant aux Iroquois, ils durent abandonner leur territoire.

Du pain pour le loup

Adapté d'un conte lituanien.

Ce conte met en scène les différences qui existent entre les animaux et les hommes pour ce qui est des techniques et de la transformation des produits. L'homme peut transformer le fruit de son travail, et le pain en est l'exemple le plus simple et le plus essentiel. L'homme peut se projeter dans l'avenir, en sachant ce qu'il fait et ce pour quoi il le fait. Le loup, en revanche, ne voit que l'immédiateté. Il n'a ni la patience, ni même le pouvoir de se rendre compte des différentes étapes qui préludent à un produit fini. C'est la raison pour laquelle il ne mange que des proies, alors que l'homme peut produire sa nourriture.

Dans une variante roumaine de ce conte où le loup veut manger l'homme, ce dernier réussit à avoir la vie sauve, en échange de la recette de la préparation du pain.

À partir de
5 ans

4 min

Campagne

Loup
Paysan

Il était une fois un loup qui n'aimait pas chasser. Personne ne chassant à sa place, le loup n'avait rien à manger.

273

Un jour, poussé par la faim, il sortit du bois. Un moissonneur, qui avait justement passé sa matinée à moissonner, mangeait son casse-croûte au bord d'un champ. Le loup s'approcha et s'assit en face de lui :

— Bon appétit, dit-il.

— Merci, répondit l'autre tranquillement.

Le loup se lécha les babines :

— Dis-moi, que manges-tu là ?

— Ma foi, je mange un morceau de pain.

— Ça a l'air bon ! dit le loup. Nous n'en mangeons jamais, nous autres loups…

L'homme coupa une tranche de son pain :

— Tiens, dit-il au loup. Goûte, tu m'en diras des nouvelles !

Le loup retroussa délicatement ses grandes babines, puis referma ses dents pointues sur la tartine et la dévora tout entière…

— Mmm ! très bon ! délicieux ! excellent ! s'exclama-t-il. Mais dis-moi, vous en mangez souvent, vous autres ?

— Ça oui ! dit le moissonneur. Nous, le pain, c'est tous les jours, et même plusieurs fois par jour…

— Oooh… fit le loup.

Et il resta un petit moment tout pensif, à regarder le moissonneur.

— Dis, j'aimerais bien, moi aussi, manger du pain tous les jours, finit-il par dire.

— Qu'à cela ne tienne ! répondit l'homme. Tu n'as qu'à semer du blé !

Le loup, plein d'espoir, se vit déjà débarrassé de la corvée de chasse, grâce à une récolte de bon pain…

— S'il te plaît, apprends-moi à semer du blé ! demanda-t-il au moissonneur.

— Rien de plus simple ! D'abord, il faut labourer la terre…

— Et alors, le pain pousse ?

Le loup s'assit en face du moissonneur.

Avec envie

Ton pressant

Ton impatient

Rire

— Holà ! pas si vite ! rit le moissonneur. Après le labourage, il faut herser, puis il faut semer…

— Ah ! c'est là que le pain pousse !

— Que nenni : là, tu attends… Comme tu sèmes à l'automne, le blé passe l'hiver dans la terre, et c'est au printemps qu'il germe.

Ton impatient

— On mange le pain au printemps, alors ?

Rire

— Tu n'y es pas ! Le blé doit mûrir jusqu'au milieu de l'été. À ce moment-là, tu le coupes, tu en fais des gerbes et tu les rassembles en petites meules…

Ton impatient

— Mais le pain ? interrompit encore le loup.

— C'est là que tout commence ! poursuivit le moissonneur… Quand les meules ont bien séché au soleil, tu rentres le blé dans ta grange, tu le bats, tu le vannes, tu le portes au moulin, et là…

Ton impatient

— Le pain ! s'exclama le loup qui n'en pouvait plus.

— Tout doux ! dit l'homme. Il faut d'abord moudre ton blé en farine, et avec ta farine, tu fais ton pain…

— Mmmm… Miamm ! fit le loup.

— Tttt-ttt, une minute, reprit le moissonneur, ça n'est pas fini : pour faire ton pain, tu prépares ta pâte, tu la pétris, tu y mets du levain, tu la laisses reposer, et quand elle a bien levé… tu la fais cuire !

Soupirer

— Aaaah… dit le loup épuisé. Et alors ?

— Eh bien, c'est du pain ! s'écria le moissonneur tout content.

Le loup ne dit rien. Il regarda l'homme avec un air désolé :

Soupirer

— Dommage ! soupira-t-il.

— Quoi, qu'est-ce qu'il y a ? demanda le moissonneur.

Voix désolée

— Je ne pourrai jamais ! dit le loup. C'est bien trop long. Tu n'aurais pas quelque chose de plus facile, quelque chose à manger tout de suite ?

— Rien du tout ! répondit le moissonneur, vexé. Nous autres, les hommes, nous n'avons rien sans travailler… Mais si tu ne veux pas de pain, retourne dans tes bois et débrouille-toi !

Sur ce, il attrapa sa besace et sa faux et s'en alla moissonner.

Quant au loup, il rentra dans son bois et se mit en chasse de son dîner…

Le Lion et le Charpentier

Adapté d'un conte du Moyen-Orient.

Ce conte illustre le fait que l'homme, par son intellect et ses techniques, est supérieur aux animaux.

À partir de
6 ans

6 min

Ile
Pays des
hommes

Canard
Lion
Charpentier
Autres
animaux

Il était une fois une petite île perdue au milieu des mers, une île où toutes sortes d'animaux vivaient très heureux… Une île où on n'avait jamais vu ne fut-ce qu'un seul homme. Dans un coin de cette petite île, sur une petite mare, barbotait un petit canard. La vie était belle, l'eau était bonne et les herbes, délicieuses. Mais un jour, le canard fit un drôle de rêve : il y avait un pays cent fois plus beau, mille fois plus grand que la petite île, et lui, le petit canard, il devait y aller !

Le lendemain, il quitta sa mare, plongea dans la mer et se mit à nager des deux palmes, bien décidé à trouver ce merveilleux pays. Après des jours et des nuits, le canard arriva sur une plage cent fois plus belle et mille fois plus grande que celle de sa petite île, et il s'endormit aussitôt, ravi et épuisé par son voyage. Une drôle de voix lui parla dans son sommeil :

– Attention à toi, petit canard ! Dans ce pays vit l'homme, qui est cent mille fois plus dangereux que tout ce que tu connais !

Le canard se réveilla et frissonna : quelle mauvaise surprise !…
Il décida tout de même d'explorer le pays. Vers le soir, près de hautes montagnes, il rencontra un jeune lion allongé au soleil couchant. Ils se regardèrent avec méfiance.

– De quelle espèce es-tu ? demanda le lion. Je ne te connais pas…

– Je suis un canard, de la famille des oiseaux… Et toi ?

– Je suis le lion, de la famille des lions, répondit le fauve avec une certaine vanité. Nous sommes les rois des animaux, au cas où tu ne le saurais pas…

– Comment pourrais-je le savoir ? Je ne suis pas d'ici !

– Ah bon, dit le lion. Et d'où es-tu, alors ?

Le canard raconta sa petite île, sa petite mare, son rêve, son voyage… et pour finir, il parla de la voix qu'il avait entendue dans son sommeil.

– C'est étrange… fit le lion, troublé. Figure-toi que moi aussi, cette nuit, j'ai entendu en rêve le même avertissement.

– Mais alors, dit le canard, toi qui es le roi, est-ce que tu ne pourrais pas tuer l'homme ? Comme ça, tout le monde vivrait heureux dans ce pays !

Le canard arriva
sur une plage.

Avec étonnement

Avec étonnement

— Pourquoi pas ? dit le lion en se léchant les babines… Il est sûr que je n'en ferais qu'une bouchée ! Seulement voilà, je n'ai jamais vu d'homme…

— Qu'à cela ne tienne ! s'exclama le canard. Demain, nous partirons à sa recherche…

Là-dessus, le canard fit une petite courbette devant le lion et s'éloigna un peu. Il mit sa tête sous son aile pour dormir, et cette fois, aucun rêve ne vint troubler son sommeil…

Le lendemain, le lion et le canard se mirent à la recherche de l'homme. Ils avaient déjà beaucoup marché, quand ils aperçurent un nuage de poussière. Un animal tout gris trottait à leur rencontre :

— Qui es-tu et où vas-tu, bête aux grandes oreilles ? interrogea le lion.

— Je suis un âne, et je fuis pour ne pas rencontrer l'homme !

— Viens plutôt avec nous, dit le lion : nous cherchons l'homme pour le tuer.

Tous trois se remirent en route. Bientôt, un autre animal galopait à leur rencontre dans un nuage de poussière.

— Qui es-tu, et où vas-tu, bête aux longues pattes ? demanda le lion.

— Je suis un cheval, et je fuis pour ne pas rencontrer l'homme !

— Au lieu de fuir, viens avec nous, proposa le lion : nous cherchons l'homme pour le tuer.

Peu après, la petite troupe croisa un animal à deux bosses : c'était le chameau qui fuyait lui aussi devant l'homme.

Viens avec nous, nous allons le tuer ! lui assura le lion.

Ton rassurant

— Viens avec nous, nous allons le tuer ! lui assura le lion.

Ainsi, le lion, le canard, l'âne, le cheval et le chameau marchèrent ensemble un grand moment, puis ils rencontrèrent un vieillard qui portait des planches sur son épaule et des outils dans sa besace.

Avec étonnement

— Qui es-tu, bête bizarre ? demanda le lion.

279

— Je suis le charpentier, répondit le vieillard en tremblant de tout son corps.

— Viens donc avec nous, proposa le lion : nous cherchons l'homme pour le tuer.

— Eh bien… à vrai dire… je ne peux pas… je suis attendu chez la panthère.

— Ah bon ? dit le lion, étonné. Et pour quoi faire ?

— Elle a appris que l'homme s'était installé dans ce pays, et elle veut que je lui construise une maison dans laquelle aucun homme ne puisse entrer, expliqua le charpentier.

Le lion n'était pas très content que la panthère ait eu cette idée, et pas lui.

— Construis d'abord une maison pour moi, dit-il en grognant. Ensuite seulement tu iras chez la panthère.

— Mais c'est impossible, j'ai promis ! protesta le vieillard.

— MOI d'abord, rugit le lion… sinon je te dévore !

— Bon-bon-bon, comme tu voudras, tremblota le charpentier, je vais faire ta maison…

Il posa ses planches, sortit ses outils et peu après, il avait fabriqué une sorte de caisse.

— Tu peux entrer dans ta maison, dit-il alors au lion. Je mettrai le toit ensuite.

Le lion ne se fit pas prier. Il sauta dans la caisse, tout fier d'avoir une maison avant sa cousine la panthère. À peine était-il entré, que le charpentier cloua solidement le couvercle sur sa tête :

— Et voilà, l'homme ne peut plus entrer chez toi ! s'exclama-t-il en riant.

— Fort bien ! dit le lion, mais j'étouffe là-dedans ! Ouvre-moi !

Le charpentier se mit à rire de plus belle :

— T'ouvrir ? Pour que tu me tues ? Certainement pas ! Tu vas rester mon prisonnier !

Ils rencontrèrent un vieillard qui portait des planches.

Rire

Voix étouffée

Rire plus fort

Surprise

— Mais alors, c'est donc toi, l'homme ? demanda le lion qui commençait à comprendre.

Avec malice

— Eh oui, grand roi des animaux, et ma ruse est plus grande que ta force !

Au fond de sa caisse, le lion rugit de rage, mais rien n'y fit : il était pris. L'âne, le cheval et le chameau comprirent eux aussi qu'il était inutile d'essayer de fuir devant l'homme, et il se laissèrent entraîner sagement par le vieux charpentier...

Mais le petit canard, lui, tenait à sa liberté : il s'envola à tire-d'aile jusqu'à la mer, nagea des deux palmes pendant des nuits et des jours, et retrouva enfin sa petite île où il n'y avait pas d'homme, sa petite mare et sa belle petite vie.

Le Vieux Chien

Adapté d'un conte slovaque.

Ce conte est caractérisé par deux éléments :

— il peut apparaître comme une fable morale sur la sagesse des vieux, car ce qui est dit des deux chiens pourrait être dit de deux hommes ;

— il met en scène le thème que les folkloristes ont intitulé « La guerre des animaux », ici entre animaux domestiques et animaux sauvages. (Ce peut être aussi la guerre entre la gent ailée et les quadrupèdes, ou entre les oiseaux et les bêtes à poil.)

À partir de 4 ans

4 min

Montagne

Chiens
Loup
Berger
Autres
animaux

Il était une fois un chien de berger très vieux et plutôt mal en point : boiteux sur trois pattes, le poil miteux, l'œil bigleux et les crocs tout usés… Mais il était brave et rusé, et le loup n'avait jamais pu lui voler la moindre brebis.

Pourtant, un jour, le berger rapporta de la vallée un jeune chien flambant neuf, le poil vif et les crocs pointus.

Avec autorité

— Va-t-en ! dit-il à son vieux chien. Tu n'es plus bon à rien !
Et d'un coup de pied, il chassa la pauvre bête.

Le vieux chien ne s'éloigna pas. Il se cacha dans un buisson et
s'endormit, le ventre creux. Or, pendant la nuit, le loup vint et
n'eut aucun mal à emporter une brebis… car le jeune chien,
qui avait trop mangé, dormait sur ses deux oreilles et n'entendit rien du tout !

Avec regret

— J'aurais mieux fait de garder mon vieux chien ! s'exclama le
berger le lendemain matin. Au moins, il veille sur mon troupeau, lui !

Le vieux chien, en l'entendant, sortit de sa cachette et revint,
tout content, à la bergerie.

Ce soir-là, quand le loup pointa son vilain museau, prêt à
renouveler son larcin, il fut bien surpris de tomber sur le vieux
chien.

Surprise

— Comment, comment ? Je te croyais à la retraite ! dit le loup.

— Eh bien non, je suis toujours là ! répondit le chien. Et tant
pis pour toi ! Car tant que je les garderai, mes brebis, tu ne les
mangeras pas !

Ricaner

— Peuh ! ricana le loup. Puisque tu te crois si fort, viens donc
te battre avec moi demain, dans la clairière du petit bois :
amène deux de tes amis, j'en ferai autant… Nous verrons bien
alors si un vieux chien peut chasser le loup !

Et sur ces mots, il disparut dans la nuit.

Le lendemain, le vieux chien s'en alla au rendez-vous, avec le
chat et la truie, ses deux amis. Le loup les attendait dans la
clairière du petit bois en plaisantant avec l'ours et le renard,
ses deux compères.

Changer d'intonation à chaque réplique

— Ce sera la plus belle raclée de mémoire de chien !

— Pour sûr ! Ce vieux débris ne fait pas le poids !

— Croyez-moi, il va voir ce qu'il va voir !

Mais quand ils virent entre les arbres les trois amis s'approcher, ils changèrent de ton… Le vieux chien marchait en tête, boitant très fort de la patte avant.

– Regardez ! Il se penche à chaque pas pour ramasser des pierres ! Il veut nous assommer ! grogna l'ours tout affolé.

Le chat, lui, avançait avec élégance en balançant sa longue queue.

– Vous-vous-vous voyez co-co-co-comme il fait-fait-fait tou-tou-tou-tourner son sa-sa-sabre ! bredouilla le renard paniqué.

Les trois amis s'approchèrent.

Enfin, la truie trottait derrière, et elle grognait de joie, toute contente de se promener dans les bois.

– Ouh-ouh-ouh là là ! attention, celui-là donne le signal de l'assaut, fuyons ! cria le loup mort de peur.

Un instant plus tard, quand le vieux chien, le chat et la truie arrivèrent dans la clairière, les trois compères avaient disparu : l'ours était perché dans un arbre, le renard, blotti sous des ronces et le loup, caché derrière un rocher.

La truie aperçut quelques glands au pied de l'arbre : quand l'ours la vit s'approcher de lui en grognant de plus belle, ce gros lourdaud épouvanté sauta à terre et s'enfuit à toutes pattes.

Le chat vit une souris sous les ronces : il bondit toutes griffes dehors, et le renard, à demi mort de peur, fila comme une flèche.

Et le plus incroyable, c'est que quand le vieux chien leva la patte contre le rocher, le loup, croyant sa dernière heure venue, détala à son tour, la queue entre les jambes !

Quant aux trois amis, ne voyant personne, ils rentrèrent paisiblement à la bergerie, tout contents de leur petite promenade dans les bois. C'est ainsi que le vieux chien garda son cher troupeau de brebis jusqu'à la fin de sa vie, sans plus jamais entendre parler du loup !

comme des bêtes curieuses

La Terrible Bête du Gévaudan

Adapté d'une légende du Gévaudan.

Le Gévaudan appartenait, sous l'Ancien Régime, au grand gouvernement du Languedoc.

Au XVIIIe siècle, cette région fut troublée par l'apparition d'une bête mystérieuse, qui dévora, de 1765 à 1768, une cinquantaine de personnes. L'animal réussissait toujours à échapper aux pièges, aux chasseurs et aux poursuites. Cependant, au bout de trois années d'effroi et de terreur, le pays fut apaisé, mais l'énigme de l'identité de la bête n'était pas résolue.

En 1787, on attribua les massacres à un loup-cervier tué près de Saint-Flour.

À partir de 7 ans   5 min   Gévaudan   Monstre Chasseurs

Écoutez, gens des villes,
Au milieu de la nuit
Hurler la bête vile,
Sous la lune qui luit.

Souffrez donc qu'on vous narre
Les larmes, les cris, le sang,
L'effroi, le cauchemar
De nombreux innocents

Et comment l'animal,
Si féroce et cruel,
Un jour fut mis à mal
Par le sieur Jean Chastel.

C'est l'été 1764, en Gévaudan. Sur le plateau désolé, hérissé de rochers, de maigres bois, de broussailles, quelques rares genêts. Et un troupeau de moutons, conduit par un berger. Le ciel est lourd, menaçant. Le garçon pense à gagner la cabane de pierres, là-bas, près du ruisseau. Il appelle son chien, prend sa gourde et son sac. Et puis derrière un fourré proche, un grognement terrible. La terre et le ciel qui basculent. L'horreur.

Plus tard, on retrouvera le chien, seul, errant comme un pauvre fou, et le troupeau, éparpillé, décimé.

La Bête a encore frappé. Depuis quelques semaines, nombreux sont les enfants et les femmes qui ont disparu. On a d'abord songé à un loup. Mais ceux-ci ne s'attaquent qu'aux moutons et seulement l'hiver, lorsque la faim les tenaille.

Et le Gévaudan a peur. Alors les hommes s'arment et organisent une grande battue. Près de Pradels, on aperçoit un loup énorme, qui s'enfuit à l'approche de la troupe. On le poursuit, on l'accule et tous les fusils crépitent.

Crier

— La Bête est morte, crie-t-on.

Mais la joie est de courte durée. Dans les semaines qui suivent, les carnages continuent. Un jour, on trouve d'étranges traces : certes, elles ressemblent à celles d'un loup, mais elles s'enfoncent dans le sol beaucoup plus profondément, et on remarque des empreintes de griffes, alors que les loups ne possèdent que des ongles Curieux, vraiment.

La Bête.

D'ailleurs, ceux qui l'ont vue roulent dans leur mémoire une terreur sans nom : la Bête a la taille d'un veau, le poil rougeâtre, rayé de noir sur l'échine. Les oreilles sont pointues, plus courtes que celles d'un loup et sa gueule, hérissée d'une rangée de dents formidables, acérées comme des pieux. Épouvantable animal : à l'affût, il a, dit-on, l'allure d'un tigre. Ramassé sur lui-même, il bondit sur ses proies en fouettant furieusement l'air de sa queue.

Personne n'ose plus sortir des villages, hormis les hommes armés de fusils, qui traquent inlassablement la Bête monstrueuse.

En octobre, les chasseurs de Marvejols croient la débusquer. Ils tirent. Trois fois l'animal tombe, trois fois il se relève et disparaît dans les broussailles. On le cherche. En vain. Quand l'hiver commence, les hommes ont tué soixante-quatorze loups, dont certains d'une taille respectable. Mais la Bête reste introuvable et elle tue toujours.

Janvier. Des enfants sont attaqués par un animal gigantesque, surgi du néant. Comment réussissent-ils à le mettre en fuite, avec leurs pauvres bâtons ? Mystère ! Mais la Bête recule, s'enfuit. Et poursuit ailleurs ses abominables forfaits. On l'aperçoit dans le Cantal.

Le roi lui-même entend parler du monstre. Il envoie un louvetier en Gévaudan, qui traque et tue un loup d'une taille impressionnante. La Bête est embaumée. On la présente au souverain, à Versailles. Les massacres cessent enfin. On respire dans le pays.

On a tort. En décembre, on découvre de nouvelles victimes. La Bête est toujours vivante. De la sorcellerie, pensent les villageois. Et à l'époque, on parle beaucoup d'Antoine Chastel, un étrange ermite vivant au fond des bois, dans une cabane remplie de chiens et de loups dressés. Meneur de loups, murmure-t-on. Les gens l'accusent d'avoir partie liée avec la Bête, qu'on a vue, semble-t-il, errer près de sa hutte.

Bien sûr, Antoine Chastel s'en défend et on ne trouve preuve contre lui. Cependant, c'est son propre père, Jean Chastel qui, sans doute pour laver son fils de tout soupçon, prend la tête de l'ultime battue.

Car on la repère enfin. Les chasseurs courent dans les fourrés, la meute de leurs chiens hurlant après l'énorme masse noire qui dévale les pentes. On coince le monstre dans une combe, on braque cent fusils sur lui. Deux, trois salves tonnent. Rien n'y fait. La Bête semble invulnérable. Et elle regarde les hommes avec ses yeux jaunes, bien en face, comme si elle ne les craignait pas. Puis s'approche soudain de Jean Chastel, se ramasse sur elle-même, les flancs sanglants, le poil hérissé. L'homme ne recule pas. Il place calmement une balle bénite dans son canon, épaule son arme, et tire un seul coup, entre les deux yeux jaunes qui le fixent si étrangement. Le monstre vacille un instant, regarde une dernière fois Jean Chastel, et bascule dans les ravines.

C'est fini. L'épouvantable créature est morte.

Mais là où elle est tombée, il y a encore un mystère. Voyez comme l'herbe est rousse. Jamais les vaches ni les moutons ne la broutent. Et personne n'ose la fouler, ni même y jeter un œil. La Bête hante toujours le Gévaudan.

Persée et Méduse la Gorgone

Adapté de la mythologie grecque.

Le mythe de Persée semble avoir été très populaire en Grèce. De nombreux poètes y font allusion, comme Simonide de Céos, grand poète lyrique du VIe siècle avant J.-C., Hésiode et Pindare. L'histoire tout entière est racontée par Ovide et Apollodore.

Fils de Zeus et de Danaé, Persée est surtout connu pour avoir rapporté la tête de Méduse à Polydecte, le roi de Sériphe. Parmi ses fils figure Alcée, le grand-père d'Héraclès. Après sa mort, il est placé parmi les constellations.

À partir de
7 ans

8 min

Grèce

Persée
Roi
Gorgones
Grées
Dieux

Ô Acrise, roi d'Argos,
Toi le souverain féroce,
Un jour tu seras tué
Par le fils de Danaé.

Ainsi parle l'oracle. Féroce, Acrise l'est. Et aussi craintif que l'autruche. Il a peur. Il enferme Danaé, sa fille, dans une tour ronde, à l'abri des regards.

De l'Olympe, Zeus voit tout. Le maître des dieux s'éprend de la captive et, la visitant sous la forme d'une pluie d'or, lui donne un fils, Persée. Terrifié, Acrise songe à les tuer tous les deux, mais Zeus ne le permettrait pas. Alors, il embarque la mère et l'enfant dans une nacelle d'osier et les confie aux flots mugissants.

Poséidon veille et retient les tempêtes. Le fragile esquif aborde une terre, parmi les îles des Cyclades. On prévient Polydecte, le roi de Sériphe, qui recueille les naufragés. Danaé est belle. Elle plaît à Polydecte ; il en fait sa compagne. Mais le fils l'encombre. Et quand Persée atteint l'âge adulte, Polydecte cherche le moyen de s'en débarrasser. Le tuer ? Zeus foudroie ceux qui assassinent leur hôte.

Alors le roi ruse. Il parle à Persée des Gorgones, ces trois terribles sœurs, qui vivent aux confins du Crépuscule. Monstrueuses créatures recouvertes d'écailles, aux ailes immenses, coiffées d'une masse grouillante de serpents. Elles ont pour noms : Euryale, Sthéno et Méduse.

Méduse, surtout ! La plus hideuse, la plus cruelle de toutes. Celle qui a le pouvoir de pétrifier quiconque pose l'œil sur elle.

— Personne n'a jamais eu le courage de les affronter, soupire Polydecte. Personne !

L'orgueil est terrible, qui fait voler la prudence en éclats. Persée relève le défi. Il se dresse de toute sa taille et clame :

Soupirer

291

Voix solennelle

– La tête de Méduse roulera bientôt à tes pieds, ô Polydecte. J'en fais ici le serment.

Un rire secoue silencieusement les épaules du roi. Le jeune homme vient de mordre à l'hameçon bien plus vite qu'il ne l'espérait.

Persée embrasse sa mère et part sur l'heure, avec sa témérité pour seule arme. Mais il est fils de Zeus, et le maître de l'Olympe demande à quelques dieux d'aider le jeune audacieux. Athéna offre le bouclier de bronze poli qui lui couvre la poitrine ; Hermès, une épée propre à traverser les écailles les plus dures ; Hadès, un casque qui rend invisible.

Persée se pare paisiblement de tous ces ustensiles divins : avec la folle audace de son âge, il ne doute pas un seul instant de son succès. D'ailleurs Hermès ne le guide-t-il pas dans son voyage ? Personne ne sait où vivent les Gorgones, pas même Hermès. Mais il est de bon conseil :

– Va voir les Grées, lui dit-il. Elles seules connaissent le repaire des monstres.

Trois autres sœurs, encore. Trois très vieilles femmes, qui habitent un lieu sinistre, enveloppé de brumes et de ténèbres. Drôles de créatures : elles n'ont qu'un œil, qu'elles utilisent à tour de rôle pour veiller sur leur sombre territoire. Et personne n'échappe à leur terrible vigilance.

Les Grées.

La route est longue jusqu'au pays des Grées. Conduit par Hermès, qui vole au-dessus de lui, Persée y parvient enfin. Et il les voit, ces étranges vieilles femmes au corps de cygne, gris et fané, aux bras recouverts de longues ailes.

– Attends que l'une d'elles enlève son œil pour le passer à sa sœur, souffle Hermès. C'est le seul moment où l'obscurité tombe sur leurs têtes. Alors, arrache-le lui aussi vite que tu peux.

Persée suit le conseil du dieu. Il s'embusque près des trois Grées, et s'empare de leur œil. Pauvres femmes ! Affolées, elles se mettent à piailler comme des oies.

Crier

— Dites-moi où vivent les trois Gorgones, crie Persée, et je vous rends la vue.

Sans leur œil, les Grées sont perdues à jamais dans les ténèbres. Elles se résignent à indiquer le repaire des monstres.

C'est ainsi qu'Hermès et Persée arrivent jusqu'à l'île des trois épouvantables sœurs. Une chance : elles dorment, près de leur antre immonde.

Tout bas

— Prends mes sandales ailées, dit Hermès. Elles te permettront de planer au-dessus d'elles, et de fondre sur Méduse comme un goéland. Et surtout, ne regarde pas Méduse ! Sers-toi du bouclier poli comme d'un miroir.

L'aide du dieu est précieuse, ses conseils, judicieux. Persée chausse les sandales et, planant lentement dans le ciel, repère Méduse parmi les trois dormeuses, grâce au bouclier de bronze. C'est la plus grosse, la plus laide. Sa chevelure siffle atrocement et, quand elle respire, elle se gonfle et se dégonfle comme une outre monstrueuse. Persée descend jusqu'à elle, brandit l'épée d'Hermès, et, sans la regarder autrement que dans le bronze poli, tranche l'horrible tête.

Alors, des flots de sang jaillit un fabuleux cheval ailé. Pégase ! Et l'animal piaffe d'impatience. Que Persée grimpe sur son dos, et il l'emmènera loin de l'île des Gorgones ! Mais le jeune homme savoure son triomphe.

Crier

— Victoire ! hurle-t-il. J'ai vaincu Méduse !

L'imprudent ! Au cri du jeune homme, Euryale et Sthéno s'éveillent. Voyant l'incroyable spectacle de leur sœur décapitée, elles bondissent vers Persée, rugissant et sifflant, prêtes à le déchiqueter. Et sans péril, car elles sont immortelles ! Persée se coiffe alors du casque d'Hadès ; invisible aux yeux des deux Gorgones, il enfouit la tête de Méduse dans un sac, enfourche enfin la merveilleuse monture et disparaît dans les cieux, Hermès volant à ses côtés.

Persée brandit
la tête de Méduse.

De retour dans l'île de Sériphe, Persée apprend que le roi a chassé sa mère. Furieux, il se rend au palais de Polydecte, qui y donne un grand banquet. Sitôt au milieu des convives, il monte sur la table, revêtu du bouclier d'Athéna, et commence à raconter son exploit. Quand tous les regards sont tournés vers lui, il plonge la main dans le sac et en sort la tête monstrueuse. Même morte, Méduse a conservé son sortilège. Roi, courtisans, valets, tous sont changés en pierres.

Persée retrouvera sa mère, réfugiée dans un petit temple de l'île. Il offrira la tête de Méduse à Athéna, qui la fixera sur l'égide, le bouclier de Zeus.

Et Acrise, me direz-vous ? Acrise, le roi d'Argos, ce père indigne et cruel qui embarqua Danaé et Persée sur un frêle esquif. Il mourut, comme l'oracle l'avait prédit, tué par son petit-fils. Au cours d'un banal concours de lancer de disque, le lourd projectile, mal lancé par Persée, atterrit parmi la foule et tomba sur lui. Rappelez-vous la prophétie :

> *Ô Acrise, roi d'Argos,*
> *Toi le souverain féroce,*
> *Un jour tu seras tué*
> *Par le fils de Danaé.*

Les oracles ne se trompent jamais, voyez-vous.

La Tarasque au souffle de poison

Adapté d'une légende provençale.

Tarascon, que l'on découvre au bord du Rhône, entre Arles et Avignon, s'appelait, jusqu'au Ve siècle, Nerluc, c'est-à-dire Bois noir, en raison des bois sombres qui l'entouraient. Or à cette époque, une bête redoutable, la Tarasque, dévastait la région. Personne n'avait pu la vaincre.

Sainte Marthe venait des Saintes-Maries. Elle s'était convertie à la nouvelle foi chrétienne. Les habitants de Nerluc, qui ne savaient plus quoi faire pour se débarrasser du monstre, lui promirent de se convertir si elle réussissait à le dompter. Elle y arriva sans difficulté. La ville prit alors le nom du dragon. Désormais, elle s'appela Tarascon.

À partir de
6 ans

6 min

Provence

Jeune fille
Monstre
Villageois

En ce temps-là, il ne faisait pas bon vivre près du Rhône, ce puissant tumulte d'eaux vives. Les berges étaient infestées de bêtes féroces et de serpents venimeux, et les hommes faisaient de grands feux pour les chasser.

Mais entre Arles et Avignon, dans le trou d'un haut rocher sombre, vivait un monstre que nulle flamme n'effrayait. On ne savait ni d'où il venait, ni pourquoi il avait choisi cet endroit. On l'appelait la Tarasque.

À sa vue, les hommes étaient à ce point terrorisés que parfois leur cœur s'arrêtait de battre. Et comme il suffisait que l'épouvantable animal soufflât sur le passant son haleine empoisonnée pour qu'il tombât raide mort, rares étaient ceux qui lui échappaient.

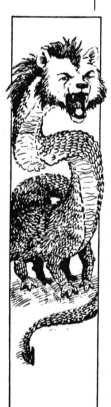

La Tarasque.

Quelques-uns cependant réussirent à porter témoignage de son effroyable aspect. Vraiment, c'était la plus monstrueuse créature qu'on ait jamais rencontrée ! Écoutez plutôt : une énorme tête de lion enflammée d'une rouge crinière de cheval, un corps de serpent aux écailles hérissées, tranchantes comme des rasoirs, six pattes de crocodile terminées par des griffes d'ours. Horrible, n'est-ce-pas ? Et ce n'était pas tout : son dos était couvert de deux gigantesques carapaces, comme celle d'une tortue, et semé de longues cornes dardées vers le ciel.

Qu'elle ouvrît sa gueule et l'on voyait luire dans le sombre orifice des rangées de dents acérées, propres à déchiqueter tout ce qui passait à sa portée, hommes ou bêtes. Enfin, quand elle fixait sa proie, ses deux gros yeux noirs lançaient des étincelles sulfureuses.

Vous comprenez maintenant pourquoi les bateaux passaient au large des rives, pourquoi les bergers n'allaient jamais faire paître leur troupeau dans les parages. Mais il y a toujours des imprudents ou des naïfs, et les victimes de la Tarasque étaient nombreuses.

Même les marins n'étaient pas à l'abri de l'atroce animal ; parfois, le Rhône bouillonnait atrocement et le dragon surgissait, fouettant de sa queue les flancs du bateau, engloutissant mâts, voiles et hommes.

Quand, au loin, les villageois entendaient les rugissements épouvantables du monstre, et ses sifflements terribles, ils savaient tous qu'une nouvelle fois la Tarasque venait de dévorer un des leurs.

Voilà comment l'horreur s'était installée de ce côté-ci de la Provence. Et chacun de se réfugier au cœur de sa maison et de trembler au moindre bruit.

C'est dans cette contrée de malheur que Marthe arriva, un soir d'été. Comme à son habitude, elle annonça la parole de Dieu à la foule assemblée. Ordinairement, on l'écoutait, tant elle était convaincante. Mais ce soir-là, les gens semblaient distraits. Un homme l'interrompit.

Voix forte
— Si le dieu que tu nous prêches a quelque pouvoir, qu'il nous débarrasse de la Tarasque !

La Tarasque ? Marthe n'en avait jamais entendu parler. Elle fendit la foule, questionna son contradicteur.

— Le malheur est sur nous, femme, dit-il. Il est ici, près du Rhône, une créature infernale qui nous dévore la vie et la paix.

Crier
— Prouve-nous la puissance de ton dieu, et nous nous convertirons ! hurla quelqu'un.

Terrible propos. Que pouvait donc cette femme chétive contre l'effrayante Tarasque ? Mais Marthe sourit et dit d'une voix douce :

Voix douce
— Tout est possible à celui qui croit.

Et, invitant la foule stupéfaite à la suivre de loin, elle se dirigea vers le repaire du monstre. Certains ricanaient, d'autres frissonnaient en pensant à la mort certaine de la jeune femme.

Mais tous l'escortèrent. Quand elle arriva devant l'antre de la Tarasque, des gens lui crièrent de faire demi-tour. Elle se retourna et répéta :

Voix douce
— Tout est possible à celui qui croit.

Et elle entra dans la caverne, au flanc du rocher. La Tarasque était là, ses deux gros yeux sombres fulminant dans l'obscurité. Elle vit une ombre qui s'approchait d'elle, et ouvrit sa gueule pour la flétrir de son horrible souffle.

– Apaise-toi, Tarasque, dit simplement Marthe.

En même temps, elle brandissait devant les naseaux fumants sa pauvre croix de bois. Cela suffit. L'atroce créature baissa la tête, soumise. Puis Marthe défit la ceinture qu'elle portait autour de sa taille et, l'ayant nouée au cou de la Tarasque, elle traîna l'animal hors du trou.

Marthe brandissait
sa croix.

Dehors, cent paires d'yeux fixèrent l'incroyable couple avec toute l'incrédulité du monde. Puis, voyant que le dragon était aussi inoffensif qu'un cochon de lait, la foule s'approcha. Mais personne n'osait encore y croire tout à fait. La peur était toujours accrochée à leurs basques.

– Gens de peu de foi, je vous livre la Bête ! cria Marthe.

Et elle ordonna à la Tarasque d'accepter le châtiment des hommes. Lentement le monstre se coucha à ses pieds. La seule ceinture de la jeune femme semblait suffire à la dompter.

Alors, seulement alors, la foule se déchaîna. On lança des pierres, on perça le flanc du dragon à coups de lances, de flèches, d'épées. La Tarasque ne bougea pas. Elle mourut sans avoir esquissé le moindre geste.

Autour du corps sans vie, ce fut une fête fantastique. On dansa, on chanta, on loua le courage de Marthe. Enfin, la Provence allait vivre sans effroi.

Les villageois tinrent leur promesse. Tout le monde crut à la parole de Marthe et à son dieu. Il y eut des baptêmes par milliers. Et ce lieu maudit, autrefois appelé Nerluc, le Bois Noir, fut nommé Tarascon, en souvenir de la terrible Tarasque.

Rê, l'Oiseau Soleil

Adapté de la mythologie égyptienne.

Dieu du soleil, Rê (ou Râ) était représenté avec un corps d'homme, à visage humain surmonté du disque solaire, ou à tête de faucon. Sa capitale était Héliopolis où, créateur du monde, il avait donné naissance aux neuf dieux primordiaux.

Il montait chaque matin dans la barque du jour pour accomplir son voyage diurne au ciel d'Égypte en luttant contre le serpent Apopis, puis il passait dans la barque de la nuit où il se faisait haler dans le monde inférieur.

À partir de la seconde dynastie, les pharaons s'intitulèrent « fils de Rê », et à la cinquième dynastie, ils étaient tous considérés comme fils et incarnations du Soleil, ce dont témoigne la construction des pyramides, monuments essentiellement solaires.

À partir de 7 ans

7 min

Égypte

Rê
Serpent
Lionne
Autres dieux

C'est l'aube, sur la terre d'Égypte. Là-haut, Horus, le dieu faucon, vient de fermer son œil gauche, là où se tient la lune. Il ouvre son œil droit, pour que Rê, l'Oiseau Soleil, puisse commencer sa course dans le ciel.

Le voyage de Rê sera long et le dieu doit manger à sa faim : mille serviteurs s'affairent autour d'oies rôties, de bœufs grillés. Il doit boire, aussi. Dans une jarre, on a versé de la bière ; on remplit des coupes de vin et de liqueur.

Et, glissant sur les eaux célestes, le bateau de l'Oiseau Soleil quitte lentement la berge de l'Aurore, pour aller aux confins de l'Orient. Plus tard, il montera dans une seconde barque, guidant sa course vers les rives du Crépuscule, à l'Occident.

En bas, les hommes lui font fête. Car le soleil est roi, sur cette terre d'Égypte. C'est lui qui règle les affaires en cours, accorde audience aux puissants comme aux humbles, soigne leurs blessures, apaise leurs querelles. Il est le Tout-Puissant, le bienfaiteur des hommes. Et lorsqu'il s'engouffre dans la bouche de Nout, la voûte céleste, l'obscurité tombe sur l'Égypte et les hommes se retrouvent bien seuls.

Rê, l'Oiseau Soleil.

Ils s'endorment alors, sans savoir que l'Oiseau Soleil poursuit inlassablement son éternel voyage : car dans le corps de Nout est embusqué Apôpis, le serpent gigantesque, semblable à celui qui hante le Nil et en dévore parfois les rives. Apôpis se dresse sur le passage du dieu. Il siffle, écume, fouette l'air de sa queue et attaque l'embarcation de Rê. Le combat est terrible et, si l'Oiseau Soleil s'en relève toujours, le reptile géant le fait parfois défaillir. Jusqu'à provoquer ce que les hommes, sur la Terre, appellent une éclipse.

Quand Apôpis, vaincu, replonge enfin dans l'abîme, l'Oiseau Soleil réapparaît. Et sur la terre d'Égypte, les hommes l'accueillent en hurlant leur joie.

Mais voici : las de combattre chaque nuit Apôpis dans le ventre de Nout, d'écouter les hommes, et de payer de sa personne, jour après jour, Rê faiblissait. Nul n'est inépuisable, n'est-ce-pas ?, même un dieu.

Ses os durcirent, jusqu'à devenir argent, ses chairs se transformèrent en or, sa longue chevelure se pétrifia. Rê se courbait de plus en plus, marchait en claudiquant, et sa vieille bouche bavait comme celle des vieillards.

Les hommes d'Égypte s'en aperçurent et la rumeur enfla. On se moqua de Rê, on le montra du doigt, on rit à son passage. Le dieu entendit tout cela et entra dans une colère épouvantable. Il convoqua tous les dieux et leur cria sa rage :

En colère

— Certains des hommes me méprisent, à présent que je vieillis ! Ils oublient tous les bienfaits que je leur ai fournis depuis tant d'années.

Les dieux hochèrent la tête. Certes, les hommes étaient bien ingrats. Et Rê poursuivit, la bouche déformée par la haine :

En colère

— J'ordonne le massacre des hommes qui m'ont manqué de respect !

Stupeur. Le châtiment était terrible ! Noun, père de Rê, prit la parole.

Ton grave

— Mon cher fils, j'admets qu'il faut punir les coupables. Mais il faut un procès équitable, selon les règles.

Rê balaya l'argument d'un revers de main.

— Convoquer les hommes ? Tu connais leur fourberie, Père. Ils s'enfuiront dans les sables rouges du désert et nous échapperont.

Chacun en convint et l'assemblée se prononça pour l'effroyable massacre.

Alors l'œil de Rê prit la forme de Sekhmet, la lionne sauvage. Et bientôt, le fauve, bondissant à travers villes et campagnes, sema la terreur sur la terre d'Égypte, massacrant sauvagement tous les hommes qu'il rencontrait. Le sol se teinta de sang. Rê vit cela et fut horrifié. Il héla Sekhmet, la supplia d'arrêter la tuerie. Mais la lionne, écumante, grisée de carnage, continua son horrible travail, jusqu'à la nuit. Puis elle se coucha sur le sable, repue, songeant à l'hécatombe du jour suivant.

Rê était désespéré. Châtier les coupables, soit, il l'avait voulu, mais pas cette extermination impitoyable ! Il fallait qu'il agisse vite ! Il ordonna aux plus rapides messagers de ramener forte quantité de mandragores. Les meuniers pilèrent les plantes, pendant que servantes et valets malaxaient l'orge. On prépara ainsi sept mille cruches de bière, qu'on mélangea avec le sang des victimes de Sekhmet.

– Cette boisson sauvera les hommes, dit Rê.

Il donna l'ordre d'aller répandre le philtre sur le sol sableux, là où Sekhmet s'était couchée. Et comme la nuit était trop noire pour la besogne, il alluma une lueur rose dans le ciel, faisant pointer l'aube bien avant l'heure. On versa le breuvage magique sur la terre d'Égypte, tout autour de la lionne endormie.

L'aurore vint. Sekhmet ouvrit les yeux, s'étira paisiblement. Elle savourait déjà la journée sanglante à venir. Il était temps de se mettre en route. Elle huma l'air, pour prendre le vent. Alors, elle sentit un parfum délicieux, qui l'enivra soudain. Céleste surprise ! La terre était couverte d'une bière divine ! Elle plongea sa gueule dans la liqueur ambrée et but, but, but jusqu'à vaciller sur ses pattes ; saoule comme elle ne l'avait jamais été. Et elle s'éloigna en titubant, sans plus se préoccuper des hommes. Par Rê ! Que cette boisson était délectable !

Longtemps, dans les sables rouges du désert, on entendit les rugissements de la lionne, ivre de ce fabuleux mélange de bière, de sang et de mandragore. Les hommes étaient sauvés. Pour le moment du moins, car il était à craindre qu'une fois dissipés les effets de l'ivresse, Sekhmet ne revînt à la charge.

Alors, Rê s'adressa aux hommes d'Égypte :

– Désormais, chaque jour de l'année, vous brasserez pour Sekhmet, la déesse issue de mon œil, autant de bière qu'il faudra pour apaiser sa soif, jusqu'à la fin des temps. Vous saurez ainsi qu'il n'est pas bon de manquer de respect à votre roi.

Mandragores et leurs racines.

Voix solennelle

Les hommes rescapés du massacre lui rendirent grâce. Le sang avait trop coulé. Et chaque jour, pendant que l'Oiseau Soleil voguait là-haut sur sa barque, ils fabriquèrent mille et mille cruches de bière, pour que Sekhmet la lionne terrible ne bondisse plus de l'œil de Rê.

Alors l'Oiseau Soleil continua à vieillir paisiblement, comme les hommes d'Égypte. Plus personne ne se moqua de lui. Un jour, il s'endormira et la Terre sera plongée dans des ténèbres profondes. Mais ceci est la seconde histoire de notre monde. Il n'est pas temps de la conter.

La grand-mère qui savait parler au dragon

Texte de Jean-Jacques Vacher, publié dans le magazine Toupie, *n° 11 (août 1986).*

À partir de 2 ans

3 min

Château

Grand-mère
Enfants
Roi
Soldats
Dragon

Il était une fois une grand-mère qui vivait dans un château avec son fils, le roi du pays. Le roi avait deux enfants, un garçon et une fille. Ils adoraient tous les deux leur grand-mère car elle leur racontait de belles histoires, elle leur préparait des goûters délicieux, elle leur faisait des baisers par milliers et, surtout, elle inventait pour eux des noms rigolos.

Elle appelait le garçon : mon doudou ! Elle appelait la fille : ma bichette ! Et lorsqu'elle se promenait avec ses petits-enfants dans sa vieille voiture, elle disait :

— Venez, les enfants, on va promener dans la toto !

Elle leur montrait des toutous, des dadas, des meuhmeuhs, des cocottes…

Un jour, le roi très en colère dit à la grand-mère :

En colère

— Écoute, mes enfants ne sont plus des bébés… Tu ne leur parles pas comme il faut ! On ne dit pas une toto, on dit une voiture ; un dada, c'est un cheval ; une cocotte, c'est une poule ; une meuhmeuh, c'est une vache ; et un toutou, un chien ! Mon fils n'est plus un doudou, mais un Prince. Ma fille n'est plus une bichette, mais une Princesse !

Le roi n'eut pas le temps d'en dire plus. Un soldat arriva en courant et dit :

Voix affolée

— Majesté ! Un dragon est tout près de votre château.

Le roi répondit aussitôt :

— Il faut arrêter ce dragon, l'écraser, le couper en petits morceaux !

La grand-mère s'écria :

— Non, attendez, il est peut-être gentil !

Mais personne ne l'écouta. Déjà les soldats envoyaient des flèches et des pierres sur le dragon. Le dragon était blessé et cela le rendait furieux. Il donnait des grands coups de queue et brûlait le toit des tours avec des flammes sorties de sa gueule.

Alors, la grand-mère courut vers la porte du château. Le roi essaya de la retenir, mais trop tard ! La grand-mère était sortie.

Le dragon vit la grand-mère et il grogna plus fort. Mais la grand-mère avança vers lui en murmurant :

— Qu'il est mimi, le dragon à sa mémé…

Le dragon n'avait jamais entendu des mots aussi doux. Tout doucement, la grand-mère s'approcha du dragon en disant :

Le dragon.

305

– Allez, c'est fini, ça va passer. Montre à mémé où tu as bobo.

Le dragon s'allongea sur l'herbe. Elle le caressa et elle lui dit :

– Oh ! le pauvre, il a fait bobo à ses pattes, à ses petits petons, à ses menottes, à son petit bedon !

Du haut des remparts, le roi et ses soldats n'en croyaient pas leurs yeux ni leurs oreilles. La grand-mère enleva toutes les flèches plantées dans le corps du dragon et le dragon lui lécha les mains. La grand-mère dit au dragon :

– Maintenant, tu me promets de ne plus faire peur à personne. Tu seras un dragounet mignon ?

On dit que la grand-mère et ses petits-enfants vont souvent voir le dragon dans sa caverne. C'était une grand-mère qui savait parler aux dragons.

Pégase, le cheval aux ailes d'aigle

Adapté de la mythologie grecque.

Bellérophon est le héros qui réussit à dompter Pégase, le cheval ailé, symbole de l'inspiration poétique. En effet, d'un coup de son sabot, il fit jaillir la source Hippocrène, auprès de laquelle se réunissaient les muses. C'est là que les poètes venaient chercher l'inspiration.

On retrouve des épisodes de cette légende chez les premiers poètes. Hésiode, au VIIIᵉ ou IXᵉ siècle avant J.-C., évoque la Chimère ; L'Iliade relate la triste fin de Bellérophon. C'est toutefois Pindare, au début du Vᵉ siècle, qui a le mieux narré toute l'histoire.

À partir de 7 ans   5 min   Grèce L'Olympe   Bellérophon Pégase La Chimère Zeus

C'était le temps où Zeus régnait sur l'Olympe, posant parfois sur les hommes un œil bienveillant, parfois leur jetant ses terribles foudres. Ainsi punit-il de mort Glaucos, roi de Corinthe, parce qu'il nourrissait ses chevaux de chair humaine.

Glaucos avait un fils, Bellérophon, qui, comme son père, avait la passion des chevaux. Mais ce jeune homme doux et délicat se contentait de les admirer, passant de longs moments à leur flatter l'encolure, les regardant galoper dans la montagne. Zeus trouva que le fils valait mille fois mieux que le père et lui offrit sa protection.

Est-ce lui qui envoya paître Pégase, le fabuleux cheval ailé, sur la montagne qui dominait Corinthe ? Nul ne le sait. Mais quand Bellérophon vit la fameuse créature, une grande émotion lui noua la gorge. Pégase, cette monture divine, née du sang de la Gorgone Méduse, et jadis chevauchée par Persée ! Pégase, dont le seul sabot heurtant l'Hélicon, la montagne des Muses, avait fait jaillir l'Hippocrène, la source préférée des poètes ! Pégase aux deux grandes ailes d'aigle !

Bellérophon n'eut plus alors qu'un désir : capturer la bête merveilleuse, et la monter à sa guise. Il courut sur les hauteurs de Corinthe, mais l'animal céleste ne se laissa pas approcher. À chacune de ses tentatives, d'un simple coup d'ailes, il se mettait hors de portée.

Bellérophon était au désespoir. Il implora le ciel. Athéna, fille de Zeus, l'entendit. Elle eut pitié du jeune homme et visita ses rêves. Le matin, Bellérophon trouva une bride d'or au pied de sa couche. Dans sa tête résonnaient encore les paroles de la déesse : « Prends ce mors, fils de Glaucos, et tu chevaucheras ton désir ! »

Il monta sur les hauteurs de la ville, approcha Pégase, et, lui flattant le col, lui passa le frein d'or. L'animal ne broncha pas quand le jeune homme l'enfourcha. Tous les deux, cavalier et monture, s'envolèrent dans le ciel. Bellérophon était fou de joie. Et le couple devint inséparable. Jamais chasseur ne fut plus intrépide, monté sur une telle cavale, et ses flèches volaient comme des traits magiques.

Mais un noir destin s'attacha à ses pas. Un jour de chasse, Bellérophon tua son frère par accident. Lors, accablé par le sort, le jeune homme erra d'exil en exil, jusqu'à la cour de Iobatès, roi de Lycie.

Ce fut là qu'il apprit l'existence d'un monstre qui ravageait la contrée : la Chimère. Effroyable animal à la tête de lion, au corps de chèvre, à la queue de dragon, elle engloutissait bêtes et gens de la plus atroce façon, et le pays vivait dans la terreur. Bellérophon promit à Iobatès de la combattre. Saisissant son carquois et ses flèches, il enfourcha Pégase et s'envola vers l'aire terrible, sur la crête de la montagne.

Bellérophon décocha ses dards.

Épouvantable Chimère ! Quand les deux amis survolèrent son gîte, elle était attablée à un horrible festin, se repaissant de chair humaine, de moutons et de bœufs. Elle leva sa tête de lion, aperçut Bellérophon et rugit, d'un cri terrifiant, avant de cracher vers lui un torrent de flammes. Tout autre combattant eut été rôti sur l'heure. Mais d'un battement d'ailes, Pégase fit un écart et évita le jet de feu. La Chimère battit l'air de son énorme queue, fit trembler la montagne de ses sabots, et ouvrit sa gueule pour vomir de nouveau sur l'importun son venin embrasé.

Alors, tandis que Pégase tournoyait au-dessus d'elle, Bellérophon décocha ses dards, de sa main sûre, et transperça de cent traits le corps de la Chimère. Criblée de flèches, elle s'abattit bientôt rugissant atrocement, tordant sa queue en tous sens, puis mourut, après un épouvantable et ultime soubresaut.

Le monstre était vaincu.

L'histoire aurait pu s'arrêter là, et Bellérophon couler des jours heureux auprès de Philonoé, la fille d'Iobatès, qu'il avait épou-sée à son retour triomphal. Mais il était écrit que le jeune homme ne connaîtrait jamais la paix.

Gonflé du vent de ses exploits, se croyant digne de partager la demeure des dieux, Bellérophon voulut mener Pégase jusqu'à l'Olympe. Zeus s'en irrita. Il envoya un taon venimeux à leur rencontre. L'insecte piqua la croupe de Pégase qui, fou de dou-leur, se cabra furieusement, désarçonnant Bellérophon.

Le jeune homme retomba sur la terre. Son ambition démesu-rée l'avait brisé. Désormais haï des dieux et des hommes, il erra jusqu'à sa mort, solitaire à jamais.

Seul Pégase parvint à la demeure céleste. Zeus le recueillit et lui donna un rôle à sa mesure : lorsque le maître de l'Olympe fulminait et entrait dans une de ses terribles colères contre les hommes ou les dieux, c'est Pégase qui lui portait le tonnerre et l'éclair.

Le Loup-garou du Bois-Rouge

Adapté d'une légende française.

Il arrivait parfois, à la suite de sombres histoires auxquelles le diable n'était pas étranger, que des hommes soient contraints, par des nuits de pleine lune, à se changer en loup (ou en un autre animal : veau, chien, bœuf...). Un peu avant le lever du jour, ils reprenaient leur apparence humaine.

Cet envoûtement pouvait durer de longues années, sept ans, parfois plus. Si le possédé mourait avant que les sept ans fussent écoulés, il appartenait au diable ; si, au contraire, il atteignait la huitième année de possession, il se libérait de l'emprise du démon. Mais il était aussi possible d'être délivré grâce à une intervention humaine...

La croyance populaire en l'existence des loups-garous était très répandue dans toutes les régions françaises. Il faut dire que les loups, jusqu'à la fin du XIXe siècle, ont provoqué des ravages importants et se trouvaient ainsi chargés d'une aura terriblement maléfique.

À partir de
8 ans

6 min

Campagne

Jeune
homme
Loup
Forgeron
Diable

osme aimait les nuits de pleine lune. Quand le village tout entier dormait, il jetait sur ses épaules une épaisse cotte de lin et partait dans la campagne. Il lui plaisait de voir, baignés par l'œil blême de la lune, les collines et les bois. Ou luire doucement les pierres sur le chemin, et les ponts de bois au-dessus des ruisseaux. Il grimpait sur les hauteurs du Bois-Rouge et s'asseyait sur quelque rocher, guettant le moindre bruissement, attentif à tous les fourmillements de la nuit. Il adorait surprendre les lièvres qui dansent dans les prés, le vol d'une chouette ou le passage d'un renard. La nuit est magique, et Cosme le savait mieux que personne.

Un soir qu'il reposait sur l'herbe, les yeux rivés aux étoiles, il entendit fourrager dans un buisson proche. Et une ombre passa près de lui. Un homme, semblait-il. Cosme le suivit, sans réfléchir. Était-ce, comme lui, un amoureux de la nuit ?

L'individu se dirigea vers un lieu que Cosme connaissait bien : la mare aux fées. On disait qu'il s'y passait des choses étranges, à la tombée du jour. Étranges, oui : l'homme entra dans l'eau sombre et, sous l'œil ahuri de Cosme, se roula dans la vase pendant un long moment. Puis il se releva. Cosme eut un haut-le-corps. C'était un loup qui sortait de la mare ! L'homme était un loup-garou ! Et il fila prestement sur ses quatre pattes, vers le village.

Un loup-garou ! Ébahi, oui, Cosme l'était. Mais il n'avait pas peur. Il suivit la bête de loin. Il la vit entrer dans une bergerie. L'instant d'après, elle ressortait, traînant un mouton, et prenait la direction du Bois-Rouge. Le cœur battant, Cosme s'enfonça dans les taillis derrière elle.

C'était un loup qui sortait de la mare.

Le loup déboucha dans une clairière et posa sa proie dans l'herbe. Il sembla attendre. Bientôt, les fourrés s'agitèrent et Cosme sentit une forte odeur de soufre. Incroyable ! Il vit surgir de l'ombre des sorcières, des fées et même... Nul doute, ce petit homme difforme aux pieds fourchus et aux yeux rouges, c'était le diable ! Ce fut lui qui alluma un grand feu de broussailles, lui qui dépeça le mouton et le fit rôtir au milieu des flammes. Le sabbat ! C'était le sabbat ! Et le festin dura toute la nuit, bruyant et terrible. Cosme vit mille feux follets fulminer et voltiger dans les arbres. Il entendit les hurlements étranges que poussèrent les sorcières en dansant leur ronde effrénée. Il regarda, épouvanté, les monstres aux cheveux de serpents, descendus du ciel en sifflant, et qui se mêlaient aux bataillons de crapauds fourmillant dans l'herbe. Horrible et infernale fête ! Immobile près des flammes, Satan jetait sur tous son regard étincelant comme la braise.

Puis la lune, qui s'était un moment teintée de rouge, telle une éponge gorgée de sang, disparut dans le ciel, avalée par un lourd nuage de plomb. Les diaboliques créatures disparurent. Le brasier s'éteignit, la clairière retrouva la paix. Et le loup, resté seul, retourna vers la mare aux fées, Cosme à ses trousses.

De nouveau le buisson, là où l'ombre tout à l'heure s'était matérialisée. Ce fut le moment que la lune choisit pour se débusquer. Sa pâle lumière éclaira la scène. Cette fois, Cosme voyait tout distinctement. Il n'y avait là qu'un homme, qui se rhabillait à la hâte. Et cet homme, Cosme le connaissait bien. C'était Jean Portevergne, le forgeron.

— Jean, tu es donc loup-garou, murmura doucement Cosme.

L'autre sursauta. Il se mit à pleurer.

— Ah, Cosme, mon ami ! Le diable m'a en sa possession. J'ai beau lutter, c'est plus fort que moi. Il a toujours le dessus. Voilà bientôt dix ans que, chaque soir de sabbat, je me trans-

Doucement

Pleurer

forme en loup-garou. Et je vole un mouton pour nourrir le souper de ces terrifiants convives.

Il s'agenouilla aux pieds de Cosme, pitoyable, le visage ruisselant de larmes.

Continuer à pleurer

— Depuis dix ans, cependant, j'ai appris mille secrets. Aide-moi, mon ami. Je sais un sortilège qui peut me délivrer de cette maudite possession !

Cosme le releva.

— Dis-moi tout, Jean. Je t'aiderai.

La figure du forgeron s'éclaira.

— Alors, au prochain sabbat, viens dans la clairière. Munis-toi d'un sabre long comme une nuit d'hiver. Tu ne me verras pas, je serai invisible à tes côtés. Fais tournoyer le sabre, jusqu'à ce que tu sentes un choc. Alors, tu sauras que je suis touché, et à la première goutte de sang qui coulera sur l'herbe, je serai guéri à jamais de la possession de Satan.

Cosme hocha la tête. Il tremblait à l'idée de retrouver les horreurs du sabbat. Mais il fallait que le diable s'éloigne à jamais du corps de son ami.

Cosme fit tournoyer l'arme.

Le samedi suivant, vers minuit, il se rendit dans la clairière du Bois-Rouge. Le sabbat avait déjà commencé. Malgré sa panique, Cosme avança parmi les sorcières, les créatures infernales et les fées. Près du grand feu, le diable dépeçait un mouton. À la vue de ce jeune homme qui tenait une énorme épée, le vacarme cessa. Quand Satan posa les yeux sur lui, Cosme trembla de tout son être, mais il fit ce qui était convenu. Faisant tournoyer l'arme, il sentit bientôt l'acier frapper quelque chose dans l'air. Le sang gicla et Jean Portevergne roula sur le sol.

Alors mégères, sorciers, fées, monstres sifflants, crapauds, diable, tous disparurent. Et le forgeron se releva, blessé à la jambe, mais riant, pleurant comme un enfant.

Ton joyeux

– Tu m'as rendu la vie, Cosme !

La blessure était légère. Au village, on le soigna, sans poser de question. Dès ce jour, Jean Portevergne fut délivré du démon, et plus jamais il ne courut dans l'obscurité, un mouton dans la gueule, alimenter le festin du sabbat.

Cosme continua, lui, à errer la nuit sous les étoiles, avec la lune pour seule compagne. Peut-être rencontra-t-il d'autres loups-garous, peut-être même les rendit-il à leur vie d'homme, maintenant qu'il savait le faire ? Mais cela, il ne l'a jamais raconté à personne.

Le Chien d'Hadès

Adapté de la mythologie grecque.

Héraclès est le plus célèbre des héros grecs. Fils de Zeus et d'Alcmène, il est d'abord appelé Alcide. Le nom d'Héraclès, qui signifie « la gloire d'Héra », est dû à l'épreuve permanente que fut sa vie terrestre, épreuve inspirée par la haine de la déesse.

Héraclès incarne la force mise au service des causes justes. Outre ses douze travaux, il vient à bout d'innombrables monstres qui terrorisent les contrées de la Grèce. Comme Œdipe, il représente l'homme qui s'efforce de faire le bien et commet des crimes malgré lui : frappé de folie par Héra, il tue son épouse Mégara et les fils qu'elle lui avait donnés. C'est pour expier ces meurtres qu'il se met au service d'Eurysthée, son cousin, et qu'il exécute sur son ordre les douze travaux.

Le dernier de ces travaux consiste à ramener Cerbère des Enfers, puis à le reconduire au royaume des morts ; lors de sa descente aux Enfers, il blesse Hadès et libère Thésée. Les aventures d'Héraclès se poursuivent après les douze travaux.

Enfin, vient « l'apothéose d'Héraclès » qui, monté au ciel, se réconcilie avec Héra et prend comme femme Hébé, symbole de l'éternelle jeunesse.

Les colonies grecques de l'Italie méridionale ont fait connaître son culte aux Latins qui l'ont adopté sous le nom d'Hercule et en ont fait le héros de légendes qui, bien sûr, se déroulaient en Italie.

À partir de 7 ans

4 min

Royaume des Enfers

Héraclès
Cerbère
Roi

Il est un lieu terrible dont on ne parle jamais qu'en murmurant. Un lieu d'ombres douces, de paix, mais aussi de terribles châtiments. Nul ne sait ce qu'il va trouver avant qu'Hadès, qui règne ici, ne le décide. Ce sont les Enfers, royaume souterrain, où descendent les âmes des morts. Les unes iront dans les vergers accueillants des Champs-Élysées, les autres, dans les profondeurs sombres du Tartare.

Et aux portes des Enfers, il y a Cerbère. Cerbère, l'effroyable chien à trois têtes, dont les trois gueules béantes crachent du venin. Cerbère, le gardien monstrueux au cou hérissé de serpents. Cerbère, fils du géant Typhon et d'Échidna, la vipère. On le dit doux et caressant pour les âmes qui entrent ici. Mais que l'une d'entre elles veuille fuir les Enfers, et Cerbère la dévorera impitoyablement. Personne n'échappe à ses trois gueules, personne.

Cerbère,
le chien à trois têtes.

Et c'est pourtant cette immonde bête qu'Héraclès doit affronter aujourd'hui. Eurysthée, roi de Mycènes, vient de le lui ordonner.

Grâce à Mercure, le messager des dieux, le colosse obtient l'autorisation de pénétrer dans le royaume infernal. C'est que nul être vivant n'a le droit d'y entrer. Et si Hadès accepte, il y met une terrible condition : qu'Héraclès affronte Cerbère à mains nues. Ni javelot ni massue ni arme d'aucune sorte.

Soit. Héraclès accepte, et se contente de couvrir ses épaules de la dépouille du lion de Némée, cet autre fils d'Échidna, qu'il a tué jadis. La peau, aussi dure que l'acier d'un glaive, sera son unique cuirasse.

Le voici devant la porte d'airain, qui ferme le palais d'Hadès. Sous l'immense voûte caverneuse, résonne déjà l'écho d'épouvantables aboiements, et Cerbère surgit du néant, ses trois gueules ouvertes. Ce seul spectacle eut suffi à anéantir quiconque. Mais Héraclès n'est pas de la race des vaincus. Il reçoit le monstre sur sa poitrine, et, basculant avec lui sur le sol, emprisonne son unique cou dans l'étau de ses bras. Cerbère se débat, griffe, écume, referme cent fois sur Héraclès ses trois mâchoires, lui inflige cent blessures. Le héros tient bon, et à chaque sursaut, il resserre de plus belle son étreinte. Longtemps tous deux roulent sur la terre, l'un suffoquant, l'autre, le visage durci par l'effort et la douleur.

Et puis d'un coup, le corps de Cerbère devient flasque. La bête est étouffée, ses trois langues pendent dans la poussière. Héraclès rugit. Un long cri de victoire. Mais attention : vaincu, le monstre n'est pas mort. Vite, lui lier les pattes, les mâchoires, le jeter sur son dos et quitter les Enfers !

Quand Héraclès dépose aux pieds d'Eurysthée le corps immobile, le roi est frappé de terreur.

— Renvoie ce monstre hideux aux Enfers ! hurle-t-il en se voilant les yeux du pan de sa tunique.

Crier

Ainsi Cerbère ne resta pas longtemps au royaume des vivants. Qu'y eut-il fait, d'ailleurs ? On le mena sous bonne escorte aux portes du palais infernal, et il reprit son sinistre travail. Pour le reste des temps à venir.

> *Vous qui pénétrerez au royaume d'Hadès,*
> *Parmi les âmes noires, les ténèbres épaisses,*
> *Passez si vous pouvez au large de Cerbère,*
> *Ce fauve sanguinaire, le gardien des Enfers.*

Saint Georges et le Dragon

Adapté d'une légende de la littérature chevaleresque.

Selon la légende, saint Georges était un soldat romain, chrétien, qui fut martyrisé en Palestine au début du IVe siècle.

À partir du VIe siècle, il fut représenté comme un guerrier valeureux, qui aurait sauvé la fille d'un roi qu'un dragon allait dévorer. En Angleterre, où il était connu dès le VIIIe siècle, son culte se répandit beaucoup au cours des Croisades (XIe - XIIIe siècles).

Patron de la chevalerie, il devint le patron national de l'Angleterre au XIVe siècle, et l'ordre de la Jarretière fut placé sous sa protection.

À partir de 7 ans   6 min   Libye   Chevalier Dragon Roi

Sylène vivait dans une terreur sans nom. Les voyageurs évitaient la ville comme la peste. On disait qu'un effroyable dragon hantait les marécages et dévorait quiconque troublait son antre. Qu'il crachait des flammes plus puissantes que la lave d'un volcan. Qu'à lui seul, son souffle asséchait les puits, les sources, carbonisait l'herbe et les arbres. Oui, on disait beaucoup de choses sur ce monstre-là.

La rumeur parvint jusqu'aux oreilles d'un chevalier qui sillonnait la Libye pour annoncer la parole de Dieu. Il n'était pas de ceux qui prêchent en robe de bure, pacifiques, le regard calme et doux. Celui qu'on nommerait bien plus tard saint Georges était un combattant, un cavalier habillé de tempêtes. Quand on lui parla du dragon, il cabra son cheval, les yeux fous, et fonça sur Sylène. Ce dragon était une créature du Diable, et il la pourfendrait de sa lance.

Il entra dans la ville par la grande porte. Personne dans les rues, personne aux fenêtres.

Il entra
dans la ville.

— Holà ! rugit-il. Y a-t-il quelqu'un ici pour me conter le malheur abattu sur vos têtes ?

Et comme la ville restait silencieuse, il pénétra dans le palais du roi, faisant sonner les sabots de son cheval sur les pavés de jade. Nul ne vint à sa rencontre. À peine entrevit-il quelques ombres ici ou là. Il lui sembla que ces pâles silhouettes étaient secouées de sanglots. Il poussa sa monture jusqu'à la salle du trône.

Le roi était là, la figure posée sur le poing, avec l'air le plus triste qu'on pût imaginer. Autour de lui, les seigneurs de la ville avaient la mine tout aussi sombre.

Georges descendit de cheval et s'avança vers le trône.

— Quelle est cette ville pleine de silence et de chagrin ?

Le roi le regarda longuement avant de répondre.

Voix accablée

— Et toi, étranger, qui es-tu pour ignorer l'immense douleur qui nous frappe, et moi aujourd'hui plus que tout autre ?

Il soupira. Ses yeux larmoyaient.

Soupirer

— Qu'avons-nous fait pour mériter cela ? Nous vivions paisiblement. Un jour de ténèbres, tandis que la brume enveloppait Sylène, ce monstre est venu des marécages. Il est entré dans la

320

ville, vomissant sur nous un terrible flot de feu, saccageant les rues, les maisons. Quand la terreur fut à son comble, il a exigé qu'on le nourrisse, si nous voulions qu'il nous laisse en paix. Que pouvions-nous faire d'autre ? Au commencement, nous lui avons apporté des moutons. En quelques jours, il engloutit tous les troupeaux des environs. Puis, lorsqu'il n'y eut plus une seule bête, le dragon réclama de la chair humaine. Tout d'abord, j'ai refusé, mais l'effroi qu'inspirait l'infernale créature fut plus fort que tout. On dut tirer au sort les victimes et, jour après jour, le monstre dévora son horrible festin. Aujourd'hui, c'est ma fille que le destin a désignée, balbutia le roi. Et personne n'y peut rien.

Georges posa sa main gantée de fer sur l'épaule du souverain.

Voix solennelle — Je tuerai ce dragon, ô roi. Mais à une seule condition.

— Veux-tu le trésor de la ville, chevalier ? Je te le donne. Mille arpents de bonne terre ? Ils sont à toi.

Georges secoua la tête.

Voix solennelle — Je suis ici pour annoncer la parole de dieu, roi de Sylène, et rien d'autre. J'abattrai ce monstre si vous rejoignez tous, toi et les tiens, le peuple des chrétiens.

Le roi promit.

— Si tu peux réussir dans une telle entreprise, c'est que ton dieu a quelque puissance. Je le reconnaîtrai volontiers, dit-il.

Georges enfourcha son cheval et, suivi de loin par la foule silencieuse des habitants de la ville, s'enfonça dans les marécages.

Le dragon crut qu'on lui apportait sa victime. Il surgit des eaux sombres, la gueule béante, rugissant comme mille tonnerres. Le chevalier frissonna devant l'énorme corps hérissé d'écailles luisantes, les deux ailes noirâtres qui battaient l'air et la queue interminable fouettant l'écume grise des marais. Il serra les poings sur les rênes.

Crier — Je vais te transpercer le cœur, monstre hideux ! hurla-t-il.

321

Alors le dragon avança et se mit à cracher le feu. Autour de lui, l'eau bouillonna furieusement, des fumées âcres l'enveloppèrent. Georges saisit sa lance, celle qui l'avait rendu victorieux dans bien des combats, rabattit la visière de son heaume et, éperonnant son cheval, fonça vers l'effroyable animal.

La lance de Georges s'enfonça dans sa gueule.

Trois fois les flammes le frappèrent, brûlant le drap de sa selle, les harnais, sa longue tunique blanche, mais monture et cavalier semblaient voler au-dessus du sol, comme jadis Persée enfourchant Pégase. Et tandis que le dragon ouvrait son épouvantable gueule rouge pour vomir un nouveau torrent de feu, la lance de Georges s'enfonça dans son cœur jusqu'à la garde. Le pieu fiché dans son énorme poitrail, la gigantesque créature vacilla longuement, cracha un ultime nuage noir et bascula enfin dans l'eau.

Georges avait vaincu le monstre. Derrière lui, la foule poussa des hurlements de joie et tout le monde tomba à genoux. Le temps de la terreur prenait fin. Le roi serra Georges sur sa poitrine.

– Nous te vénérerons jusqu'à la fin des siècles, mon ami, dit-il.

Georges enleva son heaume. Il ruisselait de sueur, de sang et de peur.

– Moi, je ne suis que l'instrument de Dieu, ô roi. Rappelle-toi la promesse que tu m'as faite.

Ce jour-là, on baptisa plus de quinze mille personnes. Quant au dragon, on le traîna avec quatre chars à bœufs, et on l'enfouit au plus profond des marais. Lorsque l'onde noire l'engloutit, les eaux bouillonnèrent longtemps encore. On dit que parfois, sur ce lieu maudit entre tous, quelques bulles viennent crever la surface. Qui sait si le dragon de Sylène est vraiment mort ?

Le Rubis de la Vouivre

Adapté d'une légende du Beaujolais.

Les vouivres, ou guivres (du latin vipera, *« vipère ») étaient des animaux fantastiques, des serpents fabuleux. On a recueilli de nombreuses histoires de vouivres dans le Beaujolais, les Alpes et le Jura.*

Les récits se rapportant à des peurs ou à des êtres surnaturels occupaient une place importante dans la tradition orale beaujolaise, notamment dans les montagnes, où l'hiver était rude.

Marcel Aymé a immortalisé une vouivre dans un roman écrit en 1943, La Vouivre, *dans lequel il explore les liens existant entre le réel et l'imaginaire.*

À partir de
7 ans

7 min

Bois
Étang
Village

Monstre
Villageois
Homme

L'été, les journées sont longues. Paulin, le bûcheron, le savait mieux que tout autre, qui taillait la forêt jusqu'à la dernière lueur du jour, et parfois même plus.

Un soir qu'il achevait son ouvrage, il vit que la lune brillait, à travers le feuillage sombre. « Diable, se dit-il, la nuit est venue sans faire de bruit. »

Et il songea qu'il n'était plus temps de revenir à travers bois par la sente tourmentée. Dans la pénombre, il aurait mille fois l'occasion de se perdre. Posant sa cognée, il s'allongea sur la mousse. « Demain matin, je serai à pied-d'œuvre », songea-t-il. Et il s'endormit.

Est-ce le vent qui l'éveilla ? Le bruissement d'une belette ? Le vol d'un grand-duc ? Il ouvrit les yeux. La nuit était calme et silencieuse. Trop, peut-être. Car l'instant d'après, un sifflement terrible résonna dans les frondaisons, au-dessus de lui. Et il vit passer, l'œil effaré, une étrange lumière rouge, ronde comme la lune, posée sur une grande ombre allongée.

La cognée.

La Vouivre ! Épouvanté, il se voila la figure de ses mains. La Vouivre mangeuse d'homme ! Celle qui se baignait tous les soirs dans l'étang Vert et laissait dans les hautes herbes des traînées lumineuses ! Celle dont le gîte, disait-on, grouillait de serpents !

On en parlait, on en parlait tant et tant ! Mais personne ne l'avait jamais vue. Paulin était terrorisé, et en même temps, l'idée de suivre la créature s'imposa à lui. L'occasion était trop belle. Il prit sa cognée et, les jambes tremblantes, s'engagea dans les fourrés. La lumière rouge se posa là-bas, au bord de l'étang Vert.

C'était bien elle. Les écailles de son corps de serpent luisaient sous la lune. Elle agita encore une fois ses grandes ailes noires, puis les replia lentement, avant de glisser dans l'eau sombre.

Paulin frissonna. Assister ainsi au bain de la Vouivre était un privilège que beaucoup lui envieraient, quand il raconterait son histoire, au village. Il regarda longtemps l'eau vibrer des soubresauts du monstre, et il s'apprêtait à partir lorsqu'il vit, dans les roseaux de la berge, reposant sur une pierre plate, la boule rouge, celle-là même qui brillait si fort au front de la Vouivre.

Son cœur battit fort, mais il s'en approcha, hypnotisé. Sur la pierre, il y avait un énorme rubis, lançant d'incroyables feux. Un trésor fabuleux, qui devait valoir une fortune, pensez-donc : le rubis de la Vouivre ! Il s'en empara prestement, le fourra dans sa poche.

Mais à peine avait-il tourné les talons que, derrière lui, l'étang Vert s'agita furieusement. Surgissant des flots noirs, ailes déployées, la Vouivre poussa dans la nuit un cri déchirant, et fondit sur le bûcheron dans un terrible sifflement. Paulin crut mourir d'épouvante sur le champ, mais il fit face. Et, faisant tournoyer par deux fois sa cognée, le bûcheron planta son fer entre les deux yeux du monstre, de toutes ses forces. Puis le ciel bascula et tout devint obscur.

Quand il se réveilla, la nuit était redevenue sombre et paisible. La lune semblait flotter dans l'étang, comme sa sœur jumelle, là haut, dans le ciel. Et l'eau était à peine ridée par le léger souffle du vent. D'un bond, Paulin fut debout, ses deux mains agrippées au manche de sa cognée, prêt à tout. Mais il n'y avait plus personne. Au bord de l'étang, des roseaux fracassés, des traces sanguinolentes, qui menaient jusqu'à l'eau noire. Comme si la Vouivre, foudroyée par la hache du bûcheron, s'était traînée jusque là pour glisser à jamais dans les profondeurs liquides.

Paulin fouilla sa poche. Le rubis merveilleux était toujours là. Fou de joie, l'homme reprit le chemin du village. Bientôt, l'aube vint pâlir le ciel et, quand il arriva chez lui, le soleil dépassait l'horizon.

Il croisa Jean, le forgeron.

— Mon ami, celui que tu as devant toi est un homme riche ! Si tu savais ! Riche !

La Vouivre surgit des flots, ailes déployées.

Ton joyeux

325

Jean le toisa des pieds à la tête.

— Je ne te connais pas, étranger. Pardonne-moi.

Et il passa son chemin. Paulin éclata d'un rire énorme. Sacré forgeron ! Un coquin toujours prêt à plaisanter ! Puis il passa devant le fournil de Pierre, le boulanger.

Ton joyeux

— Compagnon, celui que tu as devant toi est un homme riche ! Immensément riche !

Pierre le toisa des pieds à la tête, lui aussi.

— Tu n'es pas d'ici, étranger. Passe ton chemin.

Jalousie ! Tous crevaient de jalousie, songea Paulin. Et il entra chez lui.

Ton joyeux

— Femme ! Regarde ce que je rapporte ! Nous sommes riches !

Il sortit le rubis et le posa sur la table. Sa femme parut effrayée.

Surprise

— Qui es-tu donc, vieillard ? Je ne t'ai jamais vu, ici.

Vieillard ? Paulin sentit sa gorge se serrer étrangement. Et puis son regard se posa sur ses mains. Noueuses, tremblantes, décharnées : celles d'un vieil homme. Et il vit son reflet, sur le fond d'une grande poêle en cuivre. Ses cheveux étaient blancs comme neige, sa peau parcheminée, ses yeux délavés. Depuis l'étang Vert jusqu'au village, il avait parcouru le chemin de sa vie !

Il vit son reflet.

— Et pourquoi donc poses-tu ce caillou gris sur ma table, bonhomme ? reprit sa femme.

Paulin regarda le rubis de la Vouivre. Une pierre grise, voilà ce qu'était devenu le fabuleux bijou. Il se sentit défaillir, soudain aussi léger qu'une feuille d'automne.

Murmurer

— Je suis si fatigué, femme.

Elle était brave. Montrant à ce vieillard inconnu le lit de son mari, elle l'aida à se coucher.

Paulin s'endormit et mourut sans se réveiller.

Dans les marais, près de l'étang Vert, on entend toujours, certaines nuits de pleine lune, le sifflement de la Vouivre, et la lumière rouge qui ceint son front vole avec elle. Il en est ainsi des mystères de ce monde. On croit les saisir, ils s'obscurcissent davantage.

La femme de Paulin attendit longtemps son bûcheron de mari. Peut-être même l'attend-elle encore.

à malins, malins et demi

Renart et Tiécelin

Texte publié dans le magazine Wakou, *n° 30 (septembre 1991).*

Adapté du Roman de Renart *(voir l'introduction de* Renart et le puits*).*

Variante : le renard persuade le volatile de chanter les yeux clos, sous un prétexte quelconque. Le volatile acquiesce et se fait prendre.

La proie du renard est tantôt un oiseau domestique, de préférence un coq, tantôt un oiseau sauvage, généralement une perdrix.

Bien que ce conte se retrouve dans toute l'Europe et en Turquie, il est possible qu'il soit issu de sources écrites.

La morale de ce conte proverbial (qui a inspiré la célèbre fable de Jean de La Fontaine) est explicite : il ne faut pas parler sans besoin.

À partir de 3 ans 2 min Ferme Renard Corbeau

Dans son jardin, une fermière étale au soleil ses fromages tout frais : elle les fait sécher pour qu'ils soient bons à déguster. Non loin de là, Tiécelin, le corbeau, surveille le tableau. Il a très faim, et les fromages lui semblent à point. Alors il choisit le plus gros, le saisit avec ses pattes et s'envole aussitôt.

Posé sur une branche, il s'attaque à son butin. Au pied de l'arbre, un autre affamé se repose... Renart, le rusé, réveillé par l'odeur du fromage, interpelle l'oiseau :

Ton flatteur

— Bonjour, maître Tiécelin ! On m'a souvent parlé de vous et de votre belle voix. Voudriez-vous chanter pour moi ?

Tiécelin, très flatté, se met aussitôt à crier :

Imiter le corbeau

— Crôa ! crôa ! crôa !

Il en oublie son fromage et le laisse tomber ! Le fromage est aux pieds de Renart. Mais le rusé ne bouge pas. Il a si faim qu'il voudrait, en plus du fromage, croquer le corbeau ! Alors il dit en pleurnichant :

Pleurnicher

— Ah ! quel malheur ! Je ne supporte pas l'odeur du fromage. Et, avec ma patte cassée, je ne peux pas me lever pour le jeter plus loin. Tiécelin, venez à mon aide !

Ému, le corbeau descend et s'approche ; mais pas trop... il est un peu méfiant !

Et il a raison, car Renart se lève soudain et se jette sur lui. Mais Tiécelin est plus rapide et s'envole en croassant. Renart n'a que le temps de saisir quelques plumes entre les dents. « Qu'à cela ne tienne, se dit Renart, je n'ai pas eu le corbeau, mais il me reste le fromage. » Et il s'en va, tout guilleret, vers la forêt.

Une histoire de famille

Adapté d'un conte africain.

À partir de 4 ans | 2 min | Rivière | Poule Crocodile Serpent

Vous êtes-vous jamais demandé pourquoi les crocodiles ne s'attaquent pas aux poules ? C'est une histoire qui remonte à une époque si lointaine qu'on l'a presque oubliée.

Un jour que la poule s'en allait boire à la rivière, le crocodile, seigneur des eaux, l'aperçut et se lécha les babines. « Que cette poule est bien grasse ! Quel bon repas je vais faire ! » se dit-il, l'œil brillant. Il se jeta sur la petite poule et l'attrapa par une patte. Le volatile caqueta furieusement, battit des ailes et chercha par tous les moyens à échapper au monstre. Mais le crocodile la tenait solidement entre ses crocs et n'avait pas l'intention de la lâcher de sitôt. Et c'est alors qu'il entendit :

Crier

– Lâche-moi ! Lâche-moi donc, grand frère !

Tout étonné de s'entendre appeler ainsi, le crocodile ouvrit sa gueule et la poule s'en retourna tranquillement au village.

Le lendemain, elle s'en revint, confiante, boire à la rivière. Le crocodile était toujours là, à l'affût, avec une faim qui lui dévorait le ventre. Deux jours de jeûne, c'était épouvantable ! Alors, il se précipita sur la poule. À peine l'eut-il saisie par la queue, qu'elle se remit à caqueter de plus belle :

Crier

– Lâche-moi ! Lâche-moi donc, grand frère !

La poule s'en retourna au village.

Ça alors ! Tout ébaubi, le crocodile la laissa s'enfuir pour la seconde fois. Ah, que c'était agaçant ! Pourquoi donc cet oiseau de malheur l'appelait-il « grand frère » ? Il fallait absolument résoudre cette énigme.

Il s'en alla trouver le serpent à lunettes, son ami, et lui raconta l'affaire. Les yeux mi-clos, le reptile siffla :

Siffler

– La poule ne t'a pas menti. Grand bêta, ignores-tu que les poules naissent dans des œufs, tout comme vous, les crocodiles ?

Le crocodile devint pensif.

Marmonner

– Le serpent à lunettes a bien raison. Puisque la poule pond des œufs, elle est au moins ma cousine, si ce n'est ma sœur ! marmonna-t-il.

Et c'est depuis ce temps-là que les poules se promènent paisiblement le long des rivières, sous le nez des crocodiles. Elles ne risquent rien : une sœur, ça ne se mange pas, voyons !

333

Les Abeilles et les Bourdons

D'après une fable d'Ésope, fabuliste grec à demi légendaire à qui on attribue un recueil de fables dont s'est inspiré plus tard Jean de La Fontaine (voir l'introduction de Le Grelot des chats).

À partir de 4 ans

2 min

Campagne

Abeilles
Bourdons
Hibou

Que d'émoi dans le champ de lavande ! Coquelicots et bleuets en tremblaient de tous leurs pétales. Depuis quelques jours, abeilles et bourdons se chamaillaient sans cesse, au sujet d'une ruche plantée au milieu des fleurs.

Crier — Elle est à nous ! vrombissaient les abeilles.

Protester — Quel toupet ! répondaient les bourdons. C'est notre maison ! Et pas moyen de les mettre d'accord. Ah ! C'était un drôle de spectacle que de les voir s'élancer les uns contre les autres, le

334

dard à l'affût, les ailes coléreuses. Mulots, insectes et oiseaux, tous les habitants du champ en eurent assez. Ils allèrent trouver le vieil hibou, connu pour sa sagesse, qui vivait dans un arbre creux près de la rivière.

L'oiseau les écouta, hocha la tête, avant de s'envoler vers la ruche pour y voir de plus près. Là-bas, ce n'étaient que vains bourdonnements.

Le vieil hibou observa leur manège infernal et pensa qu'il valait mieux s'en mêler.

Voix forte

– Ça suffit ! Puisque personne ici n'arrive à se mettre d'accord, voici : abeilles et bourdons construiront chacun de leur côté une ruche semblable à celle que vous vous disputez.

Panique chez les bourdons ! Construire une ruche, jamais ils n'avaient essayé, pensez donc ! Eux qui se contentaient de butiner les fleurs avec insouciance, sans songer au lendemain. D'un vol lourd, déconfits et penauds, ils s'envolèrent au loin.

Depuis, le champ de lavande a retrouvé son calme. Le vieil hibou dort dans son arbre creux près de la rivière, les abeilles murmurent dans leur ruche, et tout le monde, insectes, oiseaux, mulots, peut enfin dormir tranquillement.

Un pèlerinage mouvementé

Adapté d'un conte du Moyen-Orient.

Le thème du lion malade (ou qui feint de l'être) qui, pour être guéri, a besoin de la chair d'un animal vivant se retrouve en Inde et en Afrique.

Variante : le renard, qui a omis de rendre visite au lion malade, est en passe d'être discrédité au profit du loup. Le renard prétend être allé chercher au loin la connaissance du remède efficace : écorcher le loup et s'envelopper de sa peau. Le renard rentre en crédit auprès du lion.

Ce conte-ci voit le triomphe de l'animal domestique sur les animaux sauvages, c'est-à-dire le triomphe de la civilisation (avec le miel, aussi, qui est un produit élaboré, le fruit d'un long travail)

À partir de 4 ans 7 min Désert Bouc
Lion
Chacal
Panthère

Bien des choses peuvent arriver sur le long chemin qui mène aux lieux saints : un orage violent, une tempête de sable, un pont effondré, des coupeurs de bourses... Mais se trouver nez à nez avec un chacal, un lion et une panthère, cela n'est pas banal, vous ne trouvez pas ?

Un jour, le bouc décida qu'il était grand temps pour lui d'aller en pèlerinage vers les lieux saints. Gourmand de nature, il bourra un sac de pains aux céréales, de dattes et de sucreries. Avant de prendre la route, il songea : « Quel long chemin vais-je parcourir là ! Et qu'il serait agréable d'avoir un peu de miel, tous les matins, pour m'encourager à partir. » Il prit un grand pot de miel au parfum si délicat que personne ne pouvait le humer sans vouloir le goûter. Le sac à l'épaule, le pot de miel sur la tête, le bouc marcha longtemps le long des bourgs et des villes, le long des déserts et des lacs.

Un jour, un terrible orage déchira le ciel. Éclairs, roulements de tonnerre, trombes d'eau, l'orage semblait se déchaîner sur le pauvre bouc. Affolé, il chercha un lieu où s'abriter, mais rien à faire ! À croire que ce pays n'avait ni bosquet, ni taillis, ni masure. Seul, au bord de la route, gisait un vieux cèdre foudroyé. « Sauvé ! » pensa le bouc. Hélas ! Il eût mieux fait de continuer sa route sans se soucier de la tempête ! Car dans un creux, entre les racines de l'arbre, il y avait déjà de redoutables habitants, qui se protégeaient de la pluie, comme lui : un lion, une panthère et un chacal, oui, les trois à la fois ! Le bouc sentit son poil se hérisser de terreur et il s'apprêtait à fuir quand le chacal le héla :

Crier

— Hé, compère bouc, où vas-tu ainsi ?

Que faire ? Galoper dans le désert ? Mais le lion ou la panthère auraient eu tôt fait de le rattraper. Il répondit donc, avec désinvolture :

— Qui, moi ? Oh, je vais tout simplement en pèlerinage vers les lieux saints, compères.

Et il posa devant lui son pot de miel, avec mille précautions. Le lion gronda :

En grondant

— Qu'y a-t-il dans ce pot, dis-moi ?

Le bouc marcha longtemps.

337

Le bouc répondit avec légèreté (en réalité, il tremblait comme une feuille) :

— C'est une médecine. Juste au cas où quelque chose m'arriverait durant le voyage.

Surprise

— Tiens donc, s'étonna le lion. Et que guérit-elle, cette médecine ?

Le bouc releva la tête et prit un ton savant :

Voix solennelle

— C'est un produit miraculeux. Il soigne tout, sans exception, du mal de tête à la rage de crocs, des piqûres d'insectes aux brûlures d'estomac.

Et le lion de grommeler :

Grommeler

— Donne-m'en donc. J'ai mal à la patte depuis quelque temps.

— Ce serait bien volontiers, mais il me manque un bout de peau pour tremper dans la médecine.

Le lion s'énervait, impatient.

Ton impatient

— Un bout de peau ? Quel genre de peau, compère bouc ?

L'œil malicieux, le bouc répondit :

— L'idéal serait celle du chacal, compère lion.

Le chacal se fit tout petit sous les racines du cèdre.

Grogner

— Chacal, donne-moi un bout de ta peau, grogna le lion.

Voix tremblante

— Ne préfères-tu pas une feuille d'arbre pour tremper dans cette médecine, ô lion ? balbutia le chacal.

Grosse voix

— Tais-toi, ô imbécile, et donne-moi donc ce bout de peau, ou je te mange tout cru ! rugit le lion d'une voix terrible.

Un frisson parcourut l'échine du chacal. Après tout, un petit bout de peau en moins valait mieux que plus de peau du tout ! Il s'en arracha un morceau et la tendit au bouc, qui la trempa dans le pot de miel.

Avec autorité

— Avale ça, compère lion ! dit-il.

Le miel aurait fait passer le mauvais goût de n'importe quelle peau, même celle du crapaud ou de l'hippopotame. Se pourléchant les babines, le lion murmura, rêveur :

Murmurer

Avec autorité

– De mémoire de lion, jamais je n'ai avalé de médecine aussi bonne ! Allons, bouc, donne-m'en encore un peu.

Le sourire en coin, le bouc répondit :

– Volontiers, compère. Mais j'ai encore besoin d'un bout de peau de chacal.

Le chacal pâlit, blêmit. Où donc le bouc allait-il lui prendre le bout de peau, cette fois-ci ? L'animal cornu saisit la queue du pauvre chacal et la trempa allègrement dans le pot de miel. Le lion s'en délecta, et dit :

Avec autorité

– J'en veux encore, bouc, ma patte blessée le demande, l'entends-tu ?

Le bouc hocha la tête.

– J'entends. Mais pour te guérir tout à fait, il me faut la peau entière du chacal.

C'en était trop pour le chacal, qui s'enfuit à toutes pattes sous l'orage. Le lion, furieux de voir sa médecine lui passer sous le nez, se mit à le poursuivre en hurlant :

Crier

– Reviens donc, compère chacal ! Tu vois bien que j'ai besoin de toi ! Reviens !

Et le bouc riait, riait, riait, de s'être ainsi joué des deux terribles animaux. Mais un rugissement l'arrêta net ! La panthère ! Il avait oublié la panthère ! Dans l'obscurité des racines, elle regardait le bouc avec appétit, songeant : « Ce bouc m'a l'air bien dodu et bien tendre, par mes poils de moustaches ! »

Le bouc réfléchit à toute vitesse. Il dit à la panthère :

– Dis donc, toi là-bas ! J'espère que tu apprécies le service que je viens de te rendre.

Le félin ouvrit des yeux ronds.

– Voyons, dit le bouc. Je t'ai tout bonnement sauvée. J'ai dit au lion que la peau du chacal était la meilleure, alors que chacun sait que c'est celle de la panthère qui guérit le mieux les blessures à la patte !

La panthère frissonna. Et si le lion revenait ? Elle tenait trop à sa fourrure soyeuse pour rester plus longtemps dans les parages. Elle s'enfuit à son tour, abandonnant ses rêves de festin.

« Ouf, songea le bouc, mille fois ouf ! » Mais comme il était prudent et sage, il remit de nouveau le pot de miel sur sa tête, jeta son sac sur son dos, et reprit la route. Mieux valait être loin quand les trois autres s'apercevraient de la supercherie ! Les miracles n'arrivent qu'une seule fois, même quand on va aux lieux saints !

La Petite Renarde rusée

Adapté d'un conte chinois.

La ruse du renard est légendaire ; il peut ainsi triompher de tous les animaux, même des plus forts.

À partir de
3 ans

3 min

Jungle

Tigre
Renarde
Villageois

Dans la jungle, rien ni personne ne pouvait échapper au tigre, ce grand dévoreur de tout. Termites, mulots, tapirs ou éléphants, tous le craignaient et prenaient garde à ne pas croiser sa piste. Mais ce jour-là, catastrophe ! La petite renarde se retrouva truffe à truffe avec le redoutable animal. Un coup d'œil à droite, un autre à gauche, mais rien à faire. Pas le moindre terrier, pas le moindre bosquet où se réfugier. Il fallait faire face ! L'énorme gueule du monstre était déjà béante, tous crocs dehors, quand la renarde, se redressant sur ses pattes, apostropha le tigre en ces termes :

Crier

— En garde, gros balourd ! Je vais te donner une leçon dont toi et les tiens se souviendront longtemps !

Stupéfait, le tigre éclata d'un grand rire qui secoua la jungle.

Ton moqueur

— Ne sois pas ridicule ! Comment pourrais-tu me battre ? Même les hommes avec leurs sagaies me craignent !

— Peut-être ont-ils peur de toi, rétorqua la renarde, mais ce n'est rien en comparaison de la terreur que je leur inspire !

En grondant

— Sornettes ! gronda le tigre. Tu dis n'importe quoi !

La renarde plissa les yeux et dit :

— Tu veux une preuve ? Eh bien, suis-moi, gringalet. Tu verras bien.

« Je rêve », songeait le tigre, horriblement vexé. Comment un si petit animal pouvait prétendre se mesurer à lui ?

La petite renarde.

Et la petite renarde se mit à galoper vers le village, le tigre derrière elle. Mais elle prit bien soin de courir dans les hautes herbes, si bien qu'aux abords du village, ce ne fut pas elle qu'on vit, mais le tigre bondissant à sa suite. Fous de terreur, les villageois se barricadèrent à double tour ou s'enfuirent en criant dans la savane. Bientôt, les deux animaux s'arrêtèrent. La petite renarde se dressa au-dessus des hautes herbes et dit au tigre :

— Tu vois bien qu'on me redoute plus que toi. Dès que j'arrive dans un village, les gens décampent à toutes jambes, épouvantés, et ne prêtent même pas attention à toi.

Le tigre fut bien obligé de reconnaître l'atroce vérité. Et parce que, comme tous les vantards, il était aussi peureux que bête, il partit loin de ce terrible animal à la queue touffue. La petite renarde, ravie du tour qu'elle venait de jouer à ce gros prétentieux, s'en revint tranquillement chez elle. « Esprit malin est bien plus redoutable que crocs pointus et rugissements féroces ! » ricana-t-elle au fond de son terrier.

Le Cœur à l'ouvrage

Adapté d'un conte indien.

À partir de
4 ans

5 min

Plage
Ile

Tortues
Singe

Des vagues. De l'eau, de l'eau, toujours de l'eau... Compère tortue s'ennuyait à mourir. Les jours passaient et il n'y avait rien ni personne pour égayer sa vie monotone. De temps en temps, une baleine ou un troupeau de dauphins passaient bien au large de l'île, mais c'étaient des visites sans lendemain. Un jour qu'il se lamentait sur son sort, il aperçut un singe occupé à dépouiller un gros régime de bananes. « Pourquoi chercher un compagnon dans la mer, après tout ? se dit compère tortue. Un singe est tout aussi drôle qu'une langouste ! Je suis sûr qu'il s'ennuie, lui aussi. » Et il alla trouver compère singe.

Bien lui en prit. Ce fut le début d'une belle amitié. Tous les matins, les deux animaux se retrouvaient sous les bananiers, ou sur la plage de sable jaune, et ils passaient de merveilleux moments. Comme ce jour où le singe voulut apprendre à la tortue comment grimper aux arbres, ou encore celui où elle goûta une banane pour la première fois. Ils ne se séparaient qu'au crépuscule, pour aller retrouver femme et enfants. Et encore compère tortue oubliait-il parfois de reprendre le chemin de la mer.

Commère singe était heureuse que son époux ait enfin trouvé un compagnon de jeux, et il racontait tellement d'histoires drôles sur ce gros animal tout mou à carapace ! Mais commère tortue voyait cela d'un autre œil. Pour tout dire, elle était jalouse du singe et il fallait à tout prix qu'elle éloigne son mari de ce drôle d'animal. Un soir, alors que compère tortue s'en revenait de l'île, il trouva sa femme haletante, gémissant de douleur.

Voix affolée

— Femme, ma chère femme, que t'arrive-t-il ?

Et elle de répondre :

Voix tremblante

— Le docteur Hippocampe sort d'ici. Je suis condamnée, mon pauvre ami.

Elle lui raconta comment une étrange maladie l'avait saisie tout à coup, alors qu'il était parti.

— N'y-a-t-il aucun moyen de te sauver, ma très chère femme ?

Voix tremblante

— Oui, mon ami, répondit commère tortue. Mais je n'ose te le dire. L'hippocampe affirma que l'unique moyen de me guérir est de manger un cœur de singe.

Catastrophe ! Le seul singe que la tortue connaissait, c'était son ami ! Devant son air si troublé, sa femme se mit à gémir et à haleter de plus belle. Éperdu, le cœur lourd, compère tortue se décida à agir. Puisqu'un cœur de singe sauverait sa femme, il n'y avait plus à hésiter. « Nécessité fait loi » se répétait-il sans cesse.

344

Compère singe fut tout étonné de voir revenir son ami. Compère tortue dit très vite, sans le regarder :

– Ma femme et moi désirons t'avoir à dîner, ce soir. Viendras-tu ?

Compère singe, ravi, suivit compère tortue jusqu'à la mer. Arrivé devant l'eau, il se gratta la tête. Il savait grimper aux arbres, éplucher des bananes, sauter de liane en liane, mais nager, non.

– Compère tortue, porte-moi donc sur ta carapace, si tu me veux à ta table.

Et les voilà tous deux partis sur les vagues, le singe insouciant et la tortue tout à son épineux problème : comment tuer un ami ? Le singe sentit bien que quelque chose ne tournait pas rond.

– Tu es bien silencieux, compère tortue, il me semble.

La tortue se décida à tout avouer à son ami. « Diable ! pensa le singe. Me voilà dans une bien mauvaise situation. Si je veux garder et mon cœur et ma vie, il faut que je ruse, et vite ! » Il se frappa le front.

Et les voilà partis
sur les vagues.

Imiter le singe et se frapper le front

– Pourquoi me l'as-tu donc caché, compère ? Si j'avais su cela, j'aurais pris mon cœur avec moi !

Surprise

– Quoi ? s'étrangla la tortue. Ton cœur n'est pas dans ta poitrine ?

– Tu plaisantes ! Ne sais-tu pas que les singes laissent leur cœur dans une cruche, près de leur maison, avant de partir en voyage ?

Compère tortue s'arrêta de nager. Que faire ? Il pensait à sa femme malade, au cœur de son ami, à la cruche.

– Allons, dit le singe, j'ai pitié de toi. Ramène-moi donc sur l'île et j'irai chercher mon cœur.

Compère tortue fit demi-tour sur le champ et nagea vers la plage. À peine avait-il atteint le rivage que le singe bondit sur le sable et se réfugia sur un bananier.

Crier

Ton moqueur

– Hé, compère singe ! Et le cœur que tu m'as promis !

– Quel cœur ? Mon pauvre ami, tu es aussi malin qu'un os de seiche ! Mon cœur est dans ma poitrine, comme de bien entendu. Et je le garde !

Puis, sautant d'arbre en arbre, il s'enfonça dans la forêt, laissant compère tortue face à son désespoir et à sa bêtise. « Je viens de perdre un cœur de singe et un ami » songeait ce dernier. Et il s'en fut assister sa femme dans son agonie imaginaire.

L'Éléphant, le lapin et les deux souris

Adapté d'un conte africain.

À partir de
3 ans

3 min

Savane

Éléphant
Lapin
Grand duc
Souris

S'il y avait un lapin heureux de par le monde, c'était bien ce lapin-là : allongé mollement sur son hamac, les yeux mi-clos, il rêvait paisiblement à des champs de carottes et de navets, quand le ciel lui tomba sur la tête. À vrai dire, ce n'était pas le ciel, mais le toit de sa maison. La foudre ? Un tremblement de terre ? Il se précipita dehors et ses yeux s'arrondirent. C'était tout bonnement l'éléphant qui grappillait les cerisiers du lapin, assis sur le toit de sa maison.

Ton menaçant

— Dis-donc, gros balourd, sais-tu que tu es vautré sur mon toit ?

L'éléphant, tout à sa rapine, ne lui répondit même pas. Alors le lapin se mit à hurler au pachyderme toutes sortes de choses extrêmement désagréables, comme celle-ci :

Ton moqueur

— Sais-tu qu'à côté de toi, l'hippopotame est une libellule, barrique à trompe !

L'éléphant finit par se fâcher.

En colère

— Lapin, tu m'échauffes les oreilles, que j'ai grandes. Si tu continues, c'est sur toi que je vais m'asseoir.

Ton moqueur

— Maladroit comme tu es ? gloussa le lapin.

Et ils continuèrent à se quereller, l'un barrissant, l'autre clapissant. Les animaux de la savane avaient formé un cercle autour d'eux et pleuraient de rire. Tous, sauf le grand duc, qui aurait bien voulu dormir. Il s'interposa donc entre le lapin et l'éléphant :

— Messieurs, il faut en finir. Je vous propose de régler vos comptes en vous battant en duel.

L'éléphant eut un large sourire. Voilà une solution qui lui allait comme un gant. Cette petite boule de poils n'allait pas résister longtemps à ses énormes pattes. Mais le lapin ne se démonta pas.

— Tope-là, dit-il. Et nous verrons qui de nous deux a le dernier mot.

Le grand duc décida de la forme du duel.

— Vous aurez droit à trois assauts chacun, messieurs. Le premier qui s'enfuit ou tente de se dérober sera déclaré vaincu.

On tira au sort pour désigner le premier attaquant. Ce fut le lapin. Il s'approcha de son adversaire, l'œil malicieux.

— N'aie crainte. Je ne vais pas t'écrabouiller, juste te chatouiller un peu la trompe.

Et il sortit de sa poche une minuscule souris, qui se faufila sur

Il sortit de sa poche une souris.

348

le nez du mastodonte. Le gros animal secoua le tête, épouvanté. Car si les éléphants n'ont peur ni du tigre, ni du rhinocéros, les souris ont le don de les faire grimper aux arbres !

Ricaner

— Attends ! ricana le lapin. Ce n'était que le premier assaut. Voici le second !

Et il lança sur son rival une deuxième souris, qui alla se nicher dans l'une de ses grandes oreilles. C'en était trop. L'éléphant s'enfuit lourdement, en barrissant comme si on lui avait versé de l'eau bouillante sur la queue.

Le grand duc ne se donna pas la peine de proclamer le vainqueur. Tous les animaux de la savane firent un triomphe au lapin, qui retourna paisiblement à sa sieste. Jamais plus il n'eut la visite de l'éléphant et de son gros postérieur.

pas si bête

Gribouillis l'ourson

Texte de Florence Desmazures, publié dans le magazine Toupie, *n° 22 (juillet 1987).*

À partir de 2 ans   3 min   Maison   Oursons

Gribouillis l'ourson adore gribouiller. Avec ses crayons de couleur, il dessine tout ce qu'il voit.

Un après-midi, Gribouillis se dit : « Je vais dessiner mon grand frère ». Il va dans la chambre et voit son frère avaler, en cachette, deux bonbons tout ronds. Alors, il choisit un crayon et barbouille un ourson tout rouge. Dans le cou, il dessine deux ronds… Puis, il montre le dessin à son frère. Mais celui-ci se moque de lui :

Ton moqueur

— C'est quoi, ça, ces deux gros champignons rouges ? Les champignons ne poussent pas dans le cou ! Quel gribouillis !

Petite voix

— C'est toi, lui répond Gribouillis tout fier. C'est toi quand tu avales en cachette deux bonbons tout ronds.

Derrière la porte, maman rit, car elle a tout entendu.

« Maintenant, se dit l'ourson, je vais gribouiller mon papa géant. » Gribouillis va au salon. Papa est en train de lire son journal, et comme il se croit tout seul, il met les doigts dans son nez. Gribouillis tire la langue. C'est qu'un papa géant, c'est long à recopier ! Il gribouille un ours énorme, tout orange, avec une grosse boule pour le nez. Sur la boule, il dessine deux bâtons qui ressemblent à des troncs d'arbre. Puis il montre son dessin à Papa. Mais celui-ci est effrayé :

Surprise
— C'est quoi, ça, ces arbres orange ? Les arbres ne poussent pas sur le nez ! Quel gribouillis !

Petite voix
— C'est toi, lui répond l'ourson un peu déçu. C'est toi quand tu mets tes doigts dans ton nez.

Maman rit de plus belle, car elle a tout entendu.

Mais Gribouillis est triste. Personne ne comprend jamais rien à ses dessins… sauf maman peut-être. Il lui montre ses gribouillages et lui demande :

Il dessine une oursonne avec un ventre en ballon.

Petite voix
— C'est quoi, ça ?

Maman rit et répond sans se tromper :

— Ça, c'est ton grand frère. Il avale deux bonbons !

Petite voix
— Et ça, c'est quoi ?

— Ça, c'est ton papa. Il met ses doigts dans son nez !

Puis elle demande, un peu inquiète :

— Et moi Gribouillis, comment je suis ?

Gribouillis l'ourson réfléchit. Puis il se souvient qu'à la maison, toute la famille attend une petite sœur.

Alors il gribouille une belle oursonne avec un ventre en ballon, et dedans, il dessine un petit pois tout rond.

Petite voix
— Ça, c'est toi, Maman, avec la petite sœur.

L'Aventure d'Églantine

Texte de Régine Pascale, publié dans le magazine Wakou, *n° 37 (avril 1992).*

À partir de 3 ans

2 min

Campagne

Vache
Fermière
Pompiers

Églantine veut voir la mer.

Églantine est une petite vache rousse, et elle en a assez de la verdure, des prés, des champs, des bois autour de sa ferme. Elle a envie de bleu.

– Tu es folle ! lui dit sa copine Pivoine.

Ton moqueur

Mais cela ne change rien dans la tête d'Églantine. Et aujourd'hui, alors que la fermière Jeanne rentre le troupeau, pff… notre petite vache saute un talus, deux talus, trois talus et s'enfuit.

Églantine traverse un village, deux routes et hésite à un carrefour. La circulation l'affole. Elle ne sait pas lire les pancartes. « De quel côté est la mer ? » se demande-t-elle.

Une voiture passe avec un bateau sur le toit. Au hasard, Églantine la suit. Mais la poussière de la route lui entre dans les yeux. Alors elle tourne dans un chemin creux. Le chemin la conduit droit à une grande maison et à une piscine. Celle-ci est remplie d'eau si bleue, si claire qu'Églantine pense aussitôt : « Voilà la mer ! »

Églantine.

Et plouf, sans hésiter une seconde, elle plonge.

Seulement, elle a oublié de mettre une bouée et ne sait pas nager. Elle coule, boit la tasse et meugle très fort car elle a vraiment peur.

En entendant ses cris, les gens de la grande maison sont affolés. Une vache dans leur piscine ? Comment cela a-t-il pu arriver ? Vite, ils téléphonent aux pompiers qui arrivent sans traîner.

Églantine barbote toujours. Elle ne comprend rien à ce remue-ménage, elle voudrait juste être tirée de là !

Heureusement les pompiers ont tout ce qu'il faut pour l'attraper, la remonter, la sécher et la ramener chez la fermière Jeanne dont le nom est écrit sur la cloche pendue à son cou.

Surprise

– Qu'as-tu fait ? s'exclame Pivoine, en voyant revenir son amie en pareille compagnie.

Tout bas

– Chut ! Ne dis rien ! On va préparer le prochain voyage… et cette fois, je t'emmène avec moi !

Cache-Cache le kangourou

Texte de Florence Desmazures, publié dans le magazine Toupie, *n° 9 (juin 1986).*

À partir de 2 ans   3 min   Australie   Kangourous

Il était une fois une maman kangourou. Dans la poche de cette maman-là, il y avait un petit kangourou que tout le monde appelait Cache-Cache. Car Cache-Cache jouait à se cacher toute la journée. Parfois, il cachait ses pieds, sa queue et tout le reste, sauf le bout de son nez. D'autres fois, il cachait sa tête, et seuls ses pieds et sa queue dépassaient de sa poche.

Et tous les kangourous qui passaient par là disaient :

Ton moqueur
– Quelle drôle de bête ! Un jour sans tête, un jour sans pieds, ce n'est pas un kangourou, ça !

Mais, ce matin, Cache-Cache en a assez. Il décide de sortir de la poche pour que les kangourous le voient en entier et disent :

Ton admiratif
– Quel beau kangourou que voilà !

Mais dès qu'il est dehors, sa mère a peur de le perdre et lui dit :

356

— Donne-moi la main sinon tu vas tomber, fiston !

Et Cache-Cache donne la main à sa mère… Et, très vite, il s'ennuie. Alors, pour s'amuser, Cache-Cache fait disparaître ses mains sous son tricot. Un kangourou qui passait justement par là dit :

— Quelle est cette drôle de bête qui n'a pas de mains ?

— C'est mon kangourou, répond la maman de Cache-Cache. Il a juste caché ses mains et je les cherche partout, c'est tout !

Mais le kangourou éclate de rire et s'en va sur ses grands pieds. Cache-Cache soupire :

Cache-Cache.

Soupirer — Comme il a de la chance, ce kangourou, de pouvoir sauter comme ça ! Et si j'essayais, moi, avec mes grands pieds ?

Cache-Cache prend son élan et saute… C'est sa maman qui est bien étonnée ! Elle court vite pour le rattraper par un pied.

Alors, Cache-Cache, pour que sa maman ne l'attrape plus par les pieds, les cache vite sous son pantalon.

Un kangourou le voit et dit en se tordant de rire :

En riant — Quel animal bizarre ! Il est sans pieds. Il ne doit pas être fort pour la course à pied.

La maman de Cache-Cache n'est pas contente qu'on se moque ainsi de son garçon.

— Il joue à chercher ses pieds. C'est tout.

Mais Cache-Cache qui a tout entendu, se met vraiment très en colère.

Il sort ses pieds de leur cachette et hop ! il saute par-dessus toutes les têtes des kangourous. Il vole, vole. Et tous les kangourous lèvent le nez pour le regarder passer.

Ton admiratif — Regardez mon kangourou, dit la maman de Cache-Cache, voyez comme il saute ! Et même mieux que vous !

Et c'était vrai ! Cache-Cache était si adroit que sa mère n'avait plus besoin de lui donner la main…

357

Le Premier Bal d'Agaric Passiflore

Texte de Geneviève Huriet, (c) Éditions Milan, 1987.

À partir de 4 ans   11 min   Campagne   Lapins Pie Chouette Pigeons Grenouille

Les lapins sont tous de fameux danseurs. Donnez-leur un pré d'herbe rase, un rayon de lune pour les éclairer : ils danseront jusqu'à l'aube, grands et petits. Onésime Passiflore, père de cinq petits lapins, avait déjà conduit au bal ses deux aînés, Romarin et Pirouette.

Un beau jour, il s'avisa que ses trois cadets, Agaric, Mistouflet et Dentdelion, n'étaient plus des bébés.

— À la prochaine lune, je vous emmènerai tous danser à la fête des lapins ! Vous êtes grands, maintenant, et en âge de sortir !

Joie de toute la famille ! Seul l'avant-dernier, Agaric, montra de l'inquiétude :

Protester

— Mais… je ne sais pas danser, moi !

— Tous les lapins savent danser à la lune ! affirma la vieille tante Zinia.

— Et tous les Passiflore sont de fiers danseurs ! ajouta Onésime.

Tous les lapins, tous les Passiflore… c'était bien vite dit. Agaric, lui, était certain qu'il ne saurait pas. Qu'arriverait-il alors ? On se moquerait de lui, on le laisserait de côté ! L'angoisse lui serrait la gorge, et il n'avait plus d'appétit.

— Mais puisqu'on te dit qu'on s'amuse bien ! lui répétait Pirouette. Tu feras comme nous !

Agaric n'était pas convaincu. Pour le rassurer, il aurait fallu une maman. Une maman jeune et gaie, qui aurait ri de ses inquiétudes et fait trois pas de polka avec lui. Mais Mia, sa maman, avait été tuée par un chasseur, quand Mistouflet, Dentdelion et lui étaient tout petits. Tante Zinia s'occupait de la maisonnée et les aimait tendrement. Mais elle avait trop à faire pour danser avec eux… Notre lapin soupira. Et au lieu d'aller jouer au soleil, il s'assit tristement sur son petit derrière, cherchant un réconfort qui ne venait pas.

C'est alors qu'arriva la Pie : c'était un gros oiseau noir et blanc, un peu voleur, un peu menteur, qui aimait bien se moquer des autres animaux et leur faire des farces.

— Voici un petit lapin tout triste, dit-elle. Tu as fait une grosse bêtise ?…

Protester

— Mais non ! protesta dignement Agaric.

— Alors, tu as un souci ? Raconte-moi tout ! insista l'oiseau malin.

Sans méfiance, Agaric lui confia son inquiétude. La Pie hocha la tête d'un air amical.

— Je crois que je peux t'aider, dit-elle. Tu as peur de ne pas savoir danser ? Eh bien, prends des leçons… sans rien en dire à personne !

Surprise

— Des leçons… mais comment ? et avec qui ?

— Avec de bons danseurs ! J'en vois deux : le Pigeon, qui fait de si jolis pas, et la Grenouille, qui saute à merveille ! Je vais te présenter.

Le Pigeon des bois.

Et elle emmena Agaric chez le Pigeon des bois. Celui-ci fut un peu surpris d'avoir un lapin à son cours de danse, mais l'accepta tout de même et commença aussitôt la leçon :

— C'est très simple, regarde-moi bien : trois petits pas à droite, révérence. Trois petits pas à gauche, révérence. Tip-e, tip-e, tip, roû-hou ; tap-e, tap, roû-hou. Le corps droit ! Fais bouffer tes plumes… je veux dire… tes poils ! On recommence… Et tip-e, tip-e, tip, roû-hou.

La Pie, dans un coin, s'amusait comme une folle.

Agaric, très grave, s'appliquait, faisant de tout petits pas et des saluts cérémonieux.

Cela dura plusieurs jours. Agaric en avait des courbatures, mais le Pigeon était content :

Ton admiratif

— Pas mal du tout ! Tu peux aller au bal !

Agaric rentra chez lui fatigué, mais un peu rassuré et tout affamé.

— Où étais-tu passé ? s'inquiéta tante Zinia.

En hésitant

— Je… je dansais avec des copains…

Crier

— Moi, je t'ai vu parler avec la Pie, cria Mistouflet.

Surprise

— Avec la Pie ? dit Pirouette étonnée. Méfie-toi d'elle, Agaric, c'est une vilaine bavarde.

— Allons, allons, pas de méchancetés contre les absents, coupa tante Zinia. Je suis bien contente que tu danses avec des amis, mon petit Agaric. Cela te prépare à la fête.

Le lendemain, la Pie conduisit Agaric chez Rainette, la grenouille. Il fallut beaucoup prier Rainette : elle n'aimait pas donner des leçons, surtout pas à un lapin. Mais la Pie lui débita tant de flatteries qu'elle se décida.

— C'est très simple, regarde-moi bien. Tout est dans les pattes arrière : poïng, poïng. Ce sont les sauts de base. Facile, non ? Ensuite, on va plus loin : poïng, poïng et, hop ! dans l'herbe. Et finalement, le plus difficile, mais le plus joli : poïng, poïng, et, plouf ! dans la mare. Allons-y !

Voix affolée — S'il vous plaît, dit Agaric épouvanté, pas le plouf dans la mare. Les plongeons, ça ne vaut rien aux lapins…

Surprise — Vraiment ? C'est étrange ! Enfin, commençons !

Pauvre Agaric ! Il en fit des sauts ! Et que la grenouille était exigeante !

Avec autorité — Tête levée, le dos plat ! Plus haut ! Respire en mesure !

Entre les leçons et la vie de famille, notre lapin n'avait plus une minute à lui ! Chez les Passiflore, on ne parlait que du bal. Pirouette mettrait un nœud rose sur sa tête. Dentdelion aurait un gilet neuf. Mistouflet essayait chaque soir une autre coiffure. Raie à droite, ou à gauche, ou pas de raie du tout. On demandait à Agaric :

— Veux-tu un nœud papillon rouge ou bleu ? À rayures ou à fleurs ?

Il se moquait bien des nœuds papillons. Son entraînement commençait à porter des fruits inattendus.

Protester — C'est pas possible, tu triches ! grommelait Romarin, vexé. Tu sautes plus loin que moi, maintenant ! Pourtant, je suis le plus grand !

— Mais pas forcément le meilleur, jeune homme ! répondait Onésime. Ton petit frère ne triche pas, il a un style… étonnant, voilà tout !

Mistouflet et Dentdelion étaient pleins d'admiration :

Ton admiratif — Tu nous apprendras à sauter comme toi, hein, Agaric ? Comment tu fais ?

— Tout dans les pattes arrière, répondait leur frère, sans souffler mot des leçons, qui devaient rester un secret.

On arriva ainsi au fameux soir de lune. Pirouette arborait son nœud rose. Dentdelion était ravi : il avait collé des étoiles sur son gilet et elles brillaient dans la nuit ! Mistouflet avait finalement choisi de mettre sa casquette neuve, et Romarin portait un livre… comme toujours.

Avec son nœud papillon, Agaric était le plus calme de tous : il n'avait presque plus peur.

La famille Passiflore, au grand complet, rejoignit les autres lapins, à l'orée de la forêt, sur une petite colline herbeuse. Une vieille chouette présidait la fête. La Pie s'était perchée sur un arbre proche : elle prévoyait qu'Agaric serait ridicule (a-t-on jamais vu un lapin danser comme un pigeon et sauter comme une grenouille ?) et elle se préparait à bien rire.

Dès que la lune se montra, on se mit à danser : tante Zinia à petits pas très dignes, Onésime un peu à contretemps. Les enfants Passiflore avaient rejoint leurs amis ; il fallait les voir sauter, taper du pied, et se tortiller selon leur fantaisie ! Agaric, rendu confiant par tant de leçons, ne fut pas le dernier à se lancer. Au début, personne ne le remarqua. Puis, peu à peu, on trouva ses mouvements étranges : plusieurs danseurs s'arrêtèrent pour mieux regarder.

Quelqu'un rit. Aussitôt la Pie, dans l'ombre, ricana méchamment. On rit plus fort. Agaric commençait à se sentir mal à l'aise, et ses oreilles brûlaient comme du feu. Pirouette se rapprocha de tante Zinia :

Chuchoter

— C'est la Pie qui a tout manigancé, j'en suis sûre. Oh, tante Zinia, qu'est-ce qu'on peut faire ?

C'est alors que la Chouette intervint. C'est un oiseau plein de sagesse et d'intelligence. Un coup d'œil sur la Pie, un autre sur Agaric, lui avaient suffi pour tout comprendre. On allait rire sans pitié du jeune lapin et cette vilaine bavarde de Pie se chargerait de raconter l'aventure à toute la forêt.

La Chouette prit son élan et survola les danseurs avec un « Hou-hou » qui fit taire tout le monde.

Imiter la chouette

Ton grave

— Mes amis, dit-elle gravement, je suis contente de vous voir rire, mais... vous n'avez pas compris ce qui se passe ce soir. Nous avons parmi nous un jeune i-mi-ta-teur plein de talent, Agaric Passiflore ! Il vous a amusés en imitant la danse de deux personnages. Lesquels ? Devinez ! J'offre des récompenses aux plus futés !

On ne se moquait plus et on applaudit très fort. Onésime bomba le torse, tante Zinia, toute fière, se rengorgea, et Pirouette poussa un soupir de soulagement. À la prière de la Chouette, Agaric refit sa première danse, tip-e, tip-e, tip.

Un silence, puis on entendit une toute petite voix :

Petite voix

— C'est le Pigeon des bois !

Crier

— Bravo, s'écria la Chouette.

La chouette.

Elle fit avancer le petit lapin noir qui avait deviné juste, lui remit une belle feuille de chêne et lui promit pour le lendemain deux carottes nouvelles !

Tout le monde était très excité maintenant : quelle bonne idée que ce jeu !

Alors Agaric se mit à sauter, poïng, poïng, poïng, très à l'aise maintenant qu'on ne se moquait plus de lui !

Voix chevrotante

— Ho, ho, ho ! C'est une grenouille que nous avons là ! chevrota la doyenne des lapins.

Crier

— C'est bien, grand-mère ! Voici votre feuille de chêne et vous aurez demain une belle salade toute tendre ! Un grand merci à Agaric que j'invite avec tous ses frères et sœur à venir déguster une glace au pied du chêne. Et encore bravo !

Oui... bravo la Chouette ! Pour Agaric, ce fut une soirée unique. Il oublia toutes les leçons reçues et dansa comme un vrai petit lapin. Le retour des Passiflore chez eux, à l'aube, prit des airs de triomphe. Tenant sa feuille de chêne, Agaric marchait en tête, entre Pirouette et son papa qui le tenait par l'épaule. Ses frères suivaient, avec tout un groupe de voisins admiratifs. Seul Dentdelion ne fit pas de compliments au héros de la soirée : vaincu par la fatigue, il dormait à poings fermés dans les bras de tante Zinia tout attendrie... Et la Pie dans tout cela ? Vexée, déçue, furieuse, elle était partie se coucher... et personne ne la regretta.

Une maison trop petite

Texte de Gérard Moncomble, publié dans le magazine Wakou, *n° 6 (septembre 1989).*

À partir de 3 ans

2 min

Maison

Lion
Crocodile
Singe
Hippopotame

Ce soir, le lion est très fatigué. Toute la journée, il a galopé, galopé comme un fou. En rentrant chez lui, il n'a qu'une idée en tête : prendre un bon bain tout chaud, tout parfumé. Il pousse avec délices la porte de la salle de bains.

Ton moqueur

— Occupé, dit le crocodile en s'enfonçant dans la mousse avec un grand sourire plein de dents.

Le lion soupire.

Soupirer

— Je vais me consoler en mangeant une petite douceur, dit-il. Et il fonce sur le frigidaire.

Ricaner

— Il n'y a plus rien, ricane le singe à l'intérieur. Le gratin de courgettes était une pure merveille !

Accablé, le lion hausse les épaules.

– Bon. Tout ce qui me reste à faire, c'est dormir.

Il enfile son pyjama et grimpe sur le lit.

– Hé ! ho ! doucement, il n'y a pas de place pour deux, ici ! dit l'hippopotame.

Le lion sent une très très grosse moutarde lui monter au nez.

– Je suis le roi des animaux, oui ou non ? hurle-t-il.

Mais personne ne l'écoute. Le crocodile somnole dans la mousse, le singe digère son gratin de courgettes, et l'hippopotame ronfle déjà comme un moteur d'avion.

Depuis, le lion chasse la nuit. Quand il rentre, au petit matin, les trois autres sont déjà partis.

Et qui remplit à ras bord son frigidaire, se prend un petit bain plein de mousse et se vautre sur son grand lit tout frais pour dormir toute la journée ?

Le singe digère son gratin.

Loufoc

Texte de Régine Pascale, publié dans le magazine Wakou, *n° 27 (juin 1991).*

À partir de
3 ans

3 min

Hôpital de
la mer

Phoques
Baleine
Dauphin

Loufoc, le petit phoque, a beaucoup de chagrin. Il a perdu sa maman.

Il ne veut plus manger.

Il passe son temps à pleurer, tout seul sur un rocher.

Alors, forcément, il tombe malade. Heureusement un énorme cachalot vient le chercher. Maintenant le voilà à l'hôpital de la mer avec d'autres petits phoques.

Claquer des dents

— J'ai froid, dit-il en claquant des dents.

Et la baleine-infirmière le met au lit sous un gros édredon.

Voix douce

— Ça va mieux ? demande-t-elle.

Loufoc secoue la tête :

Gémir

— Non, gémit-il. Je ne peux pas dormir. Je n'ai plus sommeil, et d'ailleurs je fais plein de cauchemars.

La baleine-infirmière a pitié de lui. Elle le prend dans ses bras pour lui faire un gros câlin. Elle allume une lampe, elle lui chante une jolie chanson de vent et de mer. Mais ça ne va toujours pas. Loufoc refuse le lait épais et la purée de poisson. Il pleure. Un bébé phoque qui sanglote fend le cœur à tous les autres.

– Docteur, comment l'arrêter ? demande l'infirmière affolée.

– Il faut l'obliger à rire, décide le médecin-dauphin.

Cela paraît impossible. Rien ne marche. Ni les chatouilles. Ni la télé. Ni les histoires. Ni les grimaces.

– Je ne peux quand même pas me déguiser en clown, grogne le docteur.

– Pourquoi pas ? répond l'infirmière, qui en a assez de distribuer des mouchoirs.

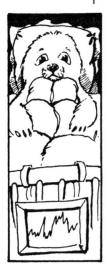

Loufoc sanglote.

Et voilà le médecin avec un gros nez rouge et un chapeau melon :

– Bonjour, monsieur Loufoc. Comment allez-vous ? Avez-vous bien dormi ?

Loufoc est surpris, ses moustaches se redressent. Mais ses yeux sont toujours tristes.

Tous les autres petits phoques arrivent autour de son lit :

Crier

– Et nous ? crient-ils. Est-ce qu'on va nous maquiller aussi ?

– Bonne idée, dit le dauphin.

Puis il distribue des ballons, des masques, des perruques, des bonnets pointus, de la peinture noire, jaune, blanche, des paillettes et des confettis.

Cette fois tout le monde est guéri, et soudain, devinez quoi, Loufoc rit. Il rit si fort que sa maman, loin, très loin, l'entend. Depuis plusieurs jours, elle cherchait son bébé. Aussitôt elle le rejoint, et tout est bien qui finit bien.

Moustache et Iris cherchent un bébé

Texte de Geneviève Noël, publié dans le magazine Toupie, *n° 74 (novembre 1991).*

À partir de
2 ans

3 min

Campagne

Souris
Chaton
Chiot
Fillette

Moustache et Iris pleurent du matin jusqu'au soir, car, dans leur jolie maison blanche, il n'y a pas de bébé souriceau à aimer, à bercer, à câliner.

Un beau jour, ils se disent :

– Ça ne peut plus durer comme ça. Il y a sûrement, quelque part sur la Terre, un bébé abandonné qui attend que nous venions le chercher.

Alors, Iris sèche ses larmes, Moustache mange un morceau de fromage pour se donner du courage, et ils se mettent en route.

À la sortie du petit bois, ils aperçoivent un minuscule chaton qui joue aux billes avec des marrons. Moustache et Iris lui disent, de leur voix la plus douce :

Voix très douce

— Petit chat, est-ce que tu veux être notre bébé à nous ?

— Oh non ! répond le chaton, j'ai déjà un papa et une maman qui sont trois fois plus gros que vous et qui m'aiment tendrement. Mais, si vous voulez, je peux vous aider à trouver un autre bébé.

Moustache, Iris et le chaton traversent un petit pont de bois. Ils rencontrent un jeune chiot en train de sucer un os.

Voix douce

— Petit chien, demandent Moustache et Iris, est-ce que tu veux être notre bébé à nous ?

— Oh non ! répond le jeune chiot, j'ai déjà un papa et une maman qui sont dix fois plus grands que vous et qui m'adorent énormément. Mais, si vous voulez, je peux vous aider à trouver un autre bébé.

Moustache, Iris, le chaton et le chiot montent en haut d'une colline, et ils voient une petite fille en train de bercer une poupée.

— Petite fille, disent Moustache et Iris, est-ce que tu veux être notre bébé à nous ?

— Oh non ! répond la petite fille, je suis déjà vingt fois plus grande que vous, et je suis la maman d'une poupée qui câline passionnément. Mais, si vous voulez, je peux vous aider à trouver un autre bébé.

Moustache, Iris, le chaton, le chiot et la petite fille entrent dans un champ de blé. Et là, entre les épis dorés, ils découvrent un minuscule souriceau qui pleure toutes les larmes de son corps :

— J'ai froid, j'ai faim, j'ai peur, et je voudrais trouver un papa et une maman pour s'occuper de moi !

Alors, Moustache et Iris prennent le bébé dans leurs bras, puis, après avoir dit au revoir à tous leurs amis, ils rentrent dans leur jolie maison blanche.

Ils découvrent un souriceau qui pleure.

Vite, Iris donne un bain à Souriceau.

Moustache l'habille d'un pyjama bien chaud. Il lui fait boire un biberon de lait sucré.

Iris le bisoune, le caresse, elle le couche dans son joli berceau.

Puis, ouf ! ils s'effondrent sur une chaise et ils mangent un morceau de lard avec beaucoup de roquefort.

Petit Loir
a peur du noir

Texte de Françoise Bobe, publié dans le magazine Toboggan, *n° 117 (août 1990).*

À partir de
4 ans

4 min

Campagne

Loirs
Chouette

Toujours joyeux, Petit Loir passe son temps à s'amuser. C'est le plus heureux des petits loirs… tout au long de la journée ! Mais, quand vient le soir, il court se cacher sous la barbe de son papa, ou se blottir dans les bras de sa maman, car Petit Loir… a peur du noir !

– Mon fils, lui dit un soir son père, tu es trop grand maintenant pour te cacher ainsi sous ma barbe !

– Mon enfant, ajoute sa mère, tu es trop grand maintenant pour te blottir ainsi au creux de mes bras !

Petit Loir sanglote :

– Je sais, mais ce… ce n'est pas ma faute si j'ai peur du noir !

Sangloter

Les parents en parlent avec Docteur Passiflore.

– Avec ce sirop, leur dit-il, tout s'arrangera !

Petit Loir savoure chaque cuillerée, tant le sirop est bon. Mais, lorsque le flacon est vide, Petit Loir… a toujours peur du noir !

Les parents en parlent aussi avec Docteur Laluciole.

– Avec cette jolie lampe de poche, leur dit-il, tout s'arrangera !

Pour la première fois, Petit Loir attend la nuit avec impatience. Mais le soir venu, il a l'impression que les ombres se précipitent sur lui. Et il court encore plus vite au creux des bras de sa maman. Parents et médecins ne savent plus que faire !

Un soir, les parents doivent s'absenter. C'est Chevêche, la chouette, qui garde le petit.

Avant même que la nuit tombe, il commence à sangloter. Chevêche se fâche un peu :

Ton impatient

– Au lieu de pleurnicher au fond de ton mouchoir, ouvre donc tout grands les yeux, comme ça !

Aussitôt Petit Loir écarquille les yeux.

En riant

– Que tu es drôle ! s'exclame-t-elle, et ils se mettent à rire tous les deux. Grimpe sur mon dos, je vais te faire visiter la nuit : tu verras comme c'est chouette !

Et voilà Petit Loir dans les airs, agrippé aux plumes de Chevêche.

C'est la chouette qui garde le petit.

– Qu'est-ce qu'il y a de rouge, là-bas ? demande-t-il.

– C'est le soleil couchant, voyons ! répond Chevêche étonnée.

Comment Petit Loir peut-il savoir ce qu'est un soleil couchant ? D'habitude, à cette heure-ci, il est sous la barbe de son papa ou dans les bras de sa maman.

Surprise, puis tout bas

– Le soleil se couche, lui aussi… ? Ça alors ! murmure-t-il tout bas.

– En fait, il s'en va rayonner de l'autre côté de la Terre pour

373

d'autres petits loirs, et pour nous, pendant ce temps, c'est la nuit… Allons, viens maintenant.

Ils survolent la campagne, se faufilent entre les sapins et montent au-dessus des chênes. Ils croisent des chauves-souris et un hibou.

« Hou! hou ! » fait celui-ci en passant.

Imiter le hibou

Chevêche se pose. Elle défroisse un peu ses plumes. Ce voyage était merveilleux, mais Petit Loir apprécie la terre ferme. Jamais la mousse ne lui a paru aussi douce. Il fait des cabrioles et se retrouve sur un tapis de fraises des bois.

Ton admiratif

— Quel parfum ! dit-il en croquant les plus rouges.

Le chant d'un rossignol lui fait relever la tête. Il reste alors le nez en l'air un bon moment.

— Finalement, dit-il, la nuit n'est pas noire : elle est bleue… et remplie d'étoiles !

Tout à coup, Petit Loir sent un frôlement. Une ribambelle de lapereaux passent près de lui en chahutant.

— Tu viens jouer avec nous ? lance le plus jeune.

Ils font d'interminables galipettes au clair de lune, puis Chevêche écarte ses ailes.

— Nous devons rentrer !

Quelle surprise pour les parents de voir Petit Loir, tout joyeux, rentrer à la pointe du jour ! Avec un brin de fierté et un sourire malicieux, il lance à son père :

Avec fierté

— Tu peux faire raccourcir ta barbe, si tu veux, je suis grand maintenant.

à quoi ça rime ?

Le Hareng saur

Il était un grand mur blanc – nu, nu, nu,
Contre le mur une échelle – haute, haute, haute,
Et, par terre, un hareng saur – sec, sec, sec,

Il vient, tenant dans ses mains – sales, sales, sales,
Un marteau lourd, un grand clou – pointu, pointu, pointu,
Un peloton de ficelle – gros, gros, gros,

Alors il monte à l'échelle – haute, haute, haute,
Et plante le clou pointu – toc, toc, toc,
Tout en haut du grand mur blanc – nu, nu, nu,

Il laisse aller le marteau – qui tombe, qui tombe, qui tombe,
Attache au clou la ficelle – longue, longue, longue,
Et, au bout, le hareng saur – sec, sec, sec,

Il redescend de l'échelle – haute, haute, haute,
L'emporte avec le marteau – lourd, lourd, lourd ;
Et puis, il s'en va ailleurs – loin, loin, loin,

Et, depuis, le hareng saur – sec, sec, sec,
Au bout de cette ficelle – longue, longue, longue,
Très lentement se balance – toujours, toujours, toujours.

J'ai composé cette histoire – simple, simple, simple,
Pour mettre en fureur les gens – graves, graves, graves,
Et amuser les enfants – petits, petits, petits.

Le hareng saur
se balance.

Charles Cros

Rossignol

Rossignol joli
Do si do ré mi,
Joli rossignol
Mi fa mi fa sol,
Rossignol cendré
Fa sol fa mi ré,
Fait chanter l'écho.
Fa sol mi ré do.

La Poule aux œufs d'or

L'avarice perd tout en voulant tout gagner.
Je ne veux, pour le témoigner,
Que celui dont la Poule, à ce que dit la Fable,
Pondait tous les jours un œuf d'or.
Il crut que dans son corps elle avait un trésor.
Il la tua, l'ouvrit, et la trouva semblable
À celles dont les œufs ne lui rapportaient rien,
S'étant lui-même ôté le plus beau de son bien.
Belle leçon pour les gens chiches :
Pendant ces derniers temps, combien en a-t-on vus
Qui du soir au matin sont pauvres devenus
Pour vouloir trop tôt être riches ?

Jean de la Fontaine

La Chenille

Le papillon.

Le travail mène à la richesse
Pauvres poètes, travaillons !
La chenille en peinant sans cesse
Devient le riche papillon.

Guillaume Apollinaire

Am ! Stram ! Gram !

Quand il a du vague à l'âme
Le papa hippopotame
Fait la popote à Madame...
Am ! Stram ! Gram ! Et kilogrammes !

Texte de Michel Piquemal,
publié dans le magazine *Toupie,* n°80 (mai 1992).

As-tu peur du loup ?

– As-tu peur quelquefois du loup ?
– Pas du tout.
– Et le loup a-t-il peur de toi ?
– Je ne crois pas.

Messieurs les petits oiseaux...

Messieurs les petits oiseaux,
On vide ici les assiettes ;
Venez donc manger les miettes,
Les chats n'auront que les os.

Messieurs les oiseaux sont pri-
és de vider les écuelles,
Et mesdames les souris
Voudront bien rester chez elles.

C'est le temps des grandes eaux,
Le pain est dans la mangeoire,
Venez donc manger et boire,
Messieurs les petits oiseaux.

Victor Hugo

Les petits oiseaux.

La Baleine

La baleine qui tourne, qui vire
Autour du petit navire.
Petit navire, prends garde à toi,
La baleine te mangera.

Hanneton, vole...

Hanneton, vole, vole, vole,
Ton mari est à l'école ;
Il m'a dit que si tu volais,
Tu aurais de la soupe au lait ;
Et que si tu ne volais pas,
Tu aurais la tête en bas.
Hanneton, vole, vole, vole,
Hanneton vole, vole donc !

Le hanneton.

Le Renard marin

De poisson lune en poisson chat,
Je me promène sous la mer,
Je vois des étoiles et des corsaires...
Et voilà que je rencontre un renard.

Depuis quand les renards chassent les homards ?
Depuis que les poules ont des dents
Pardi !

Texte de Colette Barbé,
publié dans le magazine *Toupie*, n° 86 (novembre 1992).

Le Loup et la Cigogne

Les Loups mangent gloutonnement.

Un Loup donc étant de frairie,

Se pressa, dit-on, tellement

Qu'il en pensa perdre la vie.

Un os lui demeura bien avant au gosier.

De bonheur pour ce Loup, qui ne pouvait crier,

Près de là passe une Cigogne.

Il lui fait signe, elle accourt.

Voilà l'Opératrice aussitôt en besogne.

Elle retira l'os ; puis pour un si bon tour

Elle demanda son salaire.

Votre salaire ? dit le Loup :

Vous riez, ma bonne commère.

Quoi ! ce n'est pas encor beaucoup

D'avoir de mon gosier retiré votre cou ?

Allez, vous êtes une ingrate ;

Ne tombez jamais sous ma patte.

Jean de la Fontaine

Elle retira l'os.

Le Lézard

Son domaine est un mur
paré d'herbe maigre et de mousse,
à l'ombre de la ronce canaille
et de ses fruits noirs.
La rocaille, dont il semble le prince,
est peut-être pour lui
un château ruiné
sur lequel il se faufile, frémissant,
amoureux de clarté et de chaleur.
Sur son chemin de ronde,
sans cesse aux abois,
et tandis que sa gorge bat,
il prend des bains de soleil.
Avec son armure d'argent vieilli.

Texte de René Martinez,
publié dans le magazine *Toboggan*, n° 140 (juillet 1992).

Ploum !

Ploum ! Ploum !
Un petit singe
Lavait son linge
Dans un encrier
Un buvard pour sécher.
Ploum !

Compte et raconte

Index alphabétique des titres

Pour savoir combien de fois vous aurez raconté chaque histoire, mettez une croix dans les cases concernées.

Par ordre d'apparition

Index des personnages

391

Montre en main

Index en fonction du temps de lecture

Du plus petit au plus grand

Index en fonction de l'âge

Bibliographie

Recueils pour la jeunesse

Andersen, *Contes,* Gründ, 1979.

Aulnoy Marie-Catherine, *La Chatte blanche*, Larousse, Classiques junior, 1986.

Aymé Marcel, *Les Contes bleus du chat perché*, Gallimard, Folio junior, 1987. *Les Contes rouges du chat perché*, Gallimard, Folio junior, 1979.

Leprince de Beaumont Jeanne-Marie, *La Belle et la Bête et autres contes*, Le livre de poche jeunesse, 1979.

Contes des mille et une nuits, traduction d'Antoine Galland, Hachette jeunesse, 1986.

Grimm Jacob, *Contes*, Hatier, 1988.

Grimm Jacob, *Les Contes de Grimm*, Gründ, 1979.

Gripari Pierre, *Contes de la rue Broca*, Editions de la Table Ronde, 1967.

Homère, *L'Iliade*, Gallimard, Mille soleils, 1985. *L'Odyssée*, Gallimard, Mille soleils or, 1982.

Perrault Charles, *Contes de ma mère l'Oye*, Gallimard, Folio junior, 1982.

Soupault Philippe, *Histoires merveilleuses des cinq continents*, Seghers, 1985.

Études sur les contes et recueils pour les adultes

Afanassiev, *Contes russes*, Maisonneuve et Larose, Collection Les Littératures de toutes les nations, 1978.

Andersen Hans Christian, *Contes*, Mercure de France (édition intégrale), 1988.

Bettelheim Bruno, *Psychanalyse des contes de fée*, Hachette, Collection Pluriel, 1979.

Delarue Paul, *Le Conte populaire français*, catalogue raisonné des versions de France et des pays de langue française d'outre-mer, Maisonneuve et Larose, 1985. Tome 1 : contes merveilleux. Delarue Paul et Ténèze Marie-Louise, *Le Conte populaire français*, Maisonneuve et Larose, 1985. Tome II : contes merveilleux.

Ténèze Marie-Louise, *Le Conte populaire français*, Maisonneuve et Larose, 1985. Tome III : contes d'animaux. Tome IV : contes religieux.

Fabre Daniel et Lacroix Jacques, *la Tradition orale du conte occitan*, PUF, 1975.

Grimm Jacob, *Les Contes*, Flammarion (édition intégrale), 1962.

Homère, *l'Iliade*, *l'Odyssée*, Gallimard, Bibliothèque de la Pléiade, 1955.

Perrault Charles, *Contes*, Garnier, Classiques Garnier, 1987.

Propp Vladimir, *Morphologie du conte*, Seuil, Collection Points, 1970.

Soriano Marc, *Les Contes de Perrault, culture savante et traditions populaires*, Gallimard, 1977.

Von Franz Marie-Louise, *L'interprétation des contes de fée*, La Fontaine de Pierre, 1980.

Collections de contes

Les Littératures populaires de toutes les nations, Maisonneuve et Larose.

Contes merveilleux des provinces de France, publiés sous le patronage du musée national des Arts et Traditions populaires, Éditions Erasme.

Récits et contes populaires, Gallimard.

Contes et légendes, Nathan (séries *Antiquité, Provinces de France, Monde*).

Contes et légendes de tous pays, Gründ.

Musicographie

Tibor Arsani : *Le Petit Tailleur.*

Bela Bartok : *Le Prince des bois.*

Giam Carlo Menotti : *Amahl et les visiteurs du soir.*

Paul Dukas : *L'Apprenti sorcier.*

Edvard Grieg : *Peer Gynt.*

Francis Poulenc : *Histoire de Babar.*

Serge Prokofiev : *L'Amour des trois oranges* (suite pour orchestre), *Pierre et le loup, Cendrillon.*

Maurice Ravel : *les Contes de ma mère l'Oye, L'Enfant et les sortilèges.*

Nikolaï Rimsky-Korsakov : *Sheherazade.*

Richard Strauss : *Les Equipées de Till l'espiègle.*

Igor Stravinsky : *Renard, L'Histoire du soldat, Petrouchka, L'Oiseau de feu, Pulcinella, Le Baiser de la fée.*

Piotr Tchaïkovsky : *La Belle au bois dormant, Casse-noisette.*